聖賢之道

湯一介

戊子年夏

國學基本教材

史记选读（上）

张　华　黄晓芳　赵立学◎编注

浙江古籍出版社

“国学基本教材”编辑委员会

统　　筹：

孙劲松　向　珂　蒋蔚芳　周金芝

主　　编：李耐儒

编　　委：

李南晖　陆有富　刘乃溪　徐　骆　须　强

可延涛　李　凯　刘　舫　毛文琦　房春草

李宏哲　张　华　黄晓芳　赵立学　介江岭

张志强　姜李勤　白　坤　晏子然　施仲贞

张　琰　汪佳敏　姚之均　余雅汝　干璐娜

本册编注：张　华　黄晓芳　赵立学

总　序

秋霞圃书院创办有年，在民间推动国学普及工作，志在以独立之精神、自由之思想为宗旨，促进古今中外文化思想与学术的交流，为中华民族文化的复兴而尽心尽力。其志可嘉，其行可感！

近年，秋霞圃书院耐儒兄主持编撰“国学基本教材”。本套国学教材集复旦大学、武汉大学、南开大学、中山大学、华东师范大学、上海师范大学等名牌院校的二十多名青年学人，采各种版本的国学读本之长，广泛吸取中小学一线语文教师的教学经验，精心编撰，是中小学生比较理想的国学读本，也是便于教师们使用的、较为系统的国学教材。

读本的篇目有：《弟子规》、《三字经》、《千字文》、《千家诗选读》、《幼学琼林》、《诗词格律》、《唐诗选读》、《宋词选读》、《论语》（上、下）、《史记选读》（上、下）、《大学　中庸》、《诗经选读》、《孟子》（上、下）、《左传选读》、《颜氏家训》、《诸子文选》（上、下）、《汉魏六朝文选》、《唐宋文选》、《礼记选读》、《楚辞选读》。每册有指导性概述，有经典原文，有对原文的注释与新译（赏析），并配上文史链接（延伸阅读）、思考讨论等，图文并茂，准确生动，具有可读性与系统性。

梁启超先生说过，《论语》、《孟子》等经典“是两千年国人思想的总源泉，支配着中国人的内外生活，其中有益身心的圣哲格言，一部分久已在我们全社会形成共同意识，我们既做这社会的一分子，总要彻底了解它，才不致和共同意识生隔阂”。这就是说，“四

书”等经典表达了以“仁爱”为中心的“仁义礼智信”等中华民族的核心价值观念，这是中国古代老百姓的日用常行之道，人们就是按此信念而生活的。

中国文化的大传统与小传统是打通了的。国学具有平民化与草根性的特点。中国民间流传着的谚语是：“勿以善小而不为，勿以恶小而为之”；“老吾老以及人之老，幼吾幼以及人之幼”；“积善之家必有余庆，积不善之家必有余殃”。这些来自中国经典的精神，透过《弟子规》、《三字经》、《百家姓》、《千字文》、《千家诗》等蒙学读物及家训、族规、乡约、谱牒、善书，通过大众口耳相传的韵语故事、俚曲戏文、常言俗话，成为“百姓日用而不知”的言行规范。

南宋以后在我国与东亚的民间社会流传甚广、深入人心的朱熹《家训》说:“事师长贵乎礼也,交朋友贵乎信也。见老者,敬之;见幼者，爱之。有德者，年虽下于我，我必尊之；不肖者，年虽高于我，我必远之。”“人有小过，含容而忍之；人有大过，以理而谕之。勿以善小而不为，勿以恶小而为之。”又说，“勿损人而利己，勿妒贤而嫉能。勿称忿而报横逆，勿非礼而害物命。见不义之财勿取，遇合理之事则从……子孙不可不教，童仆不可不恤。斯文不可不敬，患难不可不扶。”朱子说此乃日用常行之道，人不可一日无也。应当说，这些内容来源于诗书礼乐之教、孔孟之道，又十分贴近大众。它内蕴着个人与社会的道德，长期以来成为老百姓的生活哲学。

王应麟的《三字经》开宗明义：“人之初，性本善。性相近，习相远。苟不教，性乃迁。教之道，贵以专。”这就把孔子、孟子、荀子关于人性的看法以简化的方式表达了出来。儒家强调性善，又强调人性的养育与训练。

清代李毓秀《弟子规》的总序说："弟子规，圣人训。首孝弟，次谨信。泛爱众，而亲仁，有余力，则学文。"以下分成"入则孝"、"出则悌"、"谨而信"、"泛爱众而亲仁"等几部分。这些纲目都来自《论语》。《弟子规》中对孩童举止方面的一些要求，如站立时昂首挺胸、双腿站直，见到长辈主动行礼问好，开门关门轻手轻脚，不用力甩门等，这些规范都是文明人起码应有的，是尊重他人而又自尊的体现。又如："晨必盥，兼漱口，便溺回，辄净手。冠必正，纽必结，袜与履，俱紧切。""斗闹场，绝勿近，邪僻事，绝勿问。将入门，问孰存，将上堂，声必扬。""用人物，须明求，倘不问，即为偷。借人物，及时还，后有急，借不难。"这都是有助于文明社会的建构的，是文明人的生活习惯，也是今天社会公德的基础。

朱柏庐在《朱子治家格言》起首的一段说："黎明即起，洒扫庭除，要内外整洁；既昏便息，关锁门户，必亲自检点。一粥一饭，当思来处不易；半丝半缕，恒念物力维艰。"这些都是平实不过的道理，体现到一个人身上就是他的家教。旧时骂人，说某某没有家教，那是很重的话，让其全家蒙羞。我们不是要让青少年一定要做多少家务，而是要他们从小学就动手打理好自己与家庭的事情，不要过分依赖父母，依赖他人，能够自己挺立起来，培养责任意识。同时，知道一粥一饭、半丝半缕都是辛劳所得，我们能够懂得去尊重家长与别人的劳动。如果我们真的有敬畏之心，就知道珍惜，不应该浪费。

南开中学的前身天津私立中学堂成立于1904年10月，老校长严范孙亲笔写下"容止格言"："面必净，发必理，衣必整，纽必结。头容正，肩容平，胸容宽，背容直。气象：勿傲，勿暴，勿怠。颜色：宜和，宜静，宜庄。"这四十字箴言来自蒙学，又是该校对学生容貌、行止的基本要求。校内设整容镜，师生进校时都要照镜正容色。

后来张伯苓先生治校，坚持了这些做法。

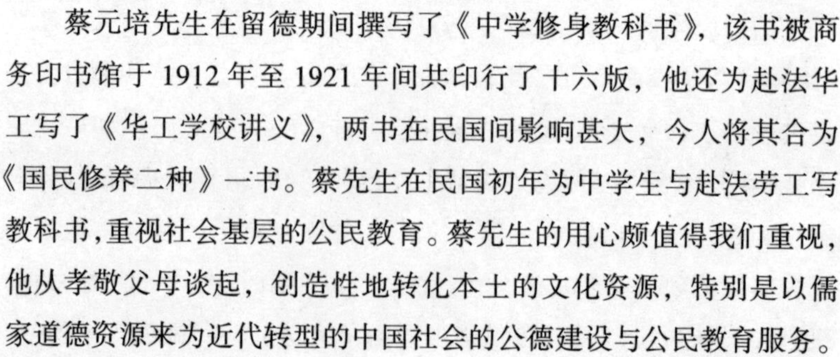

蔡元培先生在留德期间撰写了《中学修身教科书》，该书被商务印书馆于1912年至1921年间共印行了十六版，他还为赴法华工写了《华工学校讲义》，两书在民国间影响甚大，今人将其合为《国民修养二种》一书。蔡先生在民国初年为中学生与赴法劳工写教科书，重视社会基层的公民教育。蔡先生的用心颇值得我们重视，他从孝敬父母谈起，创造性地转化本土的文化资源，特别是以儒家道德资源来为近代转型的中国社会的公德建设与公民教育服务。

现今南京夫子庙小学的校训是“亲仁、尚礼、志学、善艺”。我认为这是非常好的。对孩童、少年的教育，首先是培养健康的心性才情，从日常生活习惯，从待人接物开始，学会自重与尊重别人。

我们今天强调成人教育，因为仅有成才教育是不够的，成才教育忽略了我们作为完整的人、健康的人所必需的一些素养，它在人格养成方面几乎是空白。这不是大学教育才有的问题，而是幼儿园、中小学教育就该关注的。养育青少年的性情，需要家庭、学校、社会的配合。

国学当中有很多修身成德、培养君子人格的内容。中国古典的教育，其实就是博雅教育。传统的教育并不是道德说教，也不是填鸭式满堂灌的教育，而是春风化雨似的，让学生在点滴中有所收获并自己体验，如诗教、礼教、乐教等。

我觉得应该让孩子们处在良好的文化氛围中。家长、老师们要以身作则、言传身教，这对孩子们影响很大。家长、老师有义务端正自己的言行，尤其在孩子们面前。要培养孩子分辨是非的能力，多在性情教育上下工夫，关注孩子的心理健康，多与孩子交流，洞察他们的情感，并做正确的引导。现在一些家长做不到以身作则，他们撒谎骗人，打骂斗狠，不尊重老人，这些都会给孩子的成长烙下负面的印记。

我们也希望同学们能趁着年轻记性好，多读些经典，最好能背诵一些，其中的意思以后可以慢慢领悟。南宋思想家陈亮说过：“童子以记诵为能，少壮以学识为本，老成以德业为重……故君子之道不以其所已能者为足，而尝以其未能者为歉，一日课一日之功，月异而岁不同，孜孜矻矻，死而后已。”

本丛书所收经典与蒙学读物中有很多圣哲格言，都足以让我们受用终身。我们一直希望能有多一些的国学经典进入中小学课堂，至少让“四书”进入教材。我们希望能多一些国文课，让中小学生能接受到系统的传统语言与文化教育。中华民族有很多优根性，更需大大弘扬。

是为序。

郭齐勇

癸巳春于珞珈山

目　录

概　述

一、《史记》其书

《史记》是我国第一部纪传体通史，也是历史学上一部划时代的伟大著作，是司马迁对民族文化特别是对历史学作出的极大贡献。全书包括十二本纪、十表、八书、三十世家、七十列传，共一百三十篇，约五十二万六千五百字。司马迁欲以之"究天人之际，通古今之变，成一家之言"。"本纪"除《秦本纪》外，叙述历代帝王的兴衰和重大历史事迹；"表"简要记述各个历史时期的大事件，是全书叙事的脉络和重要补充；"书"叙述天文、历法、水利、经济、文化、艺术等方面的发展及现状，类似于后世的专门科学史；"世家"除《陈涉世家》外，主要叙述贵族侯王的历史；"列传"主要是各种不同类型、不同阶层人物的传记，亦有叙述国内和国外少数民族历史的列传。五种体例相互配合、互相补充，构成了一个完整的体系。其记事范围，上自传说中的黄帝，下至汉武帝太初年间，是对上古至汉初三千多年历史、文化的第一次系统的、完整的总结。刘向认为此书"善序事理，辩而不华，质而不俚"，班固认为"其文直，其事核，不虚美，不隐善，故谓之实录"。同时，班彪、班固父子也曾指责司马迁"是非颇谬于圣人：论大道则先黄老而后六经，序游侠则退处士而进奸雄，述货殖则崇势利而羞贱贫"，这种指责其实从侧面反映了司马迁超前的进步思想和开拓精神，比同时代人站得更高、看得更远，而为一些封建正统

文人所无法理解。《史记》以严谨求实的撰史原则、重大的历史文化价值以及深远的影响，与《汉书》、《后汉书》、《三国志》合称“前四史”，与宋代司马光编撰的《资治通鉴》并称“史学双璧”。

《史记》不仅是以“实录”精神著称的体大思精、前无古人的历史学著作，而且还是我国文学史上最伟大的文学经典之一。司马迁笔下的历史故事矛盾尖锐、一波三折、剑拔弩张、惊心动魄，历历如在目前；其塑造的英雄人物个性鲜明、血肉丰满、栩栩如生，个个可歌可泣，堪称史传文学的代表性作品，被鲁迅先生誉为“史家之绝唱，无韵之《离骚》”。

二、本书说明

为了帮助广大中小学生从整体上了解中国历史文化以及《史记》的整体面貌，激发青少年对中国传统文化的兴趣，更好地领悟民族文化、民族精神的精髓和真谛，我们特从《史记》中选取了一些历史事件、成语故事及奇闻轶事，旨在为大家展现以下方面的内容：

展现《史记》的整体风貌、主要内容及风格特征。明代陈仁锡云：“子长作传，必有一主宰。”近人高步瀛也说：“史公之文，每篇各有主旨。”《史记》一百三十篇是一个统一的整体，司马迁的写作除了叙述基本史实之外，还在表达自己的“一家之言”。

展现司马迁的人格精神与价值操守。司马迁疾恶如仇、志存高远、发愤著书的精神，一直激励着后人不断前进。

展现波澜壮阔的历史场景与其发生、发展、变化的过程。司马迁“见盛观衰”、“原始察终”的撰史原则，为我们勾勒了历史盛衰变化的完整链条，体现出其唯物主义历史观。

展现栩栩如生的英雄人物及其悲剧人生。据统计，《史记》中写人物的作品共计一百一十二篇，大都具有悲剧性质，其中包含悲剧人物名字的标题共五十七篇，写悲剧人物的文章共计七十七篇，仅重要悲剧人物就有二十余篇。这些悲剧人物多为对历史发展产生重要影响的英雄豪杰，涉及社会各个阶层。他们的悲剧人生具有震撼人心的力量，对我们认识当时历史以及思考生命价值具有重要的启示意义。

知识性、趣味性、通俗性是我们选材的主要标准。培根曾言："知识就是力量。"我们编写本书的目的，是为了让广大青少年朋友认识并了解中国古代历史文化知识，从而开阔视野，获得启发，提高传统文化素养，增进认识和实践的力量。因此，我们重点选取了知识性、认识性和启发性较强的材料，为读者了解历史文化打开一个窗口。爱因斯坦曾经说过"兴趣是最好的老师"，为了让读者朋友的阅读变得轻松愉快，我们尽量选择文学性、故事性较强的生动有趣的内容，尽量让阅读成为"悦读"。《史记》撰写距今已两千余年，对于广大青少年来讲，阅读和理解并不是一件容易的事情。为了降低读者阅读的困难，我们在选材之时，尽量选取较为通俗易懂的内容。

为了确保体例的完整和上、下册篇幅的均衡，上册内容节选自十二本纪、十表、八书、三十世家，下册节选自七十列传，上、下册各选三十六篇，每一篇的编撰依次分为选文、注释、译文、文史链接及思考讨论五个部分。本书以中华书局 1959 年版《史记》为底本，选文中表示字句删补的圆括号和方括号据底本予以保留。篇幅较长的内容分段进行注释。文史链接中重点讲解历史事件发生的背景、演变，主要是为了给读者提供一些可资参考的背景材料，以便更好地理解和把握选文的文化内涵和价值意义。思考讨论部分则根据所选内容，设计了一至两道思考练习题目，目的在于引导读者进行深入的思考与探讨。

第一章　本　纪

轩辕黄帝

黄帝者，少典之子，姓公孙，名曰轩辕。生而神灵，弱而能言[1]，幼而徇齐[2]，长而敦敏[3]，成而聪明。

注释

[1] 弱：指出生不久的婴儿。　[2] 徇齐：通“迅疾”，机敏的意思。　[3] 敦：即诚实。

译文

黄帝，是少典的后代，姓公孙，名轩辕。他一出生就极有灵性，出生不久就会说话，年幼时便很机敏，长大后诚实敦厚、勤劳敏捷，成年后见闻广博、明辨是非。

黄帝

轩辕之时，神农氏世衰。诸侯相侵伐，暴虐百姓，而神农氏弗能征。于是轩辕乃习用干戈，以征不享[1]，诸侯咸来宾从[2]。而蚩尤最为暴[3]，莫能伐。炎帝欲侵陵诸侯，诸侯咸归轩辕。轩辕乃修德振兵，治五气，艺五种[4]，抚万民，度四方[5]，教熊罴貔貅貙虎[6]，以与炎帝战于阪泉之野[7]。三战，然后得其志。蚩尤作乱，不用帝命。于是黄帝乃征师诸侯，与蚩尤战于涿鹿之野[8]，遂禽杀蚩尤。而诸侯咸尊轩辕为天子，代神农氏，是为黄帝。天下有不顺者，黄帝从而征之，平者去之[9]，披山通道[10]，未尝宁居。

蚩尤

神农

注释

[1]不享：指不朝贡的诸侯。　[2]宾从：服从，归顺。[3]蚩尤：传说中的九黎部落首领。　[4]艺：种植。　[5]度（duó）四方：丈量规划四方土地。　[6]熊罴（pí）貔（pí）貅（xiū）貙（chū）虎：罴，熊的一种，也叫人熊、马熊。貔，似虎之猛兽。

貅，传说中的一种猛兽。貙，一种似狸而大的虎属猛兽。一说以这六种猛兽为图腾的各部落，一说认为以此比喻军队的勇猛。

[7] 阪（bǎn）泉之野：阪泉，古地名，在今河北涿鹿东。野，原野。

[8] 涿鹿：涿鹿山，在今河北涿鹿东南。

[9] 平者去之：意思是平服了的就带兵离开。

[10] 披：劈，开。

译文

轩辕的时代，神农氏的后代子孙已经衰败。各诸侯之间相互进攻，凶恶残暴地对待百姓，但神农氏却无力征讨他们。在这种情况下，轩辕就习兵练武，以征讨那些不肯朝贡的诸侯，四方诸侯因此都归顺于他。然而蚩尤最为凶暴，没有谁能去征讨他。炎帝想侵犯欺凌诸侯，诸侯都来归服轩辕。轩辕于是修治德政，整顿军队，研究四时节气的变化，种植五谷，安抚万民，丈量规划四方土地，训练以熊、罴、貔、貅、貙、虎为图腾的各部落习武练兵，和炎帝在阪泉的原野交战。经过多次交战，轩辕最终征服炎帝，如愿得胜。蚩尤发动叛乱，不肯服从黄帝的命令。于是黄帝便征调各诸侯的兵力，与蚩尤决战于涿鹿山前的大原野，终于擒杀了蚩尤。从此各诸侯都尊崇轩辕做天子，取代神农氏，这就是黄帝。天下如果有不归顺的人，黄帝就率兵征讨，平服了的便带兵离开，一路上开山劈道，从没安居过。

东至于海，登丸山，及岱宗。西至于空桐，登鸡头。南至于江，登熊、湘。北逐荤粥[1]，合符釜山，而邑于涿鹿之阿[2]。迁徙往来无常处，以师兵为营卫。官名皆以云命，为云师。置左右大监，监于万国。

万国和，而鬼神山川封禅与为多焉。获宝鼎，迎日推策[3]。举风后、力牧、常先、大鸿以治民。顺天地之纪，幽明之占，死生之说，存亡之难。时播百谷草木，淳化鸟兽虫蛾[4]，旁罗日月星辰水波土石金玉，劳勤心力耳目，节用水火材物。有土德之瑞，故号黄帝。

注释

[1] 荤粥（xūn yù）：即当时的匈奴。　[2] 邑：此处指建立都邑。阿：山脚。　[3] 迎：预测。策：即蓍（shī）草，古人用以卜筮。　[4] 淳化：驯养、驯化的意思。

译文

黄帝往东到达大海，登过丸山，到过泰山。往西到达空桐，登上了鸡头山。往南到达长江，登过熊山，到过湘山。往北驱逐了荤粥，与四方诸侯在釜山验证符契，并且在涿鹿山的山脚建立了都邑。经常往来迁徙，没有固定的住处，所到之处就让军队在驻地周围筑营守卫。黄帝所封之官都以云命名，军队亦称为云师。设置左右大监，用来监察各诸侯国。各诸侯国一片和睦，因而登临名山祭祀鬼神山川之事，要数黄帝时最多。黄帝又获得了宝鼎，运用蓍草推算历法，预知节气时辰。任用风后、力牧、常先、大鸿来治理民众。黄帝顺应天地四时的变化规律，预测阴阳的变化，研究养生送死的仪制礼则，探究国家存亡的道理。顺应时令播种百谷草木，驯养鸟兽虫蛾，黄帝的德化遍布日月星辰水波，以及土石金玉，辛劳勤苦地使用自己的心力耳目，教导民众要按照时令收采禁捕山林川泽的出产物，使用起来要有节制。黄帝在位时有象征土德的瑞兆，因此号称黄帝。

黄帝二十五子，其得姓者十四人。

黄帝居轩辕之丘，而娶于西陵之女[1]，是为嫘祖[2]。嫘祖为黄帝正妃，生二子，其后皆有天下：其一曰玄嚣，是为青阳，青阳降居江水[3]；其二曰昌意，降居若水。昌意娶蜀山氏女[4]，曰昌仆，生高阳，高阳有圣德焉。黄帝崩，葬桥山。其孙昌意之子高阳立，是为帝颛顼也。（选自《史记·五帝本纪》）

注释

[1] 西陵：部族名。 [2] 嫘（léi）祖：是黄帝的正妃。
[3] 降居：意思是下封为诸侯。 [4] 蜀山氏：部族名。

译文

黄帝有二十五个儿子，其中建立姓氏的有十四个。

黄帝居住在轩辕丘，娶了西陵氏的女儿为妻，这就是嫘祖。嫘祖是黄帝的正妃，生有两个儿子，他们的后代都拥有天下：一个叫玄嚣，这就是青阳，下封为诸侯，居住在江水；一个叫昌意，下封为诸侯，居住在若水。昌意娶了蜀山氏的女儿为妻，名叫昌仆，生了高阳，高阳很有圣德。黄帝去世后，安葬在桥山。黄帝的孙子即昌意的儿子高阳登位，这就是帝颛顼。

文史链接

黄帝传说的多样性

黄帝为《史记》中的五帝之首，是远古时期著名的部落联盟首领。黄帝因首先统一中华民族的赫赫功绩而备受尊崇，为华夏文明的发展作出了卓越的贡献。轩辕黄帝是中华民族的人文始祖，这一观念早已深入人心。

中国古代关于黄帝的记载很多，历史典籍中有，神话传说中也有，黄帝的形象或神或人，并不统一，关于黄帝的神话故事有很多，如黄帝失玄珠、黄炎之争、黄帝战蚩尤、黄帝问玄女战法等。这些故事大大增加了黄帝的神秘色彩和浪漫气息。黄帝的事迹毕竟是传说时期的历史，很多方面都不能确定，因而我们对黄帝的理解也就不能是一元的，要注意到黄帝传说的丰富多样性。

关于黄帝的出生，有许多记载，颇多争议，有些充满神异色彩。《国语·晋语》记载："昔少典娶于有蟜（jiǎo）氏，生黄帝、炎帝。黄帝以姬水成，炎帝以姜水成。成而异德，故黄帝为姬，炎帝为姜。"可知少典是黄帝的父亲，黄帝和炎帝是兄弟。《帝王世纪》中说："黄帝有熊氏，少典之子，姬姓也。母曰附宝，其先即炎帝，母家有蟜氏之女，世与少典氏婚，故《国语》兼称焉。及神农氏之末，少典氏又取附宝，见大电光绕北斗枢星，照郊野，感附宝，孕二十五月，生黄帝于寿丘，长于姬水，因以为姓。"黄帝的父亲是少典，黄帝的母亲叫附宝，这里关于黄帝的出生是充满神异色彩的感生神话。附宝在郊外散步时，突然看到雷电绕北斗的天枢星闪过，照亮了郊野，附宝有感而孕，怀胎二十五个月，黄帝出生。《史记正义》中也以感生神话记载黄帝的出生，认为是怀胎二十四个月。《史记索隐》中则认为："少典者，诸侯国号，非人名也。"少典不是人名，而是诸侯国号。同时，《史记索隐》还以《帝王世纪》

所载黄帝、炎帝相隔五百余年为由，认为黄帝、炎帝不可能为兄弟。黄帝的事迹毕竟是传说时期的历史，这些相同或者矛盾的观点都可以作为参考。

关于黄帝与蚩尤之战，很多古籍也都有记载，内容丰富精彩。《山海经·大荒北经》载："蚩尤作兵伐黄帝。黄帝乃令应龙攻之冀州之野。应龙畜水。蚩尤请风伯雨师，纵大风雨。黄帝乃下天女曰魃（bá），雨止，遂杀蚩尤。"蚩尤攻黄帝，黄帝派应龙到冀州的原野上去抵御蚩尤，应龙积蓄了大量的水。蚩尤竟然请来风伯和雨师，兴起大风大雨。黄帝请来名叫魃的天女，在天女魃的帮助下，大风大雨才消失了，于是擒杀了蚩尤。《山海经·大荒北经》吴任臣注引《广成子传》："蚩尤铜头啖石，飞空走险。（黄帝）以馗（kuí）牛皮为鼓，九击而止之，尤不能飞走，遂杀之。"这里所记的蚩尤本身就非常奇异，是很难制服的，他铜头，吃石头，能腾空而飞，能行走于险峻的地方。黄帝便拿馗牛皮做成了鼓，擂鼓九次，蚩尤停下，不能飞走，黄帝便擒杀了蚩尤。《太平御览》卷一五引《志林》："黄帝与蚩尤战于涿鹿之野，蚩尤作大雾弥三日，军人皆惑，黄帝乃令风后法斗机作指南车，以别四方，遂擒蚩尤。"黄帝和蚩尤交战于涿鹿的原野，蚩尤作大雾，弥漫三天不能散去，黄帝的将士看不清，黄帝便让风后仿照北斗七星造出指南车，用来辨别四方，于是擒杀了蚩尤。在以上的记载中，有风伯、雨师，有天女魃，有各种法术，蚩尤是铜头，能吃石头，能飞，能作大雾，我们看到黄帝与蚩尤之战充满了奇异色彩。相对来说，作为史书，《史记·五帝本纪》记叙黄帝的事迹比较朴素，去掉了许多神异之处。

在各种传说中，我们可以看到，黄帝的许多方面都充满了奇异色彩。除了上面所列的几点，还有诸如黄帝四面之说，黄帝三百年之说，黄帝乘龙之说等等。黄帝的传说丰富多样，我们的理解也应该立体化，避免单一。

思考讨论

1. 为什么说黄帝是中华民族的始祖？
2. 你知道哪些关于黄帝的传说？

大禹治水

夏禹，名曰文命。禹之父曰鲧[1]，鲧之父曰帝颛顼，颛顼之父曰昌意，昌意之父曰黄帝。禹者，黄帝之玄孙而帝颛顼之孙也。禹之曾大父昌意及父鲧皆不得在帝位[2]，为人臣。

注释

[1] 鲧（gǔn）：夏禹的父亲。 [2] 曾大父：大父指祖父，曾大父即曾祖父。

译文

夏禹，名字叫文命。禹的父亲是鲧，鲧的父亲是帝颛顼，颛顼的父亲是昌意，昌意的父亲是黄帝。禹为黄帝玄孙，帝颛顼的孙子。禹的曾祖父昌意以及禹父鲧，都没得到帝位，而为人臣。

当帝尧之时，鸿水滔天[1]，浩浩怀山襄陵[2]，下民其忧。尧求能治水者，群臣四岳皆曰鲧可。尧曰："鲧为人负命毁族，不可。"四岳曰："等之未有贤于鲧者[3]，愿帝试之。"于是尧听四岳，用鲧治水。九年而水不息，功用不成。于是帝尧乃求人，更得舜。舜登用[4]，摄行天子之政，巡狩。行视鲧之治水无状，乃殛鲧于羽山以死[5]。天下皆以舜之诛为是。于是舜举鲧子禹，而使续鲧之业。

注释

[1]鸿水：洪水、大水。鸿，同"洪"，大。　[2]怀：这里是包围的意思。襄：这里是淹没、漫上的意思。　[3]等之：相比较的意思。　[4]登用：重用、提升。登，指提升。　[5]殛（jí）：指流放。

译文

帝尧之时，洪水滔天，浩浩荡荡包围群山、淹没丘陵，百姓非常烦忧。尧寻找能够治理洪水的人，群臣和四岳都推荐鲧。尧说："鲧为人违背命令，毁败同族，不可任用。"四岳说："相比较来说，还没有比鲧能力更强的人，希望您让他试一试。"于是尧听取了四岳的意见，让鲧来治理洪水。鲧治理了九年，而洪水仍然没有平息，鲧治水没有成功。这时帝尧寻找继承天下大业的人，才得到了舜。舜受到重用，代理行使天子的职权，到天下四方去巡视。舜在巡视中看到鲧治理洪水没有效果，就把鲧流放到羽山，直到鲧死在那里。全天下都认为舜的惩罚是对的。于是舜举荐鲧的儿子禹，让他继续鲧未完成的治理洪水的事业。

尧崩，帝舜问四岳曰："有能成美尧之事者使居官[1]？"皆曰："伯禹为司空，可成美尧之功。"舜曰："嗟，然！"命禹："女平水土，维是勉之。"禹拜稽首，让于契、后稷、皋陶。舜曰："女其往视尔事矣。"

注释

[1] 美：此处用作动词，意为使发扬光大。

译文

帝尧去世，帝舜问四岳："有没有人能够发扬光大帝尧的事业，可以担任官职呢？"四岳都说："伯禹担任司空，可以发扬光大帝尧的事业。"舜说："嗯，就这样吧！"命令禹说："你去平定水土，希望你努力做好。"禹下拜叩首，推让给契、后稷、皋陶。舜说："你还是快上任去办理你的事情吧。"

禹为人敏给克勤[1]；其德不违[2]，其仁可亲，其言可信；声为律[3]，身为度[4]，称以出[5]；亹亹穆穆[6]，为纲为纪[7]。

注释

[1]敏给克勤：指聪明敏捷，能干勤奋。给，这里含敏捷之意。克，能干。　[2]其德不违：不违背道德。　[3]律：音律。[4]度：尺度。　[5]称以出：指办事谨慎，权衡好之后才行动。[6]亹（wěi）亹：指勤勉不倦。穆穆：即端庄、严肃、恭敬。[7]为纲为纪：纲和纪都有法度之意，为纲为纪在这里指为人的典范。

译文

禹为人聪明敏捷，能干勤奋；他不违背道德，仁慈可亲，言辞值得信服；他说话的声音悦耳动听就像音律，他的行为举止规矩如同尺度，办事谨慎权衡好之后才行动；他勤勉不倦而又端庄严肃恭敬，一举一动都可以成为世人的典范。

禹乃遂与益、后稷奉帝命，命诸侯百姓兴人徒以傅土[1]，行山表木，定高山大川。禹伤先人父鲧功之不成受诛，乃劳身焦思，居外十三年，过家门不敢入。薄衣食[2]，致孝于鬼神。卑宫室，致费于沟淢[3]。陆行乘车，水行乘船，泥行乘橇[4]，山行乘檋[5]。左准绳[6]，右规矩[7]，载四时，以开九

大禹

州[8]，通九道[9]，陂九泽[10]，度九山[11]。令益予众庶稻，可种卑湿。命后稷予众庶难得之食。食少，调有余相给[12]，以均诸侯。禹乃行相地宜所有以贡[13]，及山川之便利。

注释

[1]兴人徒：指发动服劳役的人。兴，发动。傅：分，划分。[2]薄衣食：节省衣食。薄，节俭、节省。[3]淢（xù）：通“洫”。[4]橇（qiāo）：古人在泥地行走时所使用的一种交通工具。[5]檋（jú）：古人所使用的一种登山鞋，有齿和钉。[6]左：这里用作动词，左手拿着的意思。[7]右：这里用作动词，右手拿着的意思。规矩：指圆规和方尺。[8]九州：指这篇本纪中提到的冀州、兖州、青州、徐州、扬州、荆州、豫州、梁州、雍州。[9]九道：这里是指九州的河道。[10]陂（bēi）：堤岸，这里用作动词，指筑堤岸。[11]度：测量的意思。九山：这里是指九州的大山。[12]调有余相给：指调配有余地区的物产来供给物产贫乏、不足的地区。[13]相：即考察。

译文

禹于是就与益、后稷奉帝舜的命令，令诸侯百官发动服劳役的人分治九州的土地，他穿山越岭，立木作标记，测定高山大川的位置。禹对父亲鲧治理洪水没有成功而受到惩罚深感悲伤，于是劳累身体、苦心思索，在外居住了十三年，经过自己家门的时候都不敢进去休息。他自己节俭衣食，而用丰厚的祭品敬奉鬼神。他自己的居所简陋，却致力于将资财用来疏通水道。他在陆地上

大禹治水

行走时乘车，在水中行走时乘船，在泥地行走时乘橇，在山地行走时就穿着有齿和钉的登山鞋。他左手拿着用来定平直的绳索，右手拿着圆规和方尺，不违时宜，开发九州的疆域，疏通九州的河道，修筑九州的湖堤，测量九州的大山。他让益给民众分发稻种，可以种在卑湿的低地。又命令后稷发放民众缺少的食物。对于食物缺少的地方，就调配有余地区的食物来供给，使各诸侯国间的物产均衡。禹在巡行中考察了各地的物产，确定天子的贡品，并考察各地的交通运输是否便利。

……

于是九州攸同[1]，四奥既居，九山刊旅[2]，九川涤原，九泽既陂，四海会同。六府甚修，众土交正，致慎财赋，咸则三壤成赋[3]。中国赐土姓[4]："祗台德先[5]，不距朕行。"

注释

[1] 同：指同一。 [2] 刊旅：这里是开发治理的意思。 [3] 三壤：将土地分为上、中、下三个等级，称三壤。 [4] 赐土姓：就是赐予土地、姓氏的意思，这里指封置、分封诸侯。 [5] 祗（zhī）：恭敬的意思。台（yí）：通“怡”。

译文

于是九州统一，四方都可安居，九州的大山都已开发治理，九州的河道已经疏通，九州的湖堤已经修筑，四海之内归服统一。各种物资得以开发利用，各处土地都已制造等级，慎重征收赋税，都按照土地所分的上、中、下三个等级来确定赋税标准。在九州之内封诸侯，赐予土地、姓氏：“要恭敬和悦地将德行放在首位，不许违抗天子的政令。”

……

东渐于海[1]，西被于流沙[2]，朔、南暨：声教讫于四海[3]。于是帝锡禹玄圭，以告成功于天下。天下于是太平治。

（选自《史记·夏本纪》）

注释

[1] 渐：濒临的意思。 [2] 被：指达到，覆盖。 [3] 讫：这里是到达、至的意思。

译文

向东濒临大海，向西到达沙漠，从北方到南方：声威教化遍布全国，到达四方荒远的边陲。于是帝舜赏赐给禹一块黑色的圭玉，向天下宣告禹治理洪水已经成功。天下于是太平安定，得到很好的治理。

文史链接

禹擒无支祁

禹不辞劳苦，跋山涉水，历尽艰辛，终于治水成功，造福天下万民。禹是一位仁德贤明而又颇具开创精神的英雄，因为治理洪水的丰功伟绩，受到百姓爱戴。舜让禹继承帝位，禹登上天子之位，国号夏后。禹不仅是治理洪水的英雄，也是与尧、舜齐名的贤明天子。人们对大禹治水的功绩颇为赞赏，对大禹极为崇拜，便出现了神化大禹相关事迹的现象。流传下来的关于大禹的传说故事很多，历史典籍中也有相关记载。下面就给大家讲讲禹在治理洪水的过程中擒拿无支祁的故事。

大禹在治理洪水的过程中，为了成功治水，曾三次到达桐柏山。每次到桐柏山的时候，那里都是狂风大作，雷声轰鸣，石头和树木都在号叫、哀鸣，后土的侯伯阻塞河流，加上天神进兵，禹治理洪水的大工程没办法进行，只好暂停了。大禹非常愤怒，便召集了众多神灵，命令夔龙想办法收拾妖怪。桐柏山和周围各山的山神都前来叩头请求饶命。禹便囚禁了一些山神：鸿蒙氏、章商氏、兜卢氏、犁娄氏。这才查出并抓获了名叫无支祁的淮涡水怪。水怪无支祁能言善辩，能辨别出江水和淮水哪里深、哪里浅，且能辨别地势的高低远近。无支祁的形貌像猿猴，鼻梁低，额头高，身体青，脑袋白，眼睛里放射着金光，牙齿非常白，他的脖子伸长了能达到百尺，力气很大，超过了九头大象。而他又异常敏捷，搏击跳跃，或是快速飞奔，转眼间就不见了。禹将无支祁交给童律，童律没办法制服；禹又将其交给乌木由，乌木由也不能制服；禹又将无支祁交给庚辰，庚辰才制服了他。鸱脾、桓胡、木魅、水灵、山妖、石怪等数以千计的妖怪都呼号着聚集、围绕在无支祁周围，庚辰用戟才将这一大群妖怪赶跑。禹便命令在无支祁的脖子上锁上大铁索，给他的鼻孔穿上金铃，然后将他迁移镇压在淮阴龟山之下。制服了无支祁，禹的治水工程才得以进行，从此，淮水便平安地流入大海。

大禹治理洪水的工程浩大，其中所遇到的困难和艰险也是极大极多的。通过禹擒无支祁的故事我们看到，为了治水成功，大禹不仅要殚精竭虑，付出艰辛的劳动，还要克服种种妨碍治水的阻力，比如要制服阻碍治水的妖怪。这个故事显示了大禹为了治水而与妖怪斗争，最终战胜水怪无支祁，使治水工程得以顺利推进的艰辛过程。同时也体现出大禹治水的决心以及在制服妖怪过程中的勇气和智慧。

禹擒无支祁的故事广泛流传，对后世的文学创作影响较大。大家非常熟悉的《西游记》中孙悟空的形象，就是吴承恩根据水怪无支祁和印度神猴哈努曼的形象创造的。这一点，如鲁迅先生在《中国小说史略》中所言："明吴承恩演《西游记》，又移其神变奋迅之状于孙悟空。"

思考讨论

1. 大禹治水的故事对你有什么启发？

2. 你如何评价禹？

网开三面

汤出，见野张网四面，祝曰[1]："自天下四方皆入吾网。"汤曰："嘻，尽之矣！"乃去其三面，祝曰："欲左[2]，左。欲右[3]，右。不用命[4]，乃入吾网。"诸侯闻之，曰："汤德至矣，及禽兽[5]。"

（选自《史记·殷本纪》）

注释

[1]祝：祈祷，祝祷。 [2]左：这里指向左。 [3]右：这里指向右。 [4]不用命：意思是不听从命令。 [5]及：推及。

译文

汤外出，看见郊野有人四面张着罗网，张网的人祈祷说："从天上、地下、四方来的都进入我的罗网。"汤说："唉，会全都捕尽了呀！"于是让张网的人去掉三面的罗网，并让他祈祷说："想向左的，就向左。想向右的，就向右。不听从命令的，就进入我的罗网。"诸侯听到这件事，都说："汤的仁德真是达到顶点了，竟推及到了禽兽。"

文史链接

商朝的建立者——商汤

商汤，又称成汤，是商朝的建立者。据史书记载，商部族从始祖契到商汤，先后迁都八次，直到商汤时，才开始在亳地定居。

他在伊尹等人的辅助下，进行改革，实行仁政，发展生产，灭夏建商，使得商朝成为当时世界上的文明大国。

商汤任用贤才。商汤以伊尹为右相，以仲虺（huǐ）为左相，让他们共同辅助国事。这是两个身世和经历完全不相同的人。伊尹是个奴隶，从他少年时代起就过着流浪生活，长大后先是在有莘国君身边当厨子，后到商汤身边当厨子。他是一个有抱负的人，利用侍奉商汤进食的机会，分析天下的形势，数说夏桀的暴政，劝汤蓄积力量灭夏桀。汤发现伊尹是一个有才干的人，他的想法正合自己的主张，就破格免去伊尹的奴隶身份，任命为右相。仲虺是个奴隶主，从他先祖起就世代在夏王朝做官，到了仲虺时居住在薛地，是夏王朝东方地区的诸侯。他看见夏桀暴虐，人民怨恨，诸侯叛离，就将族人带到了商。汤见仲虺是有用的人才，就任命他为左相，参与国政。商汤在仲虺和伊尹的辅佐下，治理内部，鼓励商人安心农耕，饲养牲畜。同时团结与商友善的诸侯、方国。在仲虺和伊尹的鼓动下，一些诸侯陆续叛夏而归顺商。商汤“网开三面”的故事在诸侯中传扬开后，归商的诸侯很快就增加到四十个。商汤的势力愈来愈大。

商汤伐桀灭夏。夏桀下令“起九夷之师”征伐商汤，但因桀反复无常，东夷的首领们也看出夏桀不会长久，就不听调遣。伊尹看到灭夏的时机成熟了，就请汤率军征桀。夏商两军在鸣条之野相遇，展开了大会战。会战开始之前，汤为了鼓动士气，召集参加会战的商军和前来助商伐夏的诸侯、方国的军队，宣读了一篇伐夏的誓词，列举了夏王桀的诸多罪状，表示要奉上帝之命，诛伐夏桀。这就是《尚书》中的《汤誓》，是汤在鸣条会战前的动员令。商军经汤动员以后，士气大振，表示愿意与夏军决一死战。这一战，夏桀兵败，逃亡到南巢（今安徽寿县东南），被商军捉住。

汤和伊尹在夏王都举行了祭天的仪式，正式宣告夏王朝的灭亡。

商汤建商灭夏，施仁政德化天下，成为中国历史上的一代名君。

思考讨论

网开三面的故事对于当今社会的生态环保有什么启示？

烽火戏诸侯

三年，幽王嬖爱褒姒[1]。褒姒生子伯服，幽王欲废太子。太子母申侯女，而为后。后幽王得褒姒，爱之，欲废申后，并去太子宜臼，以褒姒为后，以伯服为太子。周太史伯阳读史记曰[2]："周亡矣。"昔自夏后氏之衰也，有二神龙止于夏帝庭而言曰："余，褒之二君。"夏帝卜，杀之与去之与止之，莫吉。卜请其漦而藏之[3]，乃吉。于是布币而策告之[4]，龙亡而漦在，椟而去之[5]。夏亡，传此器殷。殷亡，又传此器周。比三代，莫敢发之。至厉王之末，发而观之。漦流于庭，不可除。厉王使妇人裸而噪之。漦化为玄鼋[6]，以入王后宫。后宫之童妾既龀而遭之[7]，既笄而孕[8]，无夫而生子，惧而弃之。宣王之时童女谣曰：“檿弧箕服[9]，实亡周国。”于是宣王闻之，有夫妇卖是器者，宣王使执而戮之。逃于道，而见乡者后宫童妾所弃妖子出于路者[10]，闻其夜啼，哀而收之[11]，夫妇遂亡，奔于褒。褒人有罪，请入童妾所弃女子者于王以赎罪。弃女子出于褒，是为褒姒。当幽王三年，王之后宫见而爱之，生子伯服，竟废申后及太子，以褒姒为后，伯服为太子。太史伯阳曰：“祸成矣，无可奈何！”

注释

[1] 褒姒（sì）：褒，诸侯国名，姓姒氏。褒姒是褒国为周幽王所进献的女子。 [2] 史记：这里指史官所记，泛指史书。 [3] 漦（lí）：涎沫。 [4] 布币：陈列祭物丝织品。布，陈列。币，作祭物用的丝织品。 [5] 椟：匣子，此处用作动词，指用匣子装。 [6] 鼋（yuán）：蜥蜴之类。 [7] 童妾：小女婢。龀（chèn）：女孩七岁换牙称为龀。 [8] 既笄（jī）：女子可以插簪子的年龄，表示成年。 [9] 檿（yǎn）弧：山桑木所制成的弓。箕服：箕木所做成的箭袋。 [10] 乡者：从前，先前。乡，通“向”。妖子：幼儿。 [11] 哀：同情，怜悯。

译文

三年，周幽王宠爱褒姒。褒姒生的儿子叫伯服，幽王想要废掉太子。太子的母亲是申侯的女儿，成为了幽王的王后。后来幽

王得到了褒姒，非常宠爱她，想要废掉申后，并且废掉太子宜臼，而让褒姒成为王后，让伯服成为太子。周朝的太史伯阳阅读史书说道："周朝就要灭亡了。"从前夏后氏衰落的时候，有两条神龙降落在夏帝的朝中说："我们是褒国的两个先君。"夏帝进行占卜，杀掉这两条神龙，或赶走它们，或留下它们，结果都是不吉利的。又进行占卜，请求龙留下涎沫收藏起来，结果才吉利。于是陈列祭物丝织品，以简策之书告请神龙，两条神龙不见了，留下了涎沫，人们用匣子把龙的涎沫装起来并除掉地上的痕迹。夏朝灭亡后，藏涎沫的匣子传到了殷朝。殷朝灭亡后，这个匣子又传到了周朝，连着三个朝代，没有人敢打开这匣子。到厉王末年的时候，匣子被打开观看。龙的涎沫流到宫中，不能除去。厉王让一群妇女赤裸着身体对着它大声叫骂。涎沫变化成了黑色的蜥蜴，进入到厉王的后宫。后宫一个七岁的小女婢碰到了它，后来到成年时就怀孕了，没有丈夫便生下了孩子，她很恐惧就把孩子抛弃了。宣王时期，小女孩们唱着这样的歌谣："山桑木制成的弓啊，箕木做成的箭袋，实在是要灭掉周国啊。"当时宣王听到了这首歌谣，有一对夫妇正好卖山桑木制成的弓和箕木做成的箭袋，宣王就派人把他们抓住杀掉。这对夫妇逃到路上，看到先前后宫小女婢抛弃在路边的那个孩子，听到这孩子夜里的啼哭声，非常同情就收留了她。这对夫妇逃奔到褒国。后来褒国人得罪了周幽王，请求将小女婢所抛弃的那个女孩献给幽王以求赎罪。这个被抛弃的女子是褒国献出的，就叫她褒姒。当幽王三年的时候，幽王到后宫去，看见褒姒就爱上了她，生下儿子伯服，后来竟然废掉申后及太子，让褒姒当了王后，让伯服当了太子。太史伯阳说："祸患酿成了，已经没有办法了！"

褒姒不好笑，幽王欲其笑万方，故不笑。幽王为烽燧大鼓[1]，有寇至则举烽火。诸侯悉至，至而无寇，褒姒乃大笑。幽王说之，为数举烽火。其后不信，诸侯益亦不至。

烽火戏诸侯

注释

[1] 烽燧：古代的报警系统。在高土台上置薪柴，如遇敌情，就燃烧薪柴，白天能看到烟，夜晚能看到火，以此传递信息。

译文

褒姒不爱笑，为了能让她笑，幽王用尽了各种方法，褒姒仍旧不笑。幽王高筑烽火台，设置大鼓，点燃了有敌情时才会使用的烽火。四方诸侯看到烽火便都率兵赶来，赶到之后却不见有敌人，褒姒这才大笑。幽王非常高兴，就多次点燃烽火让褒姒笑。这样以后幽王失掉信用，诸侯也就渐渐不来了。

幽王以虢石父为卿，用事，国人皆怨。石父为人佞巧善谀好利[1]，王用之。又废申后，去太子也。申侯怒，与缯、西夷犬戎攻幽王[2]。幽王举烽火征兵，兵莫至。遂杀幽王骊山下，虏褒姒，尽取周赂而去[3]。于是诸侯乃即申侯而共立故幽王太子宜臼，是为平王，以奉周祀。

（选自《史记·周本纪》）

注释

[1] 佞巧：巧言而且奸诈。　[2] 缯：古国名。　[3] 赂：指财物。

译文

幽王任用虢石父为卿，主持国家政事，国人都很怨恨。石父为人巧言而且奸诈，善于谄媚奉承，贪图财利，幽王却重用他。幽王又废掉了申后，除去了太子。申侯大怒，联合缯国、西夷犬戎一起攻打幽王。幽王点燃烽火召集各诸侯的救兵，诸侯救兵没有赶来。他们就把幽王杀死于骊山下，俘虏了褒姒，将周朝所有的财物都拿走才离去。于是四方诸侯便投靠申侯并共同拥立幽王先前的太子宜臼，这就是平王，由他来供奉周朝的祭祀。

文史链接

幽王戏臣亡西周

《周本纪》是《史记》中的第四篇本纪，记述了周王朝（包括周民族）的兴衰历史。相对于《五帝本纪》、《夏本纪》、《殷本纪》，司马迁撰写《周本纪》所依据的资料更为丰富和广泛。

周朝约八百年的兴衰史，波澜壮阔，司马迁尊重历史的实际情况，以西周历史为重点，突出德治。平王东迁后，周王室日渐衰微，诸侯逐渐强大，政治格局发生变化，诸侯间称霸称雄，因此叙述上也较之西周史简略。武王伐纣，始建周朝，幽王戏臣，终亡西周。周朝的建立和兴盛是经过多位圣主贤臣的积德累善和勤政奋斗而形成的。无论是周朝建立前文王的仁政德化，还是武王伐纣建周后安邦定国的远见卓识，以及周公辅佐成王时的勤政爱民和鞠躬尽瘁，都为后世树立了圣贤的典范。而至西周后期，却出现了历史上出了名的暴君昏君，典型的如周厉王、周幽王。周厉王暴虐专横，压榨百姓，实行高压统治，导致国人暴动。周幽王昏聩无道，为了讨褒姒之笑，戏弄诸侯，最终失信于诸侯，以致西周灭亡。

要理解烽火戏诸侯的故事，大家首先应该了解古代的烽火和烽火台。烽火是我国古代边塞军事报警的重要手段，燃烧烽火传递信息的高台就叫烽火台。如遇敌情，点燃烽火便能迅速传递报

警信号，根据白天和夜晚的不同特点和要求，白天燃烟，夜间点火，在远处也容易看到，一个个烽火台相连，便于快速有效传递信息。烽火对于国家的安全和防卫是极为重要的，周幽王竟然点燃烽火欺骗诸侯，其昏庸和荒唐便可想而知了。

周幽王是西周的亡国之君，姬姓，名宫涅。他昏庸暴虐，重用奸佞谄谀之人，盘剥百姓，加剧了社会矛盾，百姓对周幽王的统治大为不满。周幽王二年，西周的都城和附近的三条河——泾水、渭水、洛水地区都发生了地震，大夫伯阳父认为，这预示着周朝将要灭亡了。从前伊水、洛水枯竭，夏朝灭亡了；黄河枯竭，商朝灭亡了；如今周朝的德运也像夏末和商末一样，气数也快尽了，山陵崩塌和河流枯竭，这是周朝将要亡国的征兆。而就在这一年，泾水、渭水、洛水竟然都枯竭了，岐山居然也崩塌了。周幽王宠爱褒姒，为了立褒姒为王后、立褒姒之子伯服为太子，竟狠心废掉申后和太子宜臼。褒姒是个冷美人，不爱笑，周幽王为了博得褒姒一笑，竟然以点燃烽火为游戏，在烽火台谎报军情，戏弄从四面八方赶来救援的诸侯，引起诸侯的愤怒。虽然褒姒因此而笑，却从此失信于诸侯，埋下大患，以致军情真正紧急、需要救援的时刻，再点燃烽火，竟没人相信，诸侯无人前来救援，周幽王被杀死，西周也随之灭亡。

周幽王身为天子，竟然视诚信为儿戏，失信于天下，终于落得身死国亡的下场。这让我们想起了那个熟悉的“狼来了”的故事。从古至今，诚信对于每个人都非常重要，无论是谁，丢掉诚信，失信于人，都将付出惨重的代价，即使贵为天子，也不例外。诚信是中华民族的传统美德，是做人之本，是取得成功的前提和基础，是宝贵的财富，希望大家都拥有诚信的美德。

思考讨论

读了这个故事，你如何认识诚信对于个人、对于国家的重要性？

指鹿为马

赵高欲为乱，恐群臣不听，乃先设验[1]，持鹿献于二世，曰："马也。"二世笑曰："丞相误邪？谓鹿为马。"问左右，左右或默，或言马以阿顺赵高[2]。或言鹿，高因阴中诸言鹿者以法[3]。后群臣皆畏高。

（选自《史记·秦始皇本纪》）

注释

[1]设验：设谋考验、试探。 [2]阿顺：曲意迎合、顺从。 [3]中：指中伤、陷害。

译文

赵高想要作乱，担心群臣不服从他，就先设谋试探，他牵来一只鹿献给二世，说："这是马。"二世笑着说："丞相错了吧？把鹿说成了马。"二世又询问左右近臣，左右近臣有的不回答，有的说是马以曲意迎合赵高。有的人说是鹿，赵高就暗中假借法律手段陷害说是鹿的人。此后群臣都畏惧赵高。

文史链接

奸佞之臣与昏庸之君

历史上有忠良之臣，也有奸佞之臣；有贤明之君，也有昏庸之君。赵高与秦二世，一个是典型的奸佞之臣，一个是典型的昏庸之君。赵高阴险毒辣而又狡诈，他曾设计篡改秦始皇遗诏，逼死扶苏，害死李斯。秦二世则极为昏庸无能。而赵高又深受秦二世宠信，他教唆昏庸无能的秦二世，将秦朝的暴政苛法推向极点，陷害忠良，滥杀无辜，造成政治上的黑暗。

平定六国、统一天下的秦始皇在外巡游时病情严重，写了一封诏书给公子扶苏，让扶苏回来参加丧事。诏书被兼管掌玺事务的中车府令赵高扣押，并未给扶苏送去。始皇的病越来越严重，终于在沙丘平台去世。始皇在外驾崩，丞相李斯怕引起混乱和变故，就将始皇之死对外保密，也不发丧。始皇的尸体被放在密闭而又通风的辒凉车中，继续行进，所到之处，给皇上进献食物和奏事均如以往，由宦官在辒凉车中批准官员所奏之事。知道始皇已死的只有始皇的儿子胡亥、赵高以及始皇生前所宠信的宦官，共五六个人。赵高曾教过胡亥书法和刑法律令等，故胡亥私下和他关系亲近。赵高和胡亥、丞相李斯密谋更改始皇诏书，诈称李斯在沙丘亲自接受始皇遗诏——立胡亥为太子。同时，又以始皇名义给扶苏和蒙恬另外写了一封信，以莫须有的罪名，让他们自杀。载有始皇尸体的车行至九原，由于暑热难耐，尸体臭味很大，他们便在车里装载了鲍鱼，以此与尸体的臭味相混淆。到达咸阳后，才发布治丧公告。胡亥继位，是为二世皇帝。二世皇帝让秦始皇凡是无子女的后宫妃嫔陪葬，并将始皇的坟墓建造得非常奢华，宝物众多，还设置了重重机关。安葬大事完毕后，工匠和奴隶全被封闭在坟墓里面，没人能逃出来。

秦二世元年，胡亥二十一岁。这时赵高担任郎中令，因受二世宠信而专权。秦二世和赵高相谋：二世年轻，刚登上帝位，百姓尚未归附。始皇曾巡游四方，以显国威，制服天下。二世如果不去巡游就是示弱，会被人轻视，就没法统治天下了。二世便东行巡游，李斯跟随，在始皇以前所立石碑上都刻上字，石碑旁又刻了随从大臣之名，以此来彰明先帝的功业盛德。

赵高认为先帝的大臣名望高功劳大，自己本来名小位卑，被二世皇帝重用，大臣不服，就给二世出主意：二世可在出巡的时候，乘机查办郡县守尉中有罪之人，这样可以扬威于天下，也可以除掉平时不满意的人。皇帝要以武力取胜，趁大臣还来不及合谋，就立即行动。二世便依赵高之计大肆诛杀大臣、皇子，进谏的人被认定为诽谤朝政，朝野上下一片震恐。二世又重新修建阿房宫，征调各地粮食，法令愈加严峻和苛刻。

七月，陈胜起义，号称“张楚”，崤山以东许多地方纷纷起义，响应陈胜，联合西进，号称讨伐暴秦。使者给二世报告造反的情况，二世大怒，治罪使者。以致使者不敢再报告起义的实情，就说一些太平无忧的好听的谎言，二世非常高兴。其实这时候反秦起义势力正在迅速发展壮大。

二年冬，陈涉所派的周章等人已攻打到戏水，拥兵几十万。二世大惊，与大臣商议后，派章邯等人前去攻打，秦军获胜，杀死周章、陈胜，击败项梁，消灭魏咎。章邯便前往巨鹿征讨赵王歇等。

赵高又劝二世说，先帝统治时间长，所以大臣不敢为非作歹，不敢进邪说。二世皇帝年轻，即位时间短，要是与大臣们在朝廷决议大事有误，就会向群臣暴露短处，所以不能让别人听到

皇帝的声音。二世就常居深宫，只与赵高决策大事。以后大臣很少能见到皇帝。冯去疾、李斯、冯劫因关东盗贼太多朝廷制止不了，便向皇帝进言停建阿房宫，减少兵役徭役。二世不仅不听劝谏，还将冯去疾、李斯、冯劫治罪，冯去疾和冯劫自杀，李斯被囚，遭五刑。

三年，章邯等包围巨鹿，项羽前去救援。冬季时，赵高升任丞相，杀了李斯。夏季时，章邯屡次失利败退，二世谴责，章邯害怕，就让长史司马欣去朝中请求指示。赵高不见司马欣，又不信任他。司马欣害怕，就逃走了。赵高派人追捕司马欣，没有追上。司马欣对章邯说，赵高专权，有功无功都会被赵高杀害。项羽大攻秦军，章邯等便率军投降了。

就是在这样的形势下，发生了赵高指鹿为马之事。秦二世昏庸无能，奸佞阴险的赵高位高权重，却仍然欲壑难填，他野心勃勃，打算谋反。“指鹿为马”的故事就是赵高想要谋反又怕群臣反对，为了试探群臣而设的计谋。赵高后来又谋划逼迫秦二世自杀，而赵高则最终被子婴杀死。

思考讨论

赵高为什么要指鹿为马？

破釜沉舟

项羽已杀卿子冠军，威震楚国，名闻诸侯。乃遣当阳君、蒲将军将卒二万渡河，救巨鹿。战少利，陈馀复请兵。项羽乃悉引兵渡河，皆沉船，破釜甑[1]，烧庐舍，持三日粮，以示士卒必死，无一还心。于是至则围王离，与秦军遇，九战，绝其甬道，大破之，杀苏角，虏王离。涉间不降楚，自烧杀。当是时，楚兵冠诸侯。诸侯军救巨鹿下者十余壁[2]，莫敢纵兵。及楚击秦，诸将皆从壁上观[3]。楚战士无不一以当十，楚兵呼声动天，诸侯军无不人人惴恐[4]。于是已破秦军，项羽召见诸侯将，入辕门[5]，无不膝行而前，莫敢仰视。项羽由是始为诸侯上将军，诸侯皆属焉。

（选自《史记·项羽本纪》）

霸王项羽

注释

[1] 釜甑（zèng）：釜指锅，甑指蒸饭所用的瓦器。釜甑在这里泛指炊具。　[2] 壁：指营垒、壁垒。　[3] 从壁上观：意思是从营垒、壁垒上观战。　[4] 惴恐：恐惧，害怕。[5] 辕门：即军营的营门。

译文

项羽杀了卿子冠军宋义，威震楚国，名声传遍诸侯。于是他派遣当阳君、蒲将军带领二万士卒渡河，去救援巨鹿。战斗稍微有些胜利，陈馀又请求派兵增援。项羽便带领全部兵士渡河，沉没所有船只，砸毁所有炊具，烧掉所有营房，只带了三天的粮食，以此向士卒显示决心死战，没有一丝退却之心。于是大军一到巨鹿就包围了王离，与秦军经过多次交战，截断了秦军的甬道，大破秦军，杀死了苏角，俘虏了王离。涉间不向楚军投降，自己烧死了。这个时候，楚军强大，雄冠诸侯。来救援巨鹿的诸侯军队在巨鹿城下有十多个营垒，没有谁敢出兵与秦军交战。等到楚军与秦军交战时，这些诸侯将领都从营垒上观战。楚军战士人人以一当十，楚军的呼声震天动地，诸侯军个个惊惶恐惧。这样大破秦军后，项羽召见各诸侯将领，这些将领进入军营的营门，没有一个不跪着前进，都不敢抬起头看。从此，项羽开始成为诸侯上将军，诸侯都隶属于他。

文史链接

项羽破釜沉舟之影响

“破釜沉舟”的故事节选自《史记·项羽本纪》。在《史记》的五种体例中，本纪是专记帝王的。项羽虽未当上皇帝，但却是楚汉战争时期天下真正的主宰者，司马迁着眼于历史实际，勇于突破和创新，毅然将项羽列入了本纪，体现出非凡的历史见识。《项羽本纪》写得非常精彩，脍炙人口，流传千古。

项羽是将门之后，楚国贵族出身，具有拔山扛鼎之力，勇猛无比。陈胜、吴广揭竿而起，掀起秦末农民起义的滚滚浪潮，项羽跟随叔父项梁乘机起事。在反秦斗争中，项梁随着实力不断壮大，多次获胜，渐渐骄傲轻敌，后被秦军击破，项梁败死。此后，秦围巨鹿，楚怀王命宋义率兵救赵，宋义按兵不动，观战饮酒，于是便发生了本篇所讲的故事。项羽杀掉卿子冠军宋义后，率领士卒渡河救赵，破釜沉舟，大破秦军，取得巨鹿大战的胜利。这一战，不仅是推翻秦王朝的斗争中扭转局面决定性的一战，也是项羽人生由弱至强的重大转折点，对于项羽的人生意义非凡。

项羽破釜沉舟的故事早已深入人心，千载之下，仍然震撼着我们的心灵。其实在《孙子兵法·九地篇》中，就已出现“焚舟破釜”的说法：“帅与之深入诸侯之地，而发其机，焚舟破釜。”这是说将领率领士卒进入诸侯国土作战，就要如同击发弩机射出箭一样勇往直前，烧掉船只，砸毁炊具，表示要决一死战。“焚舟破釜”的办法，是置之死地而后生，激励士气，与敌人拼死战斗，最终夺取胜利。项羽在巨鹿之战中破釜沉舟，是以莫大的勇气决一死战，义无反顾，从而绝处逢生，成为一种典型，对后世影响很大。

清代著名的文学家蒲松龄科举考试屡遭失败，便写下了著名的自勉联：“有志者，事竟成，破釜沉舟，百二秦关终属楚；苦心人，天不负，卧薪尝胆，三千越甲可吞吴。”上联用的就是项羽破釜沉舟取得巨鹿大战胜利的典故，下联则用越王句践卧薪尝胆，忍辱负重，最终灭掉吴国的典故。这副自勉联意在勉励自己要像项羽破釜沉舟一样具有坚忍不拔、义无反顾的勇气和决心，要像越王句践卧薪尝胆一样具有忍辱负重、发愤图强的毅力和信念。蒲松龄才气过人，学识渊博，十九岁就接连考取了县、府、道的第一，但是，此后的科举之路却处处坎坷，艰辛异常，屡试不第，一生科举不得意。这副自勉联就是蒲松龄面对科举失意，用来勉励自己发愤创作的。正是怀着破釜沉舟的决心和卧薪尝胆的毅力，蒲松龄在文学上取得了非凡的成就，一生著述丰厚，代表作《聊斋志异》成为我国古代文言短篇小说的高峰。破釜沉舟，卧薪尝胆，非凡的勇气和信念，过人的毅力和决心，成就了蒲松龄的文学成就，成就了不朽的《聊斋志异》。

思考讨论

破釜沉舟对战争获胜起了什么作用？对你有什么启示？

沐猴而冠

居数日，项羽引兵西屠咸阳，杀秦降王子婴，烧秦宫室，火三月不灭；收其货宝妇女而东。人或说项王曰："关中阻山河四塞[1]，地肥饶，可都以霸。"项王见秦宫室皆以烧残破[2]，又心怀思欲东归，曰："富贵不归故乡，如衣绣夜行，谁知之者！"说者曰："人言楚人沐猴而冠耳[3]，果然。"项王闻之，烹说者。

（选自《史记·项羽本纪》）

注释

[1] 阻：倚仗，倚恃。四塞：指关中东边有函谷关，西边有散关，南边有武关，北边有萧关。　[2] 以：通"已"。　[3] 沐猴而冠：沐猴即猕猴。沐猴而冠是指猕猴戴着人的帽子，但终究不是人，办不成人事，虚有其表而已。

译文

过了几天，项羽领兵西进，屠戮咸阳，将秦的降王子婴杀死，烧毁秦宫室，大火连续烧了三个月都没灭；又搜集掠取了秦宫室的财物、珍宝、妇女，向东而去。有人劝项王说："关中之地倚仗山河，四面有要塞，土地肥沃富饶，可以在此建立都城称霸。"项王看到秦的宫室都已经被焚烧得残破不堪，心里又怀念故乡想要东归，就说："富贵不归故乡，就像身穿锦绣却在黑夜里行走一样，谁知道呢！"那个人说："人们说楚人是猕猴戴着人的帽子，办不成人事，虚有其表而已，果然如此。"项王听到这话后大怒，就把那个劝他的人煮杀了。

文史链接

项羽和刘邦的比较

拥有拔山之力、盖世之气的项羽，在楚汉之争中却以失败告终，项羽认为这是天命使然。其实，我们从项羽和刘邦的一些行为和性格特点的对比中，似乎可以看到一些导致楚汉战争最终结果的原因。性格决定命运。下面我们试举几例，将刘邦和项羽的性格特点作一番比较，以便从性格方面更好地探究刘邦最终战胜项羽的原因。

项羽和刘邦是楚汉战争的主角，司马迁将项羽列入本纪，并将《项羽本纪》置于《高祖本纪》之前，具体记叙中，二者有许多相互比较的地方。《项羽本纪》中记载秦始皇巡视会稽，过浙江的时候，项羽和项梁一起看到了，项羽便说："那个皇帝，我可以取而代之。"项梁听了吓得捂住了项羽的嘴："别乱说，会被灭族啊！"项梁因此将项羽视为奇才。由此可见项羽胸怀鸿鹄之志，心直口快。"彼可取而代之"的言论正体现出项羽口无遮拦，不计

后果，对于可能导致灭族的言论竟然随口说出，狂妄而自傲。反观刘邦，《高祖本纪》里是这样记载的："高祖常繇咸阳，纵观，观秦皇帝，喟然太息曰：'嗟乎，大丈夫当如此也！'"同样是面对秦始皇，刘邦的"大丈夫当如此也"也体现出他不凡的志向，但和项羽相比，刘邦的语言谨慎很多，也谦虚很多。仅从语言上比较，就可见出项羽和刘邦的性格差异非常明显。

再以《沐猴而冠》这篇故事中项羽的行为和性格特点为例。项羽屠戮咸阳城、杀死子婴、烧毁秦宫室、劫掠财宝妇女，种种行为残酷暴虐，大失人心。项羽对别人善意的、富有远见的劝告充耳不闻，固执己见，不去思考得天下的长远打算，而是一心想要富贵还乡。这体现出他政治上的目光短浅和幼稚，同时，也体现出他爱慕虚荣的一面。项羽不仅不能虚心听取别人的劝告，还因为话不中听，就将劝告他的人活活煮杀，又可见他心胸狭隘和残酷的一面。

再来看看刘邦的行为和性格特点。刘邦入关中后，不杀子婴、封存秦室宝物府库、与民约法三章，受到百姓拥戴。项羽与刘邦相比，差距之大，令人叹服，民心所向便非常明显了。刘邦也并非时时、事事都谋略过人，他贵在能从善如流，即使是批评的意见，也能择善而从之。《郦生陆贾列传》记载：郦食其来见刘邦，刘邦正坐在床上，让两个女子给他洗脚，态度倨傲，但听了郦食其指出自己的过失，觉得很有道理后，立即变得非常谦恭，向郦食其道歉，认真听取他的高见。这体现出刘邦善于听取他人的意见，知错就改，大度容人的优点。与项羽煮杀劝说他的人形成了鲜明的对比。

项羽和刘邦的性格特点还可以从很多方面进行比较，如用人方面，项羽嫉贤妒能，疑心重重，留不住人才，竟对忠心于自己的重要谋士范增产生怀疑，中了刘邦的反间计。而刘邦则善于招揽贤才，目光远大，善于用人，麾下人才济济，在众多贤才的辅助下，最终战胜了项羽。项羽的性格当然有优于刘邦的地方，刘邦的性格也有不如项羽之处，但从楚汉战争、夺取天下的角度来看，刘邦是一个深谋远虑的政治家，他的性格更有助于获胜。

楚汉战争的最终结果是项羽战败、乌江自刎，而刘邦取胜、建立大汉。

思考讨论

请将项羽和刘邦进行比较，思考项羽为什么会失败，刘邦为什么会成功。

霸王别姬

项王军壁垓下，兵少食尽，汉军及诸侯兵围之数重。夜闻汉军四面皆楚歌，项王乃大惊曰："汉皆已得楚乎？是何楚人之多也！"项王则夜起，饮帐中。有美人名虞，常幸从[1]；骏马名骓[2]，常骑之。于是项王乃悲歌慷慨，自为诗曰："力拔山兮气盖世，时不利兮骓不逝。骓不逝兮可奈何，虞兮虞兮奈若何！"歌数阕[3]，美人和之。项王泣数行下，左右皆泣，莫能仰视。

（选自《史记·项羽本纪》）

垓下被围

注释

[1] 幸从：受到宠幸而跟随。　[2] 骓（zhuī）：是指毛色青白相杂的马。　[3] 阕：即曲终，乐曲唱完一遍称为一阕。

译文

项王率领军队驻扎在垓下，士兵人数很少，军粮也吃完了，汉军和诸侯军把他们重重包围。夜晚听到汉军四面都唱起了楚歌，项王大为吃惊，说道："难道汉军已经完全夺得楚国了？楚人为何如此之多！"项王夜里起来，在帐中饮酒。有个美姬，名叫虞，她颇受项王宠幸而时常跟随；有一匹骏马，叫做骓，项王常常骑它。于是项王便慷慨悲歌，作诗唱道："力拔山兮气盖世，时不利兮骓不逝。骓不逝兮可奈何，虞兮虞兮奈若何！"项王连唱了几遍，虞美人作诗应和。项王泪落数行，左右的人都泣不成声，没人忍心抬头看项王。

文史链接

悲剧英雄与后人的歌咏

项羽一生波澜壮阔，他曾果断杀死卿子冠军宋义，破釜沉舟大战巨鹿，勇敢无畏击破秦军，令诸侯军惊惶恐惧，威名远扬；他曾称霸天下，分封诸侯，主宰天下大势，充满英雄的豪气和王者的霸气；他也曾在鸿门宴上优柔寡断，错失良机，放走刘邦；他还曾将二十余万秦军击杀坑埋，屠咸阳、烧秦宫……这，就是项羽。垓下被围，四面楚歌中，项羽竟对着美人和骏马，慷慨悲歌，洒下热泪。英雄泣下，霸王别姬，悲壮、凄凉而又无奈，豪气、霸气却又柔情，这，也是项羽。项羽成为一个典型的悲剧英雄。

在“霸王别姬”的故事中，项王慷慨悲歌，唱完之后，“美人和之”。虞姬具体唱和什么歌，并没有记载。《史记正义》引《楚汉春秋》：“歌曰：‘汉兵已略地，四方楚歌声。大王意气尽，贱妾何聊生。’”这首虞姬当时应和项王的歌，也是极为悲凉。英雄与美人，末路相对，何其悲也！

项羽以他的悲剧英雄的形象，深深震撼着人们的心灵，以致历来歌咏项羽的诗歌非常多。其中最为人所知的当属宋代著名女词人李清照的《夏日绝句》：“生当作人杰，死亦为鬼雄。至今思项羽，不肯过江东。”这首诗是怀念西楚霸王项羽的。这位平时以婉约著称的才女，在写到项羽时，也是充满豪情，气壮山河。而在这慷慨激昂感怀项羽的字句背后，则满含着李清照对苟且偷安的南宋统治者的讽刺和愤懑。唐代诗人杜牧《题乌江亭》：“胜败

兵家事不期，包羞忍耻是男儿。江东子弟多才俊，卷土重来未可知。”杜牧这首咏项羽的诗歌，立意新颖，体现了诗人对项羽乌江自刎的惋惜之情，也为项羽没有能忍辱负重、“卷土重来”而深感遗憾。而宋代的王安石在《乌江亭》中写道：“百战疲劳壮士哀，中原一败势难回。江东子弟今虽在，肯为君王卷土来？”王安石以一个政治家的眼光审视历史，提出了与杜牧截然不同的观点，指出项羽之败，实属历史的必然。

人们对西楚霸王项羽的事迹感慨颇多，而项羽则以一个悲剧英雄的形象流传千古。

思考讨论

1. 你还知道关于项羽的哪些故事？
2. 谈谈你想象中的项羽。

约法三章

汉元年十月，沛公兵遂先诸侯至霸上[1]。秦王子婴素车白马，系颈以组[2]，封皇帝玺符节，降轵道旁。诸将或言诛秦王。沛公曰：“始怀王遣我，固以能宽容；且人已服降，又杀之，不祥。”乃以秦王属吏[3]，遂西入咸阳。欲止宫休舍[4]，樊哙、张良谏，乃封秦重宝财物府库，还军霸上。召诸县父老豪杰曰："父老苦秦苛法久矣，诽谤者族，偶语者弃市。吾与诸侯约，先入关者王之，吾当王关中。与父老约，法三章耳：杀人者死，伤人及盗抵罪。余悉除去秦法。诸吏人皆案堵如故[5]。凡吾所以来，为父老除害，非有所侵暴，无恐！且吾所以还军霸上，待诸侯至而定约束耳。"乃使人与秦吏行县乡邑，告谕之。秦人大喜，争持牛羊酒食献飨军士[6]。沛公又让不受，曰："仓粟多，非乏，不欲费人[7]。"人又益喜，唯恐沛公不为秦王。（选自《史记·高祖本纪》）

注释

[1] 霸上：地名，在今陕西西安东。 [2] 组：用丝织成的宽带子。 [3] 属：这里指交付、托付。 [4] 止宫休舍：留在秦宫中休息。 [5] 案堵如故：一切照旧，和原来一样。 [6] 飨：指用酒食慰劳、款待。 [7] 费人：让人破费、花费的意思。

译文

汉元年十月，沛公的军队先于各路诸侯军到达霸上。秦王子婴坐着白马拉的素车，用丝带系着脖子，封好皇帝的御玺和符节，在轵道的旁边，向沛公投降。将领中有的人说该杀了秦王。沛公说："当初怀王派我进入关中，本来就是认为我能够宽容待人；况且人家已经降服了，还要杀掉他，这样做不吉利。"便把秦王交付给主管官吏，于是向西进入咸阳。沛公想要留在秦宫中休息，经

樊哙、张良劝谏，才下令封存秦宫中的贵重宝器财物和府库，率军退回霸上驻扎。沛公把各县的父老豪杰们召集起来，说道："父老们苦于秦朝的严刑苛法已经很久了，批评朝政的要被灭族，相聚在一起议论的要被处死示众。我与诸侯们约定，先进入关中的就在关中称王，因此我应该在关中称王。今天我和各位父老订约，法律只有三章：杀人者要被处以死刑，伤人者和抢劫者要治罪惩罚。此外，秦朝的严刑苛法一律废除。所有官吏和百姓都和原来一样，安守本业。总之，我来到这里的目的，就是为父老们除去祸害，不是来侵害施暴的，请勿害怕！况且我之所以退军霸上，是在等候各路诸侯赶到共同制定规约。"于是就派人与秦朝官吏一起巡行各县乡城邑，广泛宣传。秦地的人都很高兴，争先恐后拿来牛羊酒食慰劳沛公的军队。沛公又一再辞让不肯接受，说："仓库里粮食多，不缺乏，不想让大家破费。"人们就更高兴了，只担心沛公不在关中当王。

文史链接

反秦起义之前的刘邦

刘邦既不是出生在帝王之家，也不是将门之后，他从平民走向大汉开国皇帝之路，充满传奇色彩。那么，刘邦在参加反秦起义之前，是个什么样的人呢？

刘邦生性宽厚仁爱，豁达大度，乐于施舍。他心志高远，却不肯从事一般的生产劳动。成年后，他试着做官，当了泗水亭长，是个微不足道的基层小官吏，却常常戏弄轻侮官府的官吏。他喜欢饮酒，常常喝醉，还好女色。吕公是沛县令的贵客，在沛县安家，大家都前去祝贺，萧何负责收贺礼，他向来客说明送礼少于千钱的坐堂下。刘邦向来轻视县中官吏，便在礼单上谎称“礼钱一万”，其实分文未带。吕公看到后大惊，起身迎接。吕公喜欢给人相面，看到刘邦面相后，很敬重他。刘邦一点也不谦让，坐在上座。吕公示意刘邦留下，酒宴过后，将女儿许配给刘邦。吕媪生气地怒斥吕公，吕公还是坚持将女儿嫁给了刘邦。吕公女儿就是后来的吕后。

刘邦作为亭长，为县里押送徒隶去骊山，徒隶在路上大多逃走了。刘邦估计这些徒隶到骊山都会逃光，就停下饮酒，晚上把徒隶都放走了。刘邦说让这些徒隶都逃吧，他自己也会逃跑。徒隶中十多个壮士愿跟随刘邦。刘邦喝酒后，夜间在草泽中行走，派一个人在前面开道。开道的人跑来报告说，前面有大蛇挡道，得退回。刘邦喝醉了，称壮士前行，无需害怕。继续前进，拔剑斩杀了大蛇，路也通了。刘邦酒醉倒地睡着了。后面的人赶到刘邦斩蛇的地方，看到一个老妇人在痛哭，就问原因。老妇人说她的儿子被人杀了，因此悲痛而哭，她儿子是白帝的儿子，化为蛇，挡在路中，被赤帝的儿子给斩杀了。大家都认为老妇人乱说，老妇人忽然不见了。刘邦酒醒后，人们告诉他这件事，刘邦心里暗喜，认为自己就是赤帝的儿子，跟从刘邦的人也越来越敬畏他。

秦始皇常说东南有天子气，便巡游东方想去镇压。刘邦怀疑这与自己有关，就常躲藏在芒山、砀山一带的深山中，吕稚和其他人找刘邦，常常能找到。刘邦感到很奇怪，吕稚说他所在的地方，上面有云气，顺着云气就能找到。刘邦心里很高兴。沛县的一些青年听说后，好多人都想跟随刘邦。

秦二世元年的秋天，陈胜等人揭竿起义，陈胜自立为王，号称“张楚”。响应陈胜起义的郡县很多。沛县县令恐惧了，也打算起义以响应陈胜。在主吏萧何、曹参的建议下，派樊哙去召来刘

邦起义。樊哙和刘邦回到沛县，县令又反悔了，便紧闭城门，不让刘邦进去，还准备杀掉萧何、曹参。萧何、曹参很害怕，就翻城投奔刘邦。刘邦便在绸绢上写信，射入城内，号召沛县百姓杀死县令，保全性命，响应各地起义。沛县百姓便杀死县令，开城门迎接刘邦。大家想让刘邦做首领，刘邦谦让。萧何、曹参等人都看重身家性命，不敢做首领，怕万一失败被秦朝灭族，就纷纷推举刘邦，最终立刘邦为沛公。刘邦祭祀黄帝和蚩尤，将牲血涂于鼓旗，旗帜都为红色，这是因为他斩杀的蛇是白帝的儿子，而斩杀蛇的人是赤帝的儿子，因此崇尚赤色。沛公召集沛县子弟两三千人，攻打胡陵、方与，退回驻守在丰邑。

从此，刘邦便加入到波澜壮阔的反秦斗争的行列中，在一步步的战斗中，实力逐渐发展壮大，最终与项羽等人一起推翻暴秦，成为反秦起义的领袖之一。

思考讨论

刘邦为何要与民约法三章？

汉初三杰

高祖置酒洛阳南宫。高祖曰："列侯诸将无敢隐朕[1]，皆言其情。吾所以有天下者何？项氏之所以失天下者何？"高起、王陵对曰："陛下慢而侮人[2]，项羽仁而爱人。然陛下使人攻城略地，所降下者因以予之，与天下同利也。项羽妒贤嫉能，有功者害之，贤者疑之，战胜而不予人功，得地而不予人利，此所以失天下也。”高祖曰：“公知其一，未知其二。夫运筹策帷帐之中[3]，决胜于千里之外，吾不如子房。镇国家，抚百姓，给馈饷[4]，不绝粮道，吾不如萧何。连百万之军，战必胜，攻必取，吾不如韩信。此三者，皆人杰也，吾能用之，此吾所以取天下也。项羽有一范增而不能用，此其所以为我擒也。”

（选自《史记·高祖本纪》）

注释

[1]隐：隐瞒。 [2]慢：简慢无礼。 [3]运：运用。筹：算筹，引申为策划、谋划。帷帐：古代军队的帐幕。 [4]给：供给。

译文

高祖在洛阳南宫摆酒设宴。高祖说：“列侯和各位将领，请大家不要瞒我，都要说真心话。我之所以能取得天下是因为什么？项羽之所以失去天下是因为什么？”高起、王陵回答说：“陛下简慢无礼，喜欢侮辱人，项羽仁厚爱人。然而陛下派人攻城略地，攻下的城邑就分给他，与大家共享利益。项羽妒贤嫉能，陷害有功之人，怀疑贤能之人，打了胜仗而不论功行赏，取得土地却不给人好处，这是项羽失去天下的原因。”高祖说：“你们只知其一，不知其二。

运筹策划于帷帐之中，决定胜利于千里之外，我不如子房。镇守国家，抚慰百姓，供给粮饷，使粮道畅通无阻，我不如萧何。统率百万大军，战无不胜，攻无不克，我不如韩信。这三人都是人中俊杰，我能够任用他们，这是我取得天下的原因。项羽只有一个谋臣范增，却不能善加任用，这是他被我打败的原因。”

文史链接

我国古代人才选拔制度

西汉初年，天下大定。汉高祖刘邦与群臣宴会，席间讨论到楚汉之争成败的原因。刘邦将其成功的原因归之于知人善任，这是比较客观和符合实际的。刘邦推出张良、萧何、韩信三位开国功臣，并一一列举三人的才华，分析深刻透彻，体现了其举贤任能、赏罚分明的治国才略。这三人被后人誉为“汉初三杰”。刘邦任用“汉初三杰”成为历代统治者治国安邦的典范，也是刘邦作为一代英主的重要体现。这种客观、长远的认识与项羽“天亡我，非战之罪也”的总结，形成了鲜明的对比。

当然，刘邦任用的“汉初三杰”，多是患难与共的兄弟，这对于贫贱出身的刘邦，也是无奈之举。对于治世阶段而言，统治者为了选贤任能，就采取了一系列招揽人才的办法。先秦时期，统治者就以各种方式招揽人才。《周礼·地官·乡大夫》讲到三年举行一次“大比”，以考查乡人的“德行道艺”，选拔贤能的人才。《礼记·王制》提到“乡论秀士”，经过各级层层选拔，有所谓的俊士、进士等名称。《礼记·射义》篇中还提到了诸侯贡士于天子的制度。

汉代统治者为了选拔人才，则采取了察举制。《汉书·高帝纪》记载，汉高祖刘邦曾经于公元前 196 年下过求贤诏，说：“贤士大夫有肯从我游者，吾能尊显之。”汉文帝也曾经下诏察举贤良方正直言极谏之士，汉武帝又诏令天下察举孝廉和茂才。所谓茂才，就是秀才，即优秀的人才，据张守节《史记正义》引应劭云：“避光武改茂才也。”也就是说茂才原本叫做秀才，东汉时期为了避光武帝刘秀的讳，才改称茂才。汉昭帝之后，举士包括了多方面的人才。东汉时期沿袭西汉的选才制度，不同的是，西汉以举贤良为主，东汉则是以举孝廉为主。严格执行选才制度，则会使政治清明，繁荣昌盛；选才制度的破坏则是社会动乱的开始。东汉桓帝、灵帝无能，选才制度一塌糊涂。当时民谣唱道：“举秀才，不知书；察孝廉，父别居。”就是说当时选取的秀才，本来应为贤良之士，实际上都是连字都不认识的文盲；孝廉本来应为孝顺廉正之人，实际上选取的都是与父别居的不孝之子。用这些无德无才之人去治理国家，国家不衰亡是不可能的。

魏晋南北朝时期，地方察举孝廉、秀才的制度基本沿袭下来，又设立了九品官人法，在各州郡设立中正官负责品评人物之高下，分为上上、上中、上下、中上、中中、中下、下上、下中、下下九品。其出发点本来是为品评人才之优劣，以便于选拔人才授予官职，但是后来由于门阀士族担任中正官，操纵人物品评，造成了“上品无寒门，下品无士族”的垄断局面，九品也便成了门第高低的标志，极大地限制了人才的选拔。隋朝废除九品中正制，设立进士、明经二科取士，开启了千余年科举取士的时代。从此，知识分子热衷于功名利禄，纷纷将科举考试当做晋身之阶。统治者在招揽人才为己所用的同时，也使得许多寒门士子老死科场，上演了一幕幕科举悲剧。

思考讨论

举例分析刘邦、项羽在用人之道上的异同及其成因。

高祖还乡

高祖还归，过沛，留。置酒沛宫，悉召故人父老子弟纵酒[1]，发沛中儿得百二十人，教之歌。酒酣，高祖击筑[2]，自为歌诗曰："大风起兮云飞扬，威加海内兮归故乡，安得猛士兮守四方！"令儿皆和习之。高祖乃起舞，慷慨伤怀，泣数行下。谓沛父兄曰："游子悲故乡。吾虽都关中，万岁后吾魂魄犹乐思沛。且朕自沛公以诛暴逆，遂有天下，其以沛为朕汤沐邑[3]，复其民[4]，世世无有所与[5]。"沛父兄诸母故人日乐饮极欢，道旧故为笑乐。十余日，高祖欲去，沛父兄固请留高祖。高祖曰："吾人众多，父兄不能给。"乃去。沛中空县皆之邑西献。高祖复留止，张饮三日[6]。沛父兄皆顿首曰："沛幸得复，丰未复，唯陛下哀怜之。"高祖曰："丰吾所生长，极不忘耳，吾特为其以雍齿故反我为魏。"

沛父兄固请，乃并复丰，比沛。于是拜沛侯刘濞为吴王。

（选自《史记·高祖本纪》）

注释

[1]纵酒：尽情、开怀喝酒。　[2]筑：古代的乐器名，大体形似筝，以竹尺击弦发音。　[3]汤沐邑：是指皇帝、皇后、公主等的私邑，所收取的赋税供汤沐之用。　[4]复：这里是免去赋税徭役的意思。　[5]与：即参与。　[6]张饮：指搭帐篷聚饮。张，通“帐”。

译文

高祖在返回京城的途中，路过沛县，便在那里停留下来。高祖在沛宫中置备酒宴，召来所有的老朋友和父老子弟开怀畅饮，又征集挑选出沛中少儿一百二十个，教他们唱歌。酒正喝得畅快，高祖击筑奏乐，唱起自己作的歌：“大风起兮云飞扬，威加海内兮归故乡，安得猛士兮守四方！”让少儿们都跟着学唱。高祖于是在少儿们的唱和中起舞，慷慨激昂又悲壮感伤，洒下数行热泪。高祖对沛县的父兄们说：“游子总是思念故乡而感到悲伤。我虽然定都关中，但死之后我的魂魄还是会喜欢和思念沛县。况且我开始是以沛公的身份诛暴讨逆的，才取得了天下，所以将沛县作为我的汤沐邑，免除这里百姓的赋税徭役，并且世世代代都不用缴纳赋税和服役。”沛县的父兄和长辈妇女以及老朋友们天天畅饮尽欢，叙谈过去的事情欢笑取乐。十多天过去了，高祖打算离去，沛县的父兄们坚持挽留高祖。高祖说：“我带的人众多，父兄们难以供给。”于是就离开了。沛县的民众倾城出动都来到城西进献酒食。高祖就又留下来，和大家搭帐篷聚饮三天。沛县的父兄们都向高祖叩头说：“沛县有幸免除赋税徭役，丰邑却还没能免除，希望陛下哀怜他们。”高祖说：“我生长在丰邑，最不能忘记丰邑，我只是因为以前丰邑人跟着雍齿反叛我而归附于魏。”沛县的父兄们再三坚持请求高祖，高祖才将丰邑的赋税徭役一起免除了，比照沛县。于是封了沛侯刘濞做吴王。

文史链接

平定异姓诸侯王叛乱

身为汉朝开国皇帝的刘邦，出身于民间，他在平定黥布叛乱后的返京途中，衣锦还乡。汉高祖刘邦志得意满，备受尊崇，置酒设宴，开怀畅饮，兴起而歌，竟然慷慨伤怀，洒下热泪。通过“高祖还乡”的故事，我们除了感受到刘邦作为帝王的荣耀和气势，看到刘邦与民同乐、充满温情的一面外，也能感受到刘邦内心的忧虑。消灭暴秦，战胜项羽，建立汉朝，可是，叛乱四起，那么，如何守成就成了他所关心的问题，正如《大风歌》中所唱的“安得猛士兮守四方”，让刘邦颇为忧虑，特别是平定异姓诸侯王的叛乱，让他费尽了心思。

异姓诸侯王非刘姓宗室，那么，汉初为什么会有异姓诸侯王？秦始皇统一天下后，废除分封制，实行郡县制，以加强中央集权制度。秦朝灭亡之后，项羽自立为西楚霸王，分封诸侯。楚汉战争中，刘邦为了战胜项羽，一边拉拢项羽所封的诸侯王，以扩大自己的势力，一边又新立了一些诸侯王。楚汉战争夺取天下的过程中，刘邦联合各诸侯王，最终战胜项羽，取得天下。西汉建立，刘邦即位之初，汉朝的异姓诸侯王就有七个。据《史记·高祖本纪》记载：韩信为楚王，以下邳作都城；彭越为梁王，以定陶作都城；

韩王信仍然为韩王，以阳翟作都城；衡山王吴芮迁为长沙王，以临湘为都；淮南王黥布仍然为淮南王；燕王臧荼仍然为燕王；赵王张敖仍然为赵王。这些异姓诸侯王拥有大片封地，本身实力很强，对中央集权造成了威胁。

楚汉战争中拉拢和分封异姓诸侯王，是刘邦打败项羽的一种手段，汉初所分封的七个异姓诸侯中，多为汉朝的开国功臣，在楚汉战争中立有大功。等到刘邦战胜项羽，建立了汉朝，这些实力雄厚的异姓诸侯王则对刘氏江山形成了巨大的威胁。汉高祖刘邦为了巩固汉王朝的统治，多次亲自率兵征讨叛乱的异姓诸侯王，又在吕后的协助之下，不惜使用各种手段，消灭强大的异姓诸侯王势力。汉初所分封的异姓诸侯王中，唯有长沙王吴芮因为力量较弱，得以存五世，其余基本都被消灭殆尽。

刘邦登上皇帝之位不久，燕王臧荼首先反叛，刘邦亲自讨伐，大破叛军，俘虏了燕王臧荼，燕王臧荼也成为第一个被铲除的异姓诸侯王。楚王韩信为刘邦打败项羽立下了汗马功劳。自从萧何向刘邦举荐韩信，韩信便成为刘邦获得最终胜利的得力助手。而汉朝建立之后，韩信杰出的军事才能、强大的实力，则成为刘邦的心腹之患。有人举报楚王韩信谋反，刘邦便用陈平之计擒拿韩信。韩信被贬为淮阴侯，心怀不满，渐生谋反之意，后陈豨谋反，韩信与陈豨密谋，打算响应陈豨，却被告发。吕后与萧何设计斩杀韩信，夷其三族。刘邦亲自率兵平定陈豨叛乱时，曾让梁王彭越出兵，彭越并未积极响应，刘邦大为不满。后刘邦找借口将彭越治罪，废处蜀地，途中遇到吕后，吕后设计将彭越诛杀，夷其宗族。淮南王黥布看到异姓诸侯王被诛杀的悲惨下场，起兵造反，高祖刘邦亲自率兵征讨黥布，后平定淮南之地，黥布失败。赵王张敖娶了鲁元公主，身份较为特殊，后因赵相贯高等谋弑刘邦之事，被夺国，成为宣平侯。刘邦为了铲除异姓诸侯王，多次亲征，历尽艰辛，费尽心机，也用尽了各种手段，人们对此褒贬不一。

思考讨论

1. 在“高祖还乡”的故事中，你觉得刘邦为何而悲伤？

2. 谈一谈你所知道的刘邦。

缇萦救父

五月[1]，齐太仓令淳于公有罪当刑[2]，诏狱逮徙系长安。太仓公无男，有女五人。太仓公将行会逮，骂其女曰：“生子不生男，有缓急非有益也[3]！”其少女缇萦自伤泣[4]，乃随其父至长安，上书曰：“妾父为吏[5]，齐中皆称其廉平，今坐法当刑。妾伤夫死者不可复生，刑者不可复属[6]，虽复欲改过自新，其道无由也[7]。妾愿没入为官婢，赎父刑罪，使得自新。”书奏天子，天子怜悲其意，乃下诏曰：“盖闻有虞氏之时，画衣冠异章服以为僇[8]，而民不犯。何则？至治也。今法有肉刑三[9]，而奸不止，其咎安在？非乃朕德薄而教不明欤？吾甚自愧。故夫驯道不纯而愚民陷焉[10]。《诗》曰‘恺悌君子[11]，民之父母'。今人有过，教未施而刑加焉，或欲改行为善而道毋由也。朕甚怜之。夫刑至断支体[12]，刻肌肤，终身不息，何其楚痛而不德也，岂称为民父母之意哉！其除肉刑。"

（选自《史记·孝文本纪》）

注释

[1]五月：此处指汉文帝十三年的五月。 [2]刑：即受肉刑。[3]缓急：文中指紧急情况，这里的"缓"字无义。 [4]少女：就是小女儿。 [5]妾：谦词，古代女子的自称。 [6]属：这里是连接的意思。 [7]其道无由：即无法、无从走向改过自新之路。 [8]画衣冠：以画有特殊标志的衣帽来象征各种刑罚。章：指花纹。僇（lù）：羞辱，侮辱。 [9]肉刑三：古代的三种肉刑，残害犯人肉体。说法不一，或为黥（qíng，脸上刺字）、劓（yì，割去鼻子）、刖（yuè，断足），或为劓、刖、宫。[10]驯：通"训"，教导的意思。 [11]恺悌（kǎi tì）：指平易近人。 [12]支：通"肢"。

译文

五月，齐国的太仓令淳于公犯罪该受刑罚，朝廷下令让狱官逮捕他并押送长安囚禁。太仓令没有儿子，只有五个女儿。他被捕临行时，骂他的女儿们："生孩子不生儿子，遇到紧急情况一点用处也没有！"他的小女儿缇萦听到后伤心地哭了，就跟随他的父亲一同来到长安，缇萦向朝廷上书说："我的父亲身为官吏，齐国人都称赞他的清廉公正，现在触犯法律应当受刑。我悲伤的是，人死不能复生，受肉刑的人肢体断了不能再复原，即使他们想改

过自新，也无路可走了。我愿被收进官府做奴婢，以此抵赎我父亲应当受到的刑罚，使他能够有机会改过自新。”缇萦的上书呈给文帝，文帝怜悯她的心意，就下诏说：“听说有虞氏的时候，给罪犯的衣帽画上特殊标志，让罪犯穿上有特异花纹的衣服来象征各种刑罚，以示羞辱，然而民众都不犯法。为什么呢？因为当时政治清明至极。如今的法律有三种肉刑，但奸邪之事仍然不能禁止，其中的过错在哪里？难道不就是我德行浅薄而教化不明造成的吗？我自己非常惭愧。因此教导民众的方法不纯正，就会使百姓愚昧陷入犯罪的境地。《诗经》中说‘平易近人的君子，是民众的父母’。现在有人犯了过错，还没有进行教化就对他们施加刑罚，有的人想要改过从善却已无路可走了。我实在很怜悯他们。施用刑罚砍断犯人的肢体，刻伤肌肤，终身不能再长好，这是多么痛楚而不合道德啊，怎么能符合为民父母的本意呢！应废除肉刑。”

文史链接

汉文帝进行的法制改革

汉文帝刘恒是高祖刘邦之子，在刘邦的八个儿子中，刘恒排行居中，为薄太后所生。刘邦击破陈豨叛军后，平定代地，立刘恒为代王。在刘恒做代王的第十七年，吕后去世。之后，吕氏企图叛乱，争夺刘氏天下，被大臣们诛灭。大臣们迎立代王刘恒。汉文帝刘恒登基后即大赦天下、封赏功臣，还进行了一系列法制改革。

汉文帝首先废除了连坐制。他认为，法令是治理国家的依据和准绳，法令的目的是禁止暴行而引导人们向善。触犯法律的人已经治罪受到了惩罚，他的父母妻子儿女兄弟并没有犯罪，却因此受牵连，这种做法不可取。主管的大臣们则认为实行连坐之法能牵制老百姓的心理，起到威慑作用，而且这种做法施行的时间已经长了，不变为好。文帝便说："法律公正，百姓就诚实，治罪适当百姓才会服从。官吏有责任引导百姓向善。如果官吏不能引导百姓向善，又用不公正的法令来治罪，那就是害了百姓，让他们去施暴，怎能禁止百姓犯罪呢？我看不出这法令的便利之处，希望众爱卿再商议。"于是，一人犯罪而家人相连坐的法令就被废除了。

汉文帝又废除了诽谤妖言之罪。文帝认为，古代的圣君治理天下时，专门设有进献善言的旌旗和批评朝政的诽谤木，以此来通达治国之道，招来进谏的臣民。如今法律有诽谤妖言之罪，这就使臣民不能畅所欲言，皇帝也不能得知自己的过失。这如何能招来远方的贤良之才呢？应废除这样的法令。民众中有人相约背后诅咒皇帝，而后又相互告发，官吏认为这大逆不道，如果还有其他言论，官吏则认为是诽谤了。这不过是小民的愚昧无知，却犯死罪，很不可取。今后凡是触犯这条法令的，都不治罪。这体现出汉文帝体恤百姓，广开言路，以德治国的举措和远见卓识，是一位开明贤德之君。

汉文帝还废除了肉刑，这就是"缇萦救父"的故事提及的。"缇萦救父"的故事从侧面反映出文帝的德治，体现出汉文帝贤德开明，宽厚仁慈，爱民恤民，善于纳谏，深明大义的品质。

除了一系列的法制改革，汉文帝还实施了许多有利于社会发展、深得民心的政策，轻徭薄赋，稳定统治，劝课农桑，促进经济发展。汉文帝勤政爱民，躬行节俭，谦逊克己，是司马迁在《史记》中极为赞赏的一位皇帝，也是"文景之治"的开创者。

思考讨论

1. 汉文帝是怎样的一个皇帝？你如何评价？

2. 缇萦具有哪些好品质？我们应该向她学习什么？

第二章　表

耳食之论

秦既得意[1]，烧天下《诗》、《书》，诸侯史记尤甚[2]，为其有所刺讥也。《诗》、《书》所以复见者，多藏人家，而史记独藏周室，以故灭。惜哉，惜哉！独有《秦记》[3]，又不载日月，其文略不具[4]。然战国之权变亦有可颇采者[5]，何必上古。秦取天下多暴，然世异变，成功大[6]。传曰“法后王”[7]，何也？以其近己而俗变相类[8]，议卑而易行也[9]。学者牵于所闻[10]，见秦在帝位日浅，不察其终始[11]，因举而笑之[12]，不敢道，此与以耳食无异[13]。悲夫！

（选自《史记·六国年表》）

注释

[1] 既：已经。得意：统一天下。　[2] 史记：指各诸侯国史实的记录文献。　[3] 秦记：指秦国的史料记载。　[4] 略：简略，不详细。具：全面。　[5] 然：然而，但是。颇：大量。[6] 成：成就，建成。功：功业。　[7] 传：经传。法：效法。

焚书坑儒

[8]以：因为。类：类似，相似。 [9]卑：浅显。 [10]牵：局限。闻：听说。 [11]察：考察。 [12]因：因此。举：全。[13]以：用。耳：耳朵。食：吃东西。

译文

秦国统一天下之后，发生了焚书事件。各诸侯国的史书中因为有讥讽秦国的文字，所以被烧得特别厉害。后来之所以能够重新见到《诗》、《书》等典籍，多是因为藏在私人家里的缘故，但各诸侯国的史书是专门收藏在王室里的，因此全部被烧毁了。可惜啊，实在是可惜！能够流传下来的史书只有《秦纪》，它的文字记载又简略又不完整，而且没有写明日月时间。但是，关于战国时期的变通与对策也有许多可以采用的，不必一定要上古的史书。虽然秦国夺取天下有许多暴行，但它能随着时代的变化而调整政策，所以成就的功业巨大。经传中说："效法近代的帝王。"这是为什么呢？因为近代的帝王离我们时间短，风俗变化情况也与我们比较相似，他们的议论虽然浅显，但是容易推行。读书人局限于道听途说，看到秦朝统治时间短暂，也不考察它前后发展的全过程，就都来耻笑它，不敢对它有所评论，这和用耳朵吃东西没什么差别，都难以品出真正的味道。实在是可悲啊！

文史链接

十　表

"表"是司马迁创立的《史记》体例之一，共有十篇。"十表"按照时间先后顺序，以表格的方式陈述历史事件，简明扼要，一目了然，可与本纪、世家、列传等体例参照阅读。本纪、世家、列传的各篇都是以一国、一族或一二人为主来写的，阅读时难以形成全貌。“十表”恰好是全盘贯通，弥补了本纪、世家、列传各篇分列的不足。著名史学家郑樵在《通志》中说：“《史记》一书，功在十表。”今天，表格使用广泛，却很少有人知道“表”是司马迁首创的宏大纪事体例。

《史记》经历了两千多年的流传，因此我们今天读“十表”，还要关注其中的删减、增补和出入等现象。细心的读者就会发现，“十表”中唯独《汉兴以来将相年表》没有序言。翻开《汉兴以来将相年表》，你还会看到那些流水账式的记录，完全不符合《太史公自序》（以下简称《自序》）中对该表的表述：“贤者记其治，不贤者彰其事。”而司马迁《自序》中其他的表述毫无空言，每一句必落到实处，也就是说《自序》中的表述往往在正文的篇章中有相应的详细内容。所以，此年表应该是先被删，后又增补的。因此，后人删削的不仅是序言，还包括了全表。还有一点，《史记》完成于汉武帝时期，可是此表中还写了一些汉武帝之后直到西汉末年的史实，显然是后人依据《汉书》等史书补写进去的。关于补写此表的作者，余嘉锡《太史公书亡篇考》中认为是西汉末年的冯商。也有人提出此表作者不是司马迁、冯商、褚少孙等，而是另有他人，只是姓名已亡佚。孰是孰非，至今还难以判断。不过，褚少孙增补《史记》最为显著，所以，纪昀在《四库全书总目》中称《史记》是“汉司马迁撰，褚少孙补”。

《六国年表》（以下简称《年表》）结尾与本纪、世家和列传等部分内容有些出入，这里稍作分析，以便于大家对《史记》的深入学习。《六国年表》名为六国，实际记述了“战国七雄”。这是因为《年表》是根据《秦记》编写的，并在序文中强调了秦国，所以在拟定题目时就不把秦国计算在内。而以周王朝为首，是奉

周为正统的体现，同时，这种安排也使各国纪年顺序更加明晰。秦始皇二十三年（前224）一栏记载：秦国大将王翦、蒙武（蒙恬的父亲）攻破楚国，杀死楚国大将项燕。同年，楚国一栏记载：楚王负刍四年（前224），秦国攻破我大将项燕。而秦始皇二十四年一栏记载：王翦、蒙武攻破楚国，俘虏了楚王负刍。同年，楚国一栏记载：楚王负刍五年，秦国俘虏楚王负刍，灭亡了楚国。《楚世家》结尾部分、《蒙恬列传》开篇部分及《白起王翦列传》相应部分的记载与《年表》内容一致。

然而，《秦始皇本纪》关于这一段历史的记载却有所不同："二十三年（前224），秦王复召王翦，强起之，使将击荆（指楚国，为了避讳秦庄襄王子楚）。取陈以南至平舆，虏荆王。秦王游至郢陈。荆将项燕立昌平君为荆王，反秦于淮南。二十四年，王翦、蒙武攻荆，破荆军，昌平君死，项燕遂自杀。"将这段文字与《年表》的记载进行对比，就可以发现两处不同。一是此段中的楚王有前后两个：负刍和昌平君，负刍被俘于秦始皇二十三年，昌平君死于秦始皇二十四年；而《年表》中楚王只有负刍一个，被俘于秦始皇二十四年。二是项燕之死的差异。《秦始皇本纪》说项燕死在秦始皇二十四年，是自杀；而《年表》中说项燕死在秦始皇二十三年，是被杀。

1975年12月在湖北省出土的睡虎地秦简中记载，秦始皇二十三年"兴，攻荆，□□守阳□死。四月，昌文君死"。此竹简可以作为始皇二十三年攻楚的实物证据。昌文君和昌平君原是秦国的两个相国。《秦始皇本纪》记载："王知之，令相国昌平君、昌文君发卒攻毐。战咸阳，斩首数百，皆拜爵，及宦者皆在战中，亦拜爵一级。毐等败走。"可见，昌平君曾经攻杀嫪毐。后来"新郑反。昌平君徙于郢"。

《秦始皇本纪》中秦国灭楚的记载与《年表》等的记载有出入，应该是当时史料记载不一致造成的，所以司马迁尊重史实，保留了这两方面材料，其中的真实情况还有待进一步研究或者更详细的出土文物来证明。

思考讨论

1. 选文体现出司马迁对秦国持怎样的态度？

2. 你如何评价秦始皇？

强干弱枝

汉定百年之间，亲属益疏[1]，诸侯或骄奢[2]，忕邪臣计谋为淫乱[3]，大者叛逆，小者不轨于法[4]，以危其命，殒身亡国[5]。天子观于上古，然后加惠，使诸侯得推恩分子弟国邑[6]，故齐分为七[7]，赵分为六[8]，梁分为五[9]，淮南分三[10]，及天子支庶子为王[11]，王子支庶为侯，百有余焉[12]。吴楚时[13]，前后诸侯或以适削地[14]，是以燕、代无北边郡[15]，吴、淮南、长沙无南边郡，齐、赵、梁、楚支郡名山陂海咸纳于汉[16]。诸侯稍微[17]，大国不过十余城[18]，小侯不过数十里，上足以奉贡职，下足以供养祭祀，以蕃辅京师[19]。而汉郡八九十，形错诸侯间[20]，犬牙相临，秉其阸塞地利[21]，强本干，弱枝叶之势，尊卑明而万事各得其所矣[22]。

（选自《史记·汉兴以来诸侯王年表》）

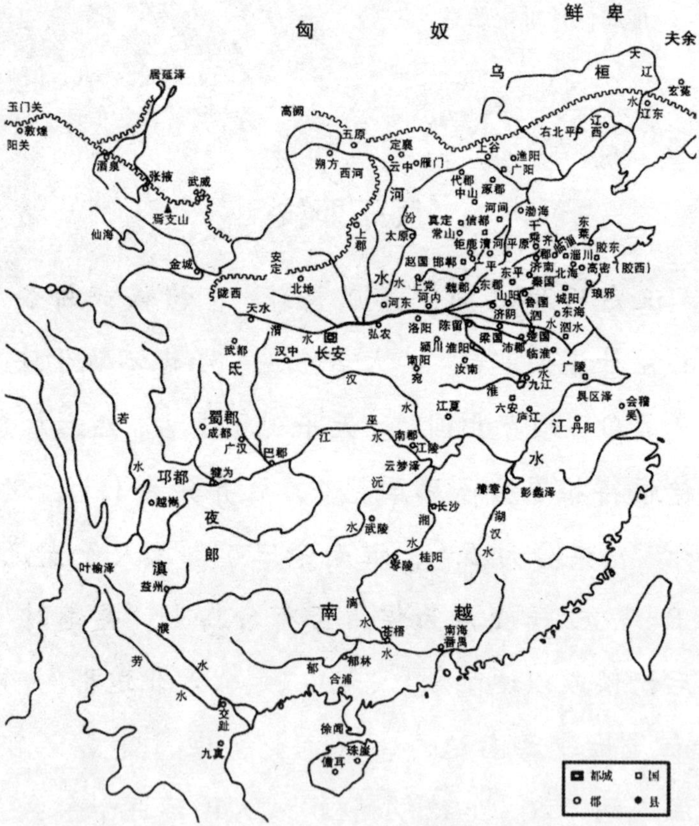

西汉郡国简图

注释

[1] 益：更加。疏：疏远。 [2] 或：有的。 [3] 忕(shì)：习惯。 [4] 轨：遵循。 [5] 殒：死亡。 [6] 推恩：施恩惠于他人。邑：城市。 [7] 齐分为七：公元前 201 年，汉高祖刘邦封儿子刘肥为齐王，领地包括临淄、济北、博阳、城阳、胶东、胶西、琅琊七个郡。到公元前 164 年，汉文帝把琅邪郡收归中央政府，把其余的六个郡分开设置为齐、淄川、胶东、胶西、城阳、济北、济南七国。 [8] 赵分为六：公元前 155—前 145 年，汉景帝先后在原来赵国的地方建立了广川、河间、中山、清河、常山、赵六国。 [9] 梁分为五：公元前 144 年，梁孝王薨（hōng）。汉景帝把梁孝王的领地分为济川、济东、山阳、济阴、梁五国。 [10] 淮南分三：公元前 164 年，汉文帝把原来淮南王的地方分为淮南、衡山、庐江三国。 [11] 支庶：宗族旁出支派。 [12] 余：多。焉：助词。 [13] 吴楚：指吴楚七国之乱，发生在汉景帝时期。 [14] 适：通“谪”，罪责，责罚。 [15] 是以：即“以是”，因此。 [16] 陂：湖泊。咸：全，都。纳：收归。 [17] 稍：渐渐，逐渐。微：微弱，变小。 [18] 过：超过。 [19] 蕃辅：辅助。蕃，通“藩”。 [20] 错：交错。 [21] 阸(ài)：险要之处。塞：关塞。 [22] 明：分明。

译文

汉朝平定天下以后的百年时间，王朝亲戚关系渐渐疏远。有的诸侯王骄纵奢侈起来了，开始习惯于奸臣的蛊惑，做起犯上作乱的事情来，严重的谋反，轻微的犯法，结果是危害自身，丧命亡国。于是，天子便借鉴古代的办法，施加恩惠，让诸侯王把名下的土地分给子弟。因此，齐国分为七个小国，赵国分为六个小国，梁国分为五个小国，淮南分为三个小国，以及天子的旁系子弟被分为王，王子的旁系子弟被分为侯，算起来，总共有一百多个。吴楚叛乱前后，有的诸侯因犯罪被削减了封地，所以燕王、代王没有了北部的郡，吴王、淮南王、长沙王没有了南部的郡，齐王、赵王、梁王、楚王的山泽湖海都被朝廷收回。诸侯国渐渐衰弱，大国不超过十来个城池，小国只有几十里方圆，对上足够交纳贡赋，对下足够供养祭祀，并用来辅助京师。而汉王朝管辖有八九十个郡，交错地分布在诸侯国之间，形状如犬牙那样互相衔接，控制着险要的地理位置，形成了强干弱枝的形势。这样一来，就尊卑分明，万事各得其所了。

文史链接

汉初分封诸侯与推恩令

公元前 202 年，楚汉战争以汉王胜利、项羽败亡结束。同年二月，楚王韩信、淮南王黥布等诸侯王联名上书，请求刘邦“上皇帝尊号”。刘邦经过一番“推让”后才答应道：“诸侯王幸以为便于天下之民，则可矣。”当然，这一切都是刘邦事先安排好的，只是装模作样给天下人看看罢了。刘邦君臣策划的这一“劝进”模式对后世王朝影响深远。

（一）分封诸侯与铲除异姓诸侯

汉朝初创时期，为了夺取天下和巩固政权，刘邦采取了分封诸侯王的策略。汉初诸侯王分为“刘姓王”和“异姓王”。异姓诸侯王有八个，包括赵王张耳、淮南王黥布、长沙王吴芮、燕王臧荼、梁王彭越、韩王韩信、齐王韩信（后徙为楚王）、燕王卢绾。刘邦称帝后，又分封了九个同姓诸侯王。

异姓诸侯王“封疆裂土，南面称孤”，拥有军事和行政大权，无形中对大一统中央集权形成威胁。刘邦当初分封异姓诸侯王主要是为了拉拢人心，增强实力，称帝后，便开始对诸侯王有了疑心，也担心后代帝王难以驾驭这些桀骜不驯的元老们。为了王朝的稳定发展以及加强中央集权，刘邦开始铲除异姓诸侯王。汉五年，赵王张耳病逝，长子张敖世袭赵王，娶刘邦大女儿鲁元公主为王后。汉七年，刘邦借叛乱之名将张敖贬为宣平侯，消除了赵国的威胁。齐王韩信、梁王彭越、淮南王黥布、韩王信、燕王臧荼或被告谋反，或被逼造反，先后被杀。燕王卢绾受陈豨造反牵连，被迫逃亡匈奴。吴芮的长沙国是诸国中最小、最弱的，且地处偏远，是唯一保留下来的异姓王国，传了五代，最后因为无子嗣，被取消建制。

铲除异姓诸侯王的过程中，刘邦分封了一些子侄为王，并与众臣歃血立下白马之盟："非刘氏而王，天下共击之。"(《史记·吕后本纪》) 虽然如此，刘邦死后，同姓诸侯王也还是发生了叛乱。但异姓不封王的制度由此确立下来。

（二）割地定制与削藩

文帝即位后，中央政权同地方诸侯王之间的矛盾相当尖锐，中央的法令常常难以执行下去。济北王刘兴居、淮南王刘长接连叛乱，吴王刘濞也有叛乱的迹象。民间流传《尺布谣》，说皇族兄弟之间寡情薄义，不如贫贱的庶民百姓。公元前 173 年，贾谊向文帝献《治安策》(即《陈政事疏》)，提出“众建诸侯而少其力”的主张，即在诸侯王的封地上分封更多的诸侯，从而削弱他们的实力。他建议在诸侯王死后，把他的封地分割成几块，分给他的儿孙们，直到“地尽而止”，这就是“割地定制”。文帝觉得贾谊的建议有道理，便把大齐国分为七小国，淮南分为三国。

汉景帝时，晁错建议削减王国的封地，限制发展规模，逐渐

加大中央直接管辖的郡县范围，加强对地方的控制。景帝采纳了晁错“削藩”建议，先后削去楚王、赵王、胶西王的部分郡县。“削藩”引起了吴王刘濞等诸侯王的强烈反对，发生了“七国之乱”。为使七国罢兵，景帝杀了晁错，并派太尉周亚夫平定叛乱。之后，景帝免去诸侯王的行政权和官吏任免权，削减了王国官吏。诸侯王强大难治的局面大为改变，进一步巩固了中央集权。

（三）推恩令

虽然景帝削减了诸侯王的一些权力，但并没有彻底铲除诸侯王的势力。一些诸侯王依然势力强大。梁王刘武，封地四十余城，骄纵蛮横，用天子旌旗，垂涎帝位，甚至大胆到刺杀十几名重臣的地步。

最终解决诸侯王问题的，是公元前 127 年，汉武帝采纳了主父偃的建议实行推恩令。推恩令规定诸侯王推私恩分封子弟为列侯，允许将自己的封地分给子弟。推恩令表面上是施恩关怀诸侯王的庶子们，实际上是将王国分为若干侯国，削弱诸侯王的实力。推恩令实行之后，诸侯王势力很快瓦解，“大国不过十余城，小侯不过十余里”，既巩固了中央集权，又避免了激发诸侯王的叛乱，彻底解决了诸侯王反叛作乱的问题。

思考讨论

根据《西汉郡国简图》与注释，看看汉统治者是如何“强干弱枝”的。

第三章　书

亡国之音

凡音者，生人心者也[1]。情动于中[2]，故形于声，声成文谓之音[3]。是故治世之音安以乐[4]，其正和[5]；乱世之音怨以怒，其正乖[6]；亡国之音哀以思，其民困。声音之道，与正通矣。宫为君，商为臣，角为民，徵为事，羽为物[7]。五者不乱，则无怗懘之音矣[8]。宫乱则荒[9]，其君骄[10]；商乱则捶[11]，其臣坏；角乱则忧，其民怨；徵乱则哀，其事勤；羽乱则危[12]，其财匮[13]。五者皆乱，迭相陵[14]，谓之慢[15]。如此则国之灭亡无日矣。郑卫之音[16]，乱世之音也，比于慢矣[17]。桑间濮上之音[18]，亡国之音也，其政散，其民流，诬上行私而不可止[19]。（选自《史记·乐书》）

注释

[1]音：乐音。……者……也：表示判断，相当于“是”。[2]中：心中。　[3]文：文采。谓：称为。之：它，代词。

[4] 是故：所以，因此。之：的，结构助词。以：并且。 [5] 其：他的。正：同“政”。 [6] 乖：不和谐。 [7] 宫、商、角、徵（zhǐ）、羽：称为五音，宫为五音之首。为：作为。 [8] 则：就。沾懘（zhān chì）：不和谐。 [9] 荒：散漫。 [10] 骄：骄横。[11] 捶：倾斜、不正。 [12] 危：倾危。 [13] 匮：缺乏。[14] 迭：更迭，交替。相：互相，彼此。陵：欺凌，越界。[15] 谓：叫做。之：代词，指所说的这种情况。慢：放纵。[16] 郑卫：春秋时期的郑国、卫国。 [17] 比：相同。[18] 桑间濮上之音：指靡靡之音。桑间，地名。濮，濮水。[19] 诬上：指大臣欺君犯上。行私：徇私枉法。

太一出巡

译文

凡是乐音，都是由人心中生成的。人的情感在心中激荡，表现出来的自然是各种声音，如果将这些声音合理组合，使他们变成和谐的曲调就可以叫做乐音了。因此，世道太平时的乐音往往安详而和美，这表明政治和谐；世道衰乱时的乐音含有怨恨和愤怒，这说明政治混乱；国家走向灭亡时的乐音就会悲伤和忧愁，这表明老百姓生活困苦。声音的道理与政治是相通的。五音中，宫音好比是皇帝，商音好比是大臣，角音好比是老百姓，徵音好比是事情，羽音好比是事物。如果这五音不乱，就不会有不和谐的乐音。如果宫音混乱，乐音就会变得散漫，这是由于国君骄横；商音如果混乱，乐音就会显得不谐调，这是因为大臣腐败；如果角音混乱，乐音就会流于忧愁，这是由于老百姓有怨愤；如果徵音混乱，乐音就会显得悲伤，这是由于劳役过多；如果羽音混乱，乐音就会变得倾危，这是由于财物缺乏。如果五音全部混乱，互相凌越，这就叫做过度放纵。像这样的话，距离国家的灭亡也就没有多少日子了。郑、卫两国的音乐是乱世之音，已经与过分放纵的音乐近乎相同了。桑间濮上的音乐是亡国之音，说明国家政治松散，百姓流离失所，大臣欺君犯上，徇私枉法，并且国家已无法制止这些弊端。

文史链接

八 书

“书”是司马迁独创的《史记》体例之一，共有八篇，包括《礼书》、《乐书》、《律书》、《历书》、《天官书》、《封禅书》、《河渠书》、《平准书》，是古代社会政治、经济、文化的某一方面的专题记载和论述。如《乐书》是关于音乐方面的论述。也就是司马迁在《太史公自序》所说的：“礼乐损益，律历改易，兵权山川鬼神，天人之际，承敝通变，作八书。”关于“八书”的功用，南朝梁刘勰《文心雕龙·史传》的评价甚为精当：“八书以铺政体。”《史记》之后的正史都改“书”为“志”，如《汉书·艺文志》、《隋书·经籍志》等。

五 音

五音，指宫、商、角、徵、羽，是中国古代音乐的音阶，通常把宫音作为音阶的第一级音。宫，是五音之主、五音之君，统帅众音，相当于今首调唱名中的 do 音。古人认为，“宫属土，君之象”。商，是五音第二级，居“宫”之次，相当于今首调唱名中的 re 音。古人认为，“商属金，臣之象”。角，是五音第三级，居“商”之次，相当于今首调唱名中的 mi 音。古人以为，“角属木，民之象”。徵，是五音第四级，居“角”之次，相当于今首调唱名中的 so 音。古人以为，“徵属火，事之象”。羽，是五音第五级，居“徵”之次，相当于今首调唱名中的 la 音。古人以为，“羽属水，物之象”。此外，在古音阶中还有“二变”，即变徵、变宫。变徵是指角音与徵音之间的乐音。变宫是指羽音与宫音之间的乐音。

五音中由宫至羽，弦渐细、渐短，音由低渐高，由浊渐清，所以宫音最低、最浊，羽音最高、最清，角音居中，为中和之音。宫音弦最大，由八十一根丝组成；商音弦七十二根丝；角音弦六十四根丝，粗细在宫弦和羽弦之间，清浊也在二者之间；徵音弦由五十四根丝组成；羽音弦四十八根丝，最细，音最清（高而细）。在五音中，徵为次清音，羽为最清音。如果羽音乱调，乐音就会忽高忽低。因音太高而唱不出，乐曲就不得不中断，这种现象叫做“危”。危是音乐的忌讳，一旦出现，演奏就算是失败了。

思考讨论

请写出与五音相关的成语。（至少三个）

不死之药

自威、宣、燕昭使人入海求蓬莱、方丈、瀛洲[1]。此三神山者，其傅在勃海中，去人不远[2]；患且至[3]，则船风引而去[4]。盖尝有至者[5]，诸仙人及不死之药皆在焉[6]。其物禽兽尽白[7]，而黄金银为宫阙。未至，望之如云[8]；及到[9]，三神山反居水下[10]。临之[11]，风辄引去[12]，终莫能至云[13]。世主莫不甘心焉。及至秦始皇并天下[14]，至海上，则方士言之不可胜数。始皇自以为至海上而恐不及矣，使人乃赍童男女入海求之[15]。船交海中[16]，皆以风为解[17]，曰未能至，望见之焉。其明年，始皇复游海上，至琅邪，过恒山，从上党归。后三年，游碣石，考入海方士，从上郡归。后五年，始皇南至湘山[18]，遂登会稽[19]，并海上[20]，冀遇海中三神山之奇药[21]。不得，还至沙丘崩[22]。

（选自《史记·封禅书》）

注释

[1] 使：派遣。求：访求。蓬莱、方丈、瀛（yíng）洲：传说中的三座神山，是神仙居住的地方，山上有长生不老药等宝物。

[2] 去：距离。　[3] 患：担忧。且：将要。　[4] 去：离开。

[5] 盖：大概，可能。尝：曾经。者：……的人。　[6] 诸：那些，众。

皆：全，都。 [7] 其：那些。 [8] 之：他们，指三座神山。 [9] 及：等到。 [10] 居：处在。 [11] 临：靠近。 [12] 辄：就。 [13] 终：终究，始终。 [14] 并：合并，统一。 [15] 赍(jī)：带着。 [16] 交：到达。 [17] 以……为：把……作为。风：被风吹开。解：借口，托词。 [18] 湘山：洞庭湖中的君山，在湖南。 [19] 会稽：山名。 [20] 并：傍，沿着。海：海边。上：北行。 [21] 冀：希望。 [22] 还(huán)：回，归。沙丘：地名。崩：古代帝王死称“崩”。

译文

从齐威王、齐宣王、燕昭王时开始，就派人到海上寻找蓬莱、方丈、瀛洲三座神山。传说这三座神山就在渤海里，离人间并不远，麻烦的是每当船快要到时，就会有风把船吹到别处去。听说曾有人到过那里，看到仙人们和长生不老药都在那里。山上的物品、禽兽等全是白色的，宫殿是用黄金和白银建造的。没到山跟前，远远望去如同一片云海；来到跟前，三座神山反而在水面以下。一靠近那里，马上就会被风吹开，始终无法到达。世间的君王对此无不倾心向往。等到秦始皇统一天下，来到沿海巡游时，许许多多的方士向他谈论这些事。始皇觉得到了海上，恐怕也难以找到三座神山，于是就派人带着童男童女到海上寻找。船出海回来后，都说被风吹开，不能到达，但确实看到了三座神山。等到第二年，秦始皇又到沿海巡游，到了琅琊，然后经过恒山，从上党回京。又过了三年，秦始皇巡游碣石山，考问了那些入海求仙的方士，然后从上郡返回京城。五年后，秦始皇南巡到湘山，又登上了会稽山，然后沿海北上，希望能碰到海上三座神山，获得长生不老药。但没能得到。在返回京城的路上，行到沙丘时，秦始皇驾崩。

文史链接

封　禅

封禅是古代帝王在太平盛世或天降祥瑞时在泰山举行的祭祀天地的大型典礼活动。其中，在山顶垒土筑坛然后祭天的活动，称作“封”；在泰山旁的一座小山上选出一块地举行祭地活动，称作“禅”。“封禅”最早出现在《管子·封禅》中，司马迁在《史记·封禅书》中引用了《管子·封禅》里的内容，并进行了延伸和解释，所谓“登封报天，降禅除地”。唐代张守节《史记正义》对“封禅”进行了阐述，并解释了封禅的功用，即在山顶上筑圆坛以报天之功，在山脚旁的小山上筑方坛以报地之功。战国时期齐国、鲁国的有些儒生误认为五岳中泰山最高，为“天下第一山”，所以帝王到泰山拜祭了天地，才算是受命于天。秦始皇、汉武帝等都在泰山举行过封禅大典。《五经通义》说：“易姓而王，致太平，必封泰山，禅梁父，天命以为王，使理群生，告太平于天，报群神之功。”因此封禅大典的实质是强调君权神授。

“封禅”还有另一种解释，认为“封”是指祭天的文书用银绳缠绕，打结的地方用金泥封好，盖上皇帝的印章，见《白虎通义》:“或曰封者，金泥银绳，或曰石泥金绳，封以印玺。”后人分析认为这是封禅仪式中的一个环节，就是将封禅的文书用“金泥银绳”或“石泥金绳”封住，埋到地下。司马迁《史记·封禅书》也说“飞英腾实，金泥石记”。

封禅活动是我国一种古老的礼仪制度，远古时期和夏商周三代就有封禅的传说。《史记·封禅书》引用春秋时管仲论封禅的一段话：齐桓公称霸后想举行封禅大礼，管仲表示反对，并分析说古代封泰山、禅梁父的有七十二帝王，杰出的有无怀氏、伏羲、神农氏、炎帝、黄帝、颛顼、帝喾、尧、舜、禹、汤、周成王等

十二个，都是在受命之后进行封禅仪式的。他们封禅时，或有嘉禾生出，或有凤凰来仪，各种祥瑞不召自来。桓公自知难与他们相比，只好放弃了封禅的念头。但是，先秦时代封禅的仪式如何，由于没有资料留存，具体情况已无法知道。《史记》记载舜、禹以后，举行封禅仪式的只有秦始皇和汉武帝两个人。

秦始皇统一天下后，自信他的统治得到上天的受命，便在第三年（前219）带着齐、鲁七十儒生登泰山举行封禅仪式。到了山上，当要开始封禅礼仪时，儒生们你一言我一语地议论开了，认为天子封禅要坐用蒲叶裹着车轮的蒲车，以免压坏山上的草木土石；要扫好地，铺上菹秸做的席，才能祭祀。彼此所说相互矛盾，而且根本行不通。秦始皇很生气，将他们全部呵斥回去了，自己坐车从山南登上山顶举行封礼，并刻石歌功颂德，然后从山北下来，到梁父山举行禅礼。他的仪式基本取自战国时祭天的仪式，稍微有所改造。

西汉武帝时，中央集权日益加强，汉家至尊在政治、经济领域得以确立，决定举行封禅大典。关于封禅的礼仪，儒生与方士讲的互不相同。汉武帝就把封禅的祭器拿给他们看，问古礼如何，谁都说不出个所以然。于是，汉武帝决定采用祭太一神的仪式。公元前110年，汉武帝先到梁父山举行祭地禅礼，后到泰山下东方设坛，举行第一次祭天封礼。然后，汉武帝和少数大臣登上山顶，举行第二次封礼。为了纪念这次封禅大典，武帝特地把年号改为元封。

唐玄宗、宋真宗都曾封禅泰山。宋真宗以后，泰山封禅戛然而止。到明朝，朱元璋撤销了泰山的封号，后来的明清两朝就将封禅活动改为祭祀了。从秦始皇至宋真宗，历史上一共有六位皇帝进行过十次泰山封禅活动。此外，中岳嵩山也曾举行过封禅大典，但次数及影响远不及泰山。

从近年考古发现来看，封禅的起源可追溯到新石器时期的筑坛祭祀活动。民国二十年，马鸿逵将军偶然发现了一座五色土坛，从中挖出两套玉册。玉册上分别刻写着唐玄宗和宋真宗禅地的祝祷文。这两套玉册的出土，可以弥补史料的缺失，是极其珍贵的文史资料。

司马迁《封禅书》所写内容几乎包含了所有的神祀，同时对诸神和山川的祭祀有所追述，是我们认识汉以前礼仪制度的重要文献。《封禅书》的可贵之处还在于司马迁充分揭露了汉代帝王，特别是汉武帝祭祀活动泛滥的现象，抨击了汉代封禅活动过度的弊病。

思考讨论

1. 解释下列加点的词语：

（1）去人不远 __________ （2）风引而去 __________

（3）尝有至者 __________ （4）皆在焉 __________

（5）使人 __________ （6）遂登会稽 __________

2. 通过阅读，你认为所选文段的描述给统治者带来怎样的教训？

陈陈相因

至今上即位数岁[1]，汉兴七十余年之间[2]，国家无事，非遇水旱之灾，民则人给家足[3]，都鄙廪庾皆满[4]，而府库余货财[5]。京师之钱累巨万[6]，贯朽而不可校[7]。太仓之粟陈陈相因[8]，充溢露积于外[9]，至腐败不可食[10]。众庶街巷有马[11]，阡陌之间成群[12]，而乘字牝者傧而不得聚会[13]。守闾阎者食粱肉[14]，为吏者长子孙[15]，居官者以为姓号[16]。故人人自爱而重犯法[17]，先行义而后绌耻辱焉[18]。当此之时，网疏而民富[19]，役财骄溢[20]，或至兼并豪党之徒[21]，以武断于乡曲[22]。宗室有土公卿大夫以下[23]，争于奢侈，室庐舆服僭于上[24]，无限度。物盛而衰[25]，固其变也[26]。

（选自《史记·平准书》）

注释

[1]上：皇帝。即位：登基，登上皇位。 [2]兴：建立。 [3]给（jǐ）：富裕，充足。 [4]都鄙：都城和边邑，这里泛指各地方。廪庾（lǐn yǔ）：有屋的仓库叫廪，露天的仓库叫庾，这里泛指仓库。 [5]而：而且。 [6]累：积累。 [7]贯：穿铜钱的绳子。校（jiào）：点数，计算。 [8]太仓：大仓。陈：陈粮。 [9]溢（yì）：溢出。 [10]至：以至于。 [11]众庶：老百姓。 [12]阡陌（qiān mò）：田间小路。 [13]字牝（pìn）：母马。傧（bìn）：同“摈”，排斥。 [14]守闾（lǘ）阎者：看守里巷大门的人，指最低级的差吏。闾，里门。阎，里中之门。粱：小米。 [15]为吏者：做官的人。吏，官吏。长：养大。 [16]以为：把……当做。 [17]重：看重，不轻于。 [18]行：遵守，讲。义：礼义。绌（chù）：放弃，不取。 [19]网：法网，法律。疏：宽松。 [20]役：支配，占有。 [21]或：有的人。至：甚至。 [22]以：凭着。武：武力，势力。断：横行。于：在。乡曲：乡里。 [23]有土：有封地的人。

[24] 室庐：住宅。舆（yú）：车马。服：服饰。僭（jiàn）：超越。

[25] 而：就。　　[26] 固：本来。

译文

等到当今皇上（即汉武帝）即位几年后，也就是汉朝建立七十多年的时候，这期间，国家太平无事，如果不是碰到水旱灾害，老百姓就家家富足，天下各地的粮仓都堆满了粮食，府库里也贮藏了许多财物。京城里积聚的钱累积到成千上万，穿钱的绳子腐烂了，致使钱币堆积一起，无法数得清。京城和地方的粮仓中，陈粮压陈粮，一层又一层，满得溢出了粮仓外，以至于腐烂得不能食用。大街小巷的老百姓都养着马，田野中的马儿成群结队，而那些骑母马的人将受到排斥，不能加入骑马的队伍里。看守里巷大门的人都能吃到香而美的小米饭和肉食，做官的人长久不调动，在任所都可以把儿孙养大，有些官员长期担任一个职务，就把官名当做自己的姓或号。因此，人人自爱，不轻易犯法，都把行礼义当做首要的事，厌弃可耻的行为。在这个时候，法律宽松，百姓富足，许多人依仗财势，渐渐骄傲放纵起来，有的人甚至发展成为兼并土地的土豪恶霸，靠着武力横行乡里。有封地的宗室及公卿大夫以下的人，都争相奢侈，房屋、车马和服饰等都超越了自己的等级，毫无限度可言。事物发展往往盛极则衰，这种变化是原本固有的。

文史链接

休养生息

汉朝建立初期，国库空虚，经济萧条，老百姓的生活极其困苦，甚至发生了人吃人的惨相。皇帝坐的车配不齐四匹相同毛色的马；

将相们出行，往往要乘坐牛拉的车。多年的战争使得汉初人口还没有秦初多；南、北边境又不稳定，赵佗在南边作乱，匈奴在北方侵扰；有些诸侯王拥有大量军队，和朝廷对抗，战争随时可能发生。于是，汉高祖刘邦与大臣们开始研讨秦朝短期内被灭亡的原因。经过讨论，大家一致认为秦失天下的原因是“举措暴政而用刑太极”，因此决定吸取秦亡的教训，调整政治、经济政策，废除秦朝的苛政酷法，实行“反秦之弊，与民休息”的措施，稳定社会秩序，恢复社会生产。在讨论期间，陆贾所起的作用不容忽视。《史记·郦生陆贾列传》记载，陆贾“从高祖定天下”，“常使诸侯”，是高祖身边“居左右”的谋臣之一。他曾向刘邦进言说，“居马上得天下”却不能“以马上治天下”。陆贾总结了秦国灭亡的原因：穷兵黩武，不恤民力，严刑峻法，提出了“圣人怀仁仗义……君子握道而治，据德而行，席仁而坐，杖义而强”的“仁义治国”主张，建议刘邦“与民休息”，“无为而治”（引语出自陆贾《新语》）。

休养生息是汉初促进生产发展的农耕政策，国家把恢复生产、稳定社会秩序当作首要任务。轻税薄赋，崇尚节俭，实行“量吏禄，度官用，以赋于民”的紧缩政策，实行“什五税一”（十五税一）或“什一之税”（十分之一税）；让士兵回到家乡，“以有功劳行田宅”，在一定时期内免除他们的徭役，促进农业生产；避免大规模的劳役；限制土地兼并；取消严刑酷法。刘邦实行休养生息政策后，很快赢得了民心，经济也迅速复苏，为汉王朝发展打下了良好的基础。刘邦去世后，继位的惠帝和掌握大权的吕氏继续实行“与民休息”政策。

文帝和景帝时期，继续推行休养生息政策，同时，提倡以农为本，多次颁布“劝农”令，大力加强轻徭薄赋、约法省禁措施。文帝十二年（前168），诏令“赐农民今年租税之半”，田赋只收三十分之一。第二年六月，又发诏“除田之租税”，免除全部田赋。

景帝元年（前 156），“令田半租”，即征收三十分之一田赋，并作为汉朝定制。文景时期，继续“惩恶亡秦之政，论议务在宽厚”，废止严苛刑法，社会经济不断发展，形成了“文景之治”。

“汉兴七十余年之间”，“顺民之情”，“从民之欲，而不扰乱”，社会经济得到全面发展。《史记 · 律书》载：“百姓无内外之徭，得息肩于田亩，天下殷富，粟至十余钱，鸣鸡吠狗，烟火万里，可谓和乐者乎！”到汉武帝时期，人口大幅度增加，国力强盛，老百姓生活富裕。

后代学者总结说：“从秦朝建立到东汉灭亡，经济发展起伏波动的周期，与封建国家所采取的政策和统治集团的素质有着密切的关系。一般说来，凡是封建国家能够实行休养生息的政策，给广大农民提供一个比较宽松的环境从事生产，社会经济就能得到发展和繁荣。反之，如果封建国家的赋税徭役有增无已，农民不堪盘剥，再加上政治黑暗，统治集团极端腐朽，社会经济就必然趋于衰落和陷入绝境。”（林甘泉主编《中国经济通史·秦汉经济卷》）应该说，这条经验，在后来的王朝更迭中屡屡应验，对国家制定经济政策有一定的借鉴作用。唐朝初期、明朝初期、清朝康熙乾隆年间，一度出现“贞观之治”、“洪武盛世”、“康乾盛世”，都和“休养生息”、“轻徭薄赋”政策的推行有着紧密的联系。

思考讨论

1. 通过查阅字典，给下列两组字词注音并解释：

粟（　　）__________　　粱（　　）__________

栗（　　）__________　　梁（　　）__________

2. 通过查阅成语词典，解释成语“陈陈相因”。

第四章　世　家

太伯奔吴

吴太伯[1]，太伯弟仲雍[2]，皆周太王之子[3]，而王季历之兄也[4]。季历贤[5]，而有圣子昌[6]，太王欲立季历以及昌[7]，于是太伯、仲雍二人乃奔荆蛮[8]，文身断发[9]，示不可用[10]，以避季历[11]。季历果立[12]，是为王季[13]，而昌为文王。太伯之奔荆蛮，自号句吴[14]。荆蛮义之[15]，从而归之千余家[16]，立为吴太伯[17]。

注释

[1] 吴：国名。　[2] 伯、仲、季：兄弟之间的排行。雍（yōng）：人名。　[3] 太王：是对古公亶（dǎn）父的尊称。　[4] 也：表示判断，相当于“是”。　[5] 贤：贤明，贤能。　[6] 圣：道德、智慧达到极点。　[7] 欲：想要。立：使继承王位。及：传给。　[8] 乃：就。荆蛮：古代泛指南方，相当于现在的长江中下游地区。　[9] 文身断发：古代南方少数民族的一种习惯。文，通“纹”。　[10] 示：表示，表明。　[11] 避：避让。

[12]果：果然。　[13]是：这。为：是。王季：对季历的尊称。[14]句（gōu）：发语词。句吴，又作“勾吴”，是太伯为当地所起的名称。　[15]义之：即“以之为义”，认为他有道义。[16]归：依附。　[17]立：拥立。

译文

吴太伯和弟弟仲雍，都是周太王的儿子，也就是王季历的兄长。季历有德又有才，而且还有一个圣明的儿子昌，太王想让季历继承他的王位，以便以后季历传给昌。太伯和仲雍知道了父王的意思，于是，二人就借故逃往荆蛮地区，并像当地人那样，在身上刺满花纹，把头发剪断，以此表明不可能被任用了，这样就把王位让给了季历。季历果然被立为国君，他就是受到后世称颂的王季，他的儿子昌后来继位成为周文王。太伯逃到荆蛮后，自号“句吴”。荆蛮人认为他有道义，跟随而归附他的有一千余户人家，他们拥立他为吴太伯。

太史公曰[1]：孔子言“太伯可谓至德矣[2]，三以天下让[3]，民无得而称焉[4]”。余读《春秋》古文[5]，乃知中国之虞与荆蛮句吴兄弟也[6]。延陵季子之仁心[7]，慕义无穷，见微而知清浊[8]。呜呼[9]，又何其闳览博物君子也[10]！（选自《史记·吴太伯世家》）

注释

[1]太史公：司马迁自称。　[2]谓：称得上。　[3]以：

把。　[4] 无得：无法用语言来表达。　[5] 余：我。《春秋》：东周时代鲁国的一部编年体史书。　[6] 乃：才。中国：中原地区。虞：诸侯国名。　[7] 延陵：今天的江苏常州。季子：吴公子季札。[8] 清浊：喻指善恶、治乱、贤愚等对立的两面。　[9] 呜呼：感叹词，相当于“啊”。　[10] 何其：多么。闳（hóng）览：见识宽广。博物：知识渊博。君子：品德高尚的人。

译文

太史公说：孔子说过“太伯可以称得上道德最高尚的人了，再三把天下让给弟弟，老百姓都不知道该用什么言语称赞他好”。我读《春秋》古文，才知道中原的虞国与荆蛮的吴国是兄弟王国。季札公子的仁爱之心，一生追慕道义不止，能够从微小的现象就知道事情的清白和浑浊。啊，况且他还是一位那么见识宽广、知识渊博的君子啊！

文史链接

世　家

世家，是《史记》五大体例之一，共有三十篇，记载了从西周到西汉初年各主要诸侯国的兴衰历史。因为诸侯王的爵位、封地可以世代相传，所以取名世家，所谓“王侯开国，子孙世袭”。司马迁创立“世家”的目的，是为了阐述维护国家统一的立场，他把各诸侯国看做中央政权的地方辅佐力量，希望他们能做到“忠信行道”。也就是他在《太史公自序》中所说：“二十八宿环北辰，三十辐共一毂，运行无穷，辅拂股肱之臣配焉，忠信行道，以奉主上，作三十世家。”但就内容而言，司马迁并不局限于只记载开国传家的诸侯，还写进了其他的历史人物。如陈涉在秦朝灭亡的过程中历史作用巨大，“秦失其政而陈涉发迹，诸侯作难，风起云蒸，卒亡秦族。天下之端，自涉发难”。而且陈涉确曾自称为陈王，所以司马迁将陈涉归入世家，真实地反映了历史现实。

世家也是按照编年的方式记录诸侯列国所发生的重大事件，和本纪大体相同。著名史学家刘知几说：“司马迁之记诸国也，其编次之体与本纪不殊。盖欲抑彼诸侯，异乎天子，故假以他称，名为世家。”

关于世家体例是不是司马迁创立，过去的学者有不同的观点。一种观点认为世家是司马迁“因袭前人”。清代学者秦嘉谟说：“按《太史公书》宗《世本》，其创立篇目，如本纪，如世家，如列传，皆因《世本》。”（《世本辑补·诸书论述》）另一种观点认为世家是司马迁“凿空独创”。宋代晁公武说：“《史记》一百三十篇，汉太史公续其父谈书，创为义例，起黄帝迄汉武获麟之岁，撰成十二本纪以叙帝王，十表以贯岁月，八书以纪政事，三十世家以叙公侯。”综合考证，司马迁的世家体例，既不是全“因袭前人”，也不是“凿空独创”，而是以前人史书体例为基础，融会贯通，取长补短创立而成的。梁启超在《中国历史研究法》中说“其世家、列传，既综雅记，亦采琐语，则《左传》、《国语》之遗规也”，但是“太史公首创纪传体，为史界不祧之祖”。

世家体例，与中国古代分封世袭的社会现实相符，因此具有不可替代的意义。《汉书》后有些纪传体史书取消世家归入列传，清代史学家赵翼在《廿二史札记》中提出了批评：“传者，传一人之生平也；王侯开国，子孙世袭，故称世家。今改作传，而其子孙嗣爵者，又不能不附其后，究非体矣。”后代史书很多采用了世家体例，如欧阳修《新五代史》有世家十卷。有的史书改成别的名称，但体例没有变，如《晋书》称“载记”。清代王鸣盛《十七史商榷》评曰：

“考世家之名，《晋书》改称载记，要皆不过小小立异，大指总在司马氏牢笼中。”由此可以看出世家体例的深远影响。

《吴太伯世家》，记载了吴国约一千年的兴亡史，上自开国祖先吴太伯避王位到荆蛮（公元前 12 世纪中叶），下至吴王夫差灭国（前 473）。本书所选段落“太伯奔吴”，言简意赅，寓论述于叙事之中，歌颂了吴太伯不慕权力、避位让国的高风亮节。太伯奔吴后，初期曾定居在梅里，即今江苏无锡东南三十里的梅村，此地现有太伯墓、太伯祠。后来，吴国迁都阖闾城（今苏州）。

思考讨论

1. 吴太伯与周文王是什么关系？

2.《史记·吴太伯世家》还记载了吴公子季札的故事，请查找阅读。

太公钓鱼

吕尚盖尝穷困[1]，年老矣，以渔钓奸周西伯[2]。西伯将出猎，卜之[3]，曰：“所获非龙非彨[4]，非虎非罴[5]；所获霸王之辅[6]。”于是周西伯猎，果遇太公于渭之阳[7]，与语大说[8]，曰：“自吾先君太公曰‘当有圣人适周[9]，周以兴[10]’。子真是邪[11]？吾太公望子久矣[12]。”故号之曰“太公望”[13]，载与俱归[14]，立为师[15]。

文王访贤

注释

[1]盖：句中语气词，无实义。尝：曾经。　[2]以：用。奸（gān）：通“干”，求见。周西伯：后来的周文王姬昌，商朝末年为西方的诸侯之长。　[3]卜：占卜吉凶。　[4]彨（chī）：同“螭”，像龙的动物。　[5]罴：兽名，棕熊，俗称“人熊”。[6]辅：辅佐的人才。　[7]果：果然。渭：渭河。阳：河的北岸。[8]说：同“悦”，高兴。　[9]适：到。　[10]以：靠着。[11]子：对人的尊称，您。邪：语气词“吗”。　[12]望：盼望。[13]故：因此。之：他，指吕尚。　[14]俱：一起。　[15]立：任命。师：周代官名，太师。

译文

吕尚曾经非常穷困，到年老的时候，才借钓鱼的机会见到周西伯。西伯将要出外打猎，占卜一卦，卦辞说：“所得猎物非龙非螭，非虎非熊；所得乃是成就霸王之业的辅臣。”西伯于是出猎，果然在渭河北岸遇到太公，经过一番交谈后，西伯非常高兴，说：

"从我的先君太公就说过：'定有圣人来周，周会因此兴旺。'说的就是您吧？我们太公盼望您已经很久了。"因此称吕尚为"太公望"，二人一同乘车而归，尊为太师。

或曰，太公博闻，尝事纣[1]。纣无道[2]，去之。游说诸侯，无所遇，而卒西归周西伯[3]。或曰，吕尚处士[4]，隐海滨。周西伯拘羑里[5]，散宜生、闳夭素知而招吕尚[6]。吕尚亦曰"吾闻西伯贤，又善养老，盍往焉[7]"。三人者为西伯求美女奇物[8]，献之于纣[9]，以赎西伯[10]。西伯得以出[11]，反国[12]。言吕尚所以事周虽异[13]，然要之为文武师[14]。

注释

[1] 尝：曾经。事：侍奉。纣：商纣王。　[2] 无道：无人道。[3] 卒：最后。　[4] 处士：有才能而隐居的人。　[5] 拘：囚禁。羑（yǒu）里：古地名，在今河南汤阴。　[6] 散宜生、闳夭：都是周朝的大臣。素：平素，平常。招：邀请。　[7] 盍（hé）：何不。焉：那里。　[8] 求：访求，求索。奇：珍奇。　[9] 之：他们，指"美女奇物"。于：给。　[10] 以：用来。赎：赎回。[11] 得以：获得，得到。　[12] 反：同"返"，返回。国：周国。[13] 言：说。所以事周：侍奉周国的原因。虽：虽然。异：不同。[14] 然：然而，但是。要之：重要的是。文武：周文王、周武王。

译文

有人说，太公博学广闻，曾经给商纣王做事。商纣王残暴无人道，太公就离开了他。后来，太公到诸侯国游说，希望受到重用，但始终未遇明君，最终还是到西方投奔了周西伯。还有人说，吕尚是一个处士，隐居在大海边。当周西伯被囚禁在羑里时，散宜生、闳夭久闻吕尚贤能就来邀请他。吕尚也说“我听说西伯贤明，又一直尊重、赡养老人，何不到他那里去呢”。于是，三个人为搭救西伯，四处寻求美女和奇珍异宝，然后把他们献给商纣王，用来赎出西伯。于是，西伯获得释放，回到周国。吕尚归周的情况虽然传说各不相同，但关键的是都认为他是文王、武王的太师。

周西伯昌之脱羑里归[1]**，与吕尚阴谋修德以倾商政**[2]**，其事多兵权与奇计**[3]**，故后世之言兵及周之阴权皆宗太公为本谋**[4]**。周西伯政平**[5]**，及断虞芮之讼**[6]**，而诗人称西伯受命曰文王**[7]**。伐崇、密须、犬夷**[8]**，大作丰邑**[9]**。天下三分，其二归周者，太公之谋计居多。**

（选自《史记·齐太公世家》）

注释

[1]脱：离开，脱困。归：回国。　[2]阴：暗地里。谋：谋划。倾：推翻。商：商朝。　[3]兵权：用兵计谋。　[4]言：谈论。兵：用兵。阴权：私下里的计谋。宗：推崇。本：根本。[5]政平：施政公平。　[6]断：判决。虞：虞国，在今山西平陆北。芮：芮国，在今陕西大荔东南。讼：纠纷。　[7]受命：承受天命。《诗

经·大雅·大明》:“有命自天，命此文王。” [8]崇：诸侯国名，在今陕西西安沣水西面。密须:诸侯国名,在今甘肃灵台西南。犬夷：即犬戎，西周时活跃在今陕西岐山一带。 [9]作：建造。丰邑：周朝都城，在今陕西西安南面。

译文

周西伯姬昌从羑里脱身归国后，暗地里与吕尚研究如何修明德政以推翻商朝政权，那些事大多是用兵的计谋和奇计。因此，后代讨论用兵和周朝暗中的权谋时，都推崇太公是根本的策划人。周西伯治理国家清正公平，在处理虞、芮两国的国界纠纷后，被诗人称颂为接受天命的文王。西伯还讨伐了崇国、密须国和犬戎等地区，大规模地建造都城丰邑。到这个时候，天下三分之二的诸侯国归属了周国，其中多半是太公的计谋。

文史链接

虞芮之讼

虞国和芮国是相邻的两个诸侯国。虞国约位于今山西平陆，芮国约位于今陕西大荔。两国的国君为边界土地问题发生纠纷，长期争执不下，于是就说：“西伯姬昌德高望重，处事公正，我们去请他作个评判。”两国国君就一起来到周国。进入周国境内后，他们看到耕田的人互相让田界，走路的人互相让道，男女都自然地分道而行，老人们受到大家的尊重。两个国君感到非常惭愧，再也不好意思去见西伯，回去后主动把所争的土地让出，作为闲田。

西伯姬昌平虞芮之讼一事，对于周国具有重大的历史意义。古代文献记载，虞芮之讼前，西伯昌对商纣王俯首帖耳，处处小心，胆战心惊，毕恭毕敬地按时祭祀商朝先王。《论语·泰伯》曰："三分天下有其二，以服事殷。周之德，其可谓至德也已矣。"《左传·襄公四年》韩献子曰："文王帅殷之叛国以事纣，唯知时也。"平虞芮之讼后情况发生大变，文王态度转为强硬，攻伐无所顾忌。《史记·周本纪》记载：文王断虞芮之讼年受命称王，二年伐犬戎，三年伐密须，四年败耆国，五年伐邘，六年伐崇侯虎，七年而崩。平虞芮之讼年，是西伯受命之年，也就是这一年称王。受命是指称王。同时，虞芮之讼后，天下闻风而归顺周文王的诸侯国有四十多个，使得周国控制了潼关一带的天险要塞，由战略劣势转为优势。到了这个时候，周文王已受到中原诸国的认可和归顺，周国就从西方之国转为中原之国了。这就为伐纣向前迈进了一大步。所以说，"断虞芮之讼的重要意义就在于，周人在文化上开始受到中原诸夏的认同。唯有如此，方可取得由西夷盟主进而为中原圣主的资格。"（葛志毅《周人变戎复夏考论》）

思考讨论

1. 下列句子中加点词的解释，正确的一项是（　　）

A. 当有圣人适周（适合）

B. 周西伯政平（平安）

C. 脱羑里归（回国）

D. 立为师（老师）

2. 下列对原文有关内容的理解有错误的，请用横线画出来，并在下面改正：

吕尚早年穷困，年老之时只得以钓鱼为生，偶遇周西伯，周西伯与之交谈，十分高兴，尊其为太师。

周公吐哺

其后武王既崩，成王少，在强葆之中[1]。周公恐天下闻武王崩而畔[2]，周公乃践阼代成王摄行政当国[3]。管叔及其群弟流言于国曰[4]：“周公将不利于成王。”周公乃告太公望、召公奭曰[5]：“我之所以弗辟而摄行政者[6]，恐天下畔周，无以告我先王太王、王季、文王。三王之忧劳天下久矣，于今而后成。武王蚤终[7]，成王少，将以成周[8]，我所以为之若此[9]。”于是卒相成王[10]，而使其子伯禽代就封于鲁[11]。周公戒伯禽曰[12]：“我文王之子，武王之弟，成王之叔父，我于天下亦不贱矣[13]。然我一沐三捉发[14]，一饭三吐哺[15]，起以待士，犹恐失天下之贤人[16]。子之鲁，慎无以国骄人[17]。”

（选自《史记·鲁周公世家》）

注释

[1] 强葆：通“襁褓”，包裹婴儿的布兜。　[2] 畔：通“叛”。背叛。　[3] 践阼（zuò）：登上天子位。阼，大堂前台阶的东面。古代宾客与主人相见时，客人走西面台阶（称作“阶”），主人走东面台阶（称作“阼”）。天子主持祭祀时登阼，因此“阼”常指天子位。但周公并未做天子，只是代理天子的事。摄：代理。行政：

周公辅成王

处理政事。当国：掌管国家大权。 [4]于：在。国：国都。[5]奭（shì）：召公名。 [6]弗：不。辟：通“避”，回避。[7]蚤（zǎo）：同“早”。终：去世。 [8]以：用来。成：保全。[9]若：像。 [10]卒：始终。相：辅佐。 [11]使：派遣。伯禽：周公的长子。代：代替。封：封地。 [12]戒：告诫。[13]贱：地位低下。 [14]然：然而。沐（mù）：古代洗发叫“沐”，洗澡叫“浴”。三：多次，不是确数。 [15]哺：口中的食物。 [16]犹：还。 [17]慎：小心，谨慎。以：凭着。骄：骄傲，看不起。

译文

后来，武王逝世，他的儿子成王年幼，还在襁褓之中。周公担心天下人听到武王死了，会发生背叛朝廷的事，于是就登上天子位代替成王处理政事，执掌国家大权。这个时候，管叔和他的弟弟们就在国都散布谣言，说：“周公要对成王不利啦。”周公于是向太公望、召公奭解释说：“我之所以不避嫌疑执掌国事，是担心天下人背叛周室，那样的话，我就无法向我们的先王太王、王季、文王交代了。三位先王为天下大业忧劳那么久，直到现在才得到天下。武王去世过早，成王又如此年幼，我是为了保全周朝的大业，才这样做的。”从这以后，周公始终辅佐着成王，而派他的长子伯禽代替自己到鲁国管理封地。临行前，周公告诫伯禽说：“我是文王的儿子，武王的弟弟，成王的叔叔，在天下的地位也不算低了。但我仍然会洗一次头发而三次挽起头发，吃一顿饭而三次吐出口中咀嚼的食物，及时起身接待士人，即使如此，我依然担心失掉天下的贤良。你到鲁国去，一定要小心谨慎，千万不要靠着拥有国土而慢待他人。”

文史链接

周公辅武王

周公旦，即姬旦，我国历史上著名的思想家、政治家、军事家、教育家，被尊为“元圣”，儒学奠基人。周文王姬昌的第四个儿子，周武王姬发的同母弟弟。因为采邑在周，被称为周公。

周公作为武王的弟弟，辅佐武王，伐纣灭商，安置殷民，尽心尽力，公而忘私。周武王继位后，周公和太公、召公一起辅助武王，此时，头等大事就是继续文王伐纣的事业。他们策划了盟津观兵，聚天下诸侯，目的是试探诸侯伐纣的态度，观察商纣王的反应。观兵第二年，伐纣的时机成熟了，武王与周公率领战车三百辆，虎贲三千人，甲士四万五千人，渡过盟津。二月甲子（约公元前 1027 年）凌晨，武王兵马到达商郊牧野，在这里，武王集合诸侯，举行誓师大会，发动了伐纣战争。武王的誓词就是《尚书》中的《牧誓》，为周公所作。牧野之战，商纣王一败涂地，自焚身亡。第二天，周公持大钺，召公把小钺，立武王左右，宣布殷朝灭亡，周朝受天命，武王为天子。周公所持大钺是权力的象征。

纣王被灭后，如何处置殷商遗民的问题摆到了武王的面前。

他先去咨询太公望——姜尚。太公说:“我听说爱屋及乌。如果相反,人不值一爱,那么村里的篱笆、围墙也不必保留。”意思是杀光敌对的殷人。周武王觉得太残忍。又和召公商量。召公说:“把有罪的杀了,没罪的留下来。”武王说:“不行。”于是又询问周公。周公说:“让殷人在原来的住处安居不动,继续耕种原来的土地。争取、任用殷人中有影响、有仁义的人。”周公的建议得到武王的认可。然后,武王下令释放箕子和其他贵族,增高王子比干的坟墓,散发鹿台的钱财,打开巨桥的粮仓,赈济饥饿的殷民。这一系列仁爱措施的实行,使得殷人纷纷归顺。

由于日夜操劳,灭商归来后,武王得了重病,卧床不起。周公就到庙堂,恳切地向祖先太王、王季、文王祷告。他说:“列祖列宗啊,你们的元孙某得了重病,危在旦夕。如果你们欠了上天一个儿子,那就让我去代替他吧。我有仁德,又多才多艺。你们的元孙某不如我才艺多,不能侍奉鬼神。”今天的我们感觉这种祈祷很好笑,不起任何作用,但是,三千多年前先民们是相信天命鬼神的,他们相信鬼神能听懂他们的说话,所以,祷告是十分真诚无私的。周公祈祷以后,武王的病稍微有所好转,但过了不久还是去世了。武王临终前,考虑到太子年幼,想把王位传给德才兼备的周公,并且说这件事不需要占卜,可以当场决定。周公涕泣不止,无论如何不肯接受。武王死后,周成王继位,当时只有十几岁。

司马迁对周公怀有深深的仰慕之情,他在《史记·鲁周公世家》中,详细地描述了周公的一生,从仁孝双全的少年时期到一片赤诚的代理国政时期,从大义凛然地自我牺牲到坚毅果断地平定管蔡叛乱,为我们塑造了一位胸襟广博、贤明睿智、鞠躬尽瘁的君子贤臣。

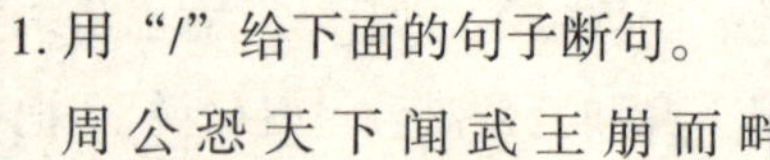

思考讨论

1. 用“/”给下面的句子断句。

周 公 恐 天 下 闻 武 王 崩 而 畔

2. 下列理解不符合文意的一项是（　　）

A. “一沐三捉发，一饭三吐哺”，表明了周公求贤若渴和为国事鞠躬尽瘁的态度，也是对伯禽的谆谆教导和殷切期望。

B. 在流言四起时，周公对太公和召公的表白与明志体现了他的忠肝义胆和为了国家大业忍辱负重的精神。

C. 管叔及其群弟看出了周公想争权的真实想法，同时也为了他们叛乱作准备，才散布谣言，诬陷周公。

D. 周公不避嫌疑，执掌朝政，表现了他胸怀坦荡、光明磊落的美德。

灵公害盾

十四年，灵公壮[1]，侈[2]，厚敛以彫墙[3]。从台上弹人，观其避丸也[4]。宰夫胹熊蹯不熟[5]，灵公怒，杀宰夫，使妇人持其尸出弃之，过朝。赵盾、随会前数谏[6]，不听；已又见死人手，二人前谏。随会先谏，不听。灵公患之[7]，使鉏麑刺赵盾[8]。盾闺门开[9]，居处节，鉏麑退，叹曰：“杀忠臣，弃君命，罪一也[10]。”遂触树而死[11]。

注释

[1]灵公:晋灵公。 [2]侈:奢侈。 [3]以:来。彫(diāo):同“雕”,用彩画装饰。 [4]其:他们。丸:弹丸。 [5]宰夫:厨师。胹(ér):煮。蹯(fán):兽足。 [6]前:上前。谏(jiàn):规劝。 [7]患:担忧,害怕。 [8]鉏麑(chú ní):晋国勇士。刺:刺杀。 [9]闺:内室,卧室。 [10]一:一样的。[11]触:用头撞。

译文

晋灵公十四年(前607),灵公长大成人,生活奢侈,横征暴敛,用民脂民膏来雕饰宫墙。他搭建高台,从台上用弹弓射街上的行人,观看他们躲避弹丸的情形而取乐。有个厨师炖熊掌没熟,他一怒之下命人杀死了厨师,还叫妇女抬着尸体出去扔掉,并且经过朝堂。赵盾、随会多次前去规劝晋灵公,可是他根本不听;过后不久,他们又看到死人的手,于是两人又上前劝阻。随会先去劝说,照样不听。次数多了,灵公开始害怕他们对自己不利,便派鉏麑去刺杀赵盾。鉏麑潜入赵盾家,赵盾卧室的门正开着,一眼看去,室内简朴,极其节俭。鉏麑悄悄地退了出来,感叹地说:“我今天杀死忠臣,或违抗君主命令,论起罪来是一样的啊。”说完,他撞树而亡。

初[1],盾常田首山[2],见桑下有饿人[3]。饿人,示眯明也[4]。盾与之食[5],食其半[6]。问其故,曰:“宦三年[7],未知母之存不,愿遗母[8]。”盾义之[9],益与之饭肉[10]。已而为晋宰夫[11],赵盾弗复知也。

九月，晋灵公饮赵盾酒[12]，伏甲将攻盾[13]。公宰示眯明知之，恐盾醉不能起[14]，而进曰[15]："君赐臣，觞三行可以罢[16]"。欲以去赵盾[17]，令先[18]，毋及难[19]。盾既去[20]，灵公伏士未会[21]，先纵啮狗名敖[22]。明为盾搏杀狗。盾曰："弃人用狗，虽猛何为[23]。"然不知明之为阴德也[24]。已而灵公纵伏士出逐赵盾，示眯明反击灵公之伏士[25]，伏士不能进，而竟脱盾[26]。盾问其故，曰："我桑下饿人。"问其名，弗告。明亦因亡去[27]。（选自《史记·晋世家》）

狗咬赵盾

注释

[1]初：当初。　[2]田：通"畋"，打猎。首山：首阳山，在今山西永济东南。　[3]桑：桑树。　[4]示眯明：晋国勇士名。　[5]与：给。之：他，指示眯明。食：名词，食物。　[6]食：动词，吃。其：其中。　[7]宦：在外学当小吏。　[8]愿：想要。遗：留给。　[9]义之：认为他有仁义。　[10]益：增加。

[11]已而：不久。　[12]饮：请喝酒。　[13]伏：埋伏。甲：甲士，武士。攻：攻击。　[14]恐：担心。　[15]而：就。进：上前。　[16]觞（shāng）：酒杯。三行：三巡。罢：停止，结束。[17]欲：想要。去：使离开。　[18]令：下令。先：前。[19]及：遭到。　[20]既：已经。　[21]会：会齐。　[22]纵：放出。啮狗：咬人的恶狗。敖：此处指狗的名字。　[23]何为：有什么用。　[24]然：然而。阴：暗地里。　[25]反：通"返"，回身。　[26]竟：终于。脱：使脱困。　[27]亡：逃离。

译文

当初，赵盾经常到首阳山打猎。有一次，看到一棵桑树下躺着个人，饿得奄奄一息。这个人就是示眯明。赵盾马上取出食物给他，可是他吃了一半还留一半。赵盾感到奇怪，就问他为什么这么做，示眯明回答说："我在外面已经游宦三年，也不知母亲是否还活着，想把这一半食物带给母亲。"赵盾觉得他有仁义，又多给了他一些饭和肉。过了不久，示眯明做了晋灵公的厨师。当然，赵盾并不知道这个情况。到了九月，晋灵公请赵盾喝酒，准备埋伏士兵杀死他。示眯明得知情况后，害怕赵盾喝醉站不起来，便上前说道："国君赐给大臣酒，酒过三巡就可以停止了。"他想让赵盾在国君下令前离开，免遭大难。赵盾已经起身离开，而埋兵还没会合，灵公就先放出恶狗敖追咬赵盾。示眯明在后面为赵盾杀死了敖。赵盾一边跑一边说："放弃人而使用狗，即使凶猛又有什么用呢！"然而，赵盾此时并不知道示眯明暗中保护他是为了报答他的恩德。说话间，灵公派出伏兵追赶赵盾。示眯明马上反过来攻击这些伏兵，使得他们无法前进，最终帮助赵盾逃脱虎口。赵盾询问示眯明为什么要救自己，示眯明答道："我就是那个桑树下的饿汉。”赵盾追问他的姓名，他没有告诉。因为发生了这件事，示眯明也就逃离而去了。

文史链接

董狐之笔

赵盾逃后不久，他的兄弟赵穿率兵杀死了晋灵公，并接回赵盾。太史董狐记录此事，直书：“赵盾弑其君。”弑，指大臣谋杀君王。春秋战国时期，尊崇礼义，君臣关系属于大义，以臣杀君是冒天下之大不韪、极其大逆不道的罪名，况且还要记入史册流传后世。所以，赵盾立即辩解说：“事情不是你记录的样子啊。”董狐答道：“您作为执政大臣，逃亡未出国境，说明君臣之义没有断绝；回到朝中不讨伐乱臣，说明未尽到职责。不是您弑君还是谁呢？”孔子说：“董狐，古之良史也，书法不隐。”后来，人们便用“董狐之笔”指史家坚持原则，秉公直书，刚直不阿。

董狐，又称史狐。周太史辛有的后裔，因董督典籍，故姓董氏。今山西翼城东五十里的良狐村，据传是其故里。董狐秉笔直书的事迹，开创了我国史学直笔传统的先河。宋代黄庭坚书曰：“董狐常直笔，汲黯少居中。”（《王彦祖惠其祖黄州制草书其后》）

春秋时期，齐国也有史官具有同样的实录精神，只是命运却不如董狐。《左传·襄公二十五年》记载，齐庄公与执政大臣崔杼的夫人有染，被崔杼发现。崔杼设计杀死了齐庄公，立齐景公为国君。齐国史官记曰：“崔杼弑其君。”崔杼杀了这个史官。史官的弟弟继任后还是这么写，崔杼又将他杀了。后来继任的弟弟，仍然这么写。崔杼没办法，只好放了他。在这期间，另一个史官南史氏得知这件事，带着竹简就往朝廷赶，到了半路，听说太史的弟弟没被杀且成功记录了此事，才转身回去。

随着历史的发展，直笔的含义逐渐摆脱了礼义的书法局限，到司马迁时，发展为“不虚美，不隐恶”的实录精神，并为后代进步史学家所继承。

思考讨论

1. 请你根据两段选文，说说你对赵盾的看法。
2. 你怎样看待“桑下饿人”的做法？

卧薪尝胆

句践之困会稽也，喟然叹曰[1]：“吾终于此乎？”种曰[2]：“汤系夏台[3]，文王囚羑里，晋重耳奔翟[4]，齐小白奔莒[5]，其卒王霸[6]。由是观之，何遽不为福乎[7]？”

吴既赦越[8]，越王句践反国，乃苦身焦思，置胆于坐[9]，坐卧即仰胆，饮食亦尝胆也。曰：“女忘会稽之耻邪？”身自耕作，夫人自织，食不加肉，衣不重采，折节下贤人[10]，厚遇宾客，振贫吊死[11]，与百姓同其劳。欲使范蠡治国政[12]，蠡对曰：“兵甲之事，种不如蠡；填抚国家[13]，亲附百姓，蠡不如种。”于是举国政属大夫种[14]，而使范蠡与大夫柘稽行成[15]，为质于吴[16]。二岁而吴归蠡[17]。

（选自《史记·越王句践世家》）

注释

[1] 喟（kuì）：叹气。 [2] 种：指文种，越国大夫。 [3] 系：囚禁。 [4] 翟：通“狄”，北方少数民族。 [5] 莒（jǔ）：诸侯国名。 [6] 卒：最后。 [7] 何遽（jù）：怎么就。 [8] 赦（shè）：赦免，免除。 [9] 坐：通“座”，座位。 [10] 折节：屈己下人。 [11] 振：通“赈”，救济。吊：慰问。 [12] 范蠡（lǐ）：越国大将军。 [13] 填（zhèn）抚：同“镇抚”，主持，管理。 [14] 属：通“嘱”，委托。 [15] 使：派遣。柘（zhè）稽：人名。行成：求和。 [16] 质：人质。 [17] 归：遣返，释放。

译文

越王句践被吴国军队围困在会稽山上，喟然长叹道：“我的人生就到此结束了吗？”文种勉励他说：“商汤曾被拘留在夏台，周文王曾被囚禁在羑里，晋国重耳曾逃难到翟，齐国小白曾避祸到莒，但他们最后都王霸天下。从这些事例来看，我们目前被困，又何尝不是一件好事情呢？”

吴王赦免了越王之后，句践回到了国都，就亲身受苦，殚精竭虑。他把一个苦胆挂到座位上方，每日坐下或躺下就仰头尝一下苦胆，喝茶或吃饭时也尝一尝苦胆。对自己说：“你难道忘记会稽的耻辱了吗？”他亲自下田劳动，夫人亲自织布，吃饭从不有肉，不穿有两种色彩的衣服，礼贤下士，厚待宾客，注重招揽人才，救济生活贫困的人，悼念、慰问死去的人，与老百姓一起劳动。越王打算让范蠡治理国家政事，范蠡回答说："军事方面的事情，文种比不上我；管理国家政务，使老百姓归附，我比不上文种。"于是，句践把国家政事委托给大夫文种，而派范蠡和大夫柘稽去求和，并留在吴国作为人质。过了两年，吴国才放范蠡回国。

文史链接

卧薪尝胆的前前后后

越国历史悠久。《吴越春秋》记载，大禹巡行天下之后，回到大越。逝世后也就葬在大越。夏朝少康时期，将他的小儿子于越封在此地，越国的称呼由此开始。越国建立后，一直保持着自我独立的生活习俗，几乎不和中原地区来往。直到春秋末年，越王允常（句践的父亲）才与吴国往来，并出现互相争战的情况。允常去世后，吴王阖庐率兵攻打越国，被越王句践打败，阖庐本人也被射伤，回到国内不治身亡。临死时对儿子夫差说："不要忘记替我报仇。"夫差继位后，为报父仇，派伍子胥和伯嚭日夜练兵。越王句践得知消息后不顾范蠡劝阻，兴师伐吴。吴王夫差率领精兵出击，在夫椒战败越王，句践带领五千名残兵退守会稽山。吴王乘胜追击，把越王句践围困在山上。经过多方努力，吴王才答应求和，同时提出条件，羞辱句践，句践只好忍气吞声，直到赦免回国。越王回国后，卧薪尝胆，礼贤下士，发愤图强，与百姓同甘共苦，同时虚心接受大臣建议。公元前 475 年，越王句践兵精粮足，发动了对吴国的战争，取得了一系列的胜利，并包围吴国都城达两年之久。吴王夫差最后走投无路，后悔没有听伍子胥

的话，说："我无脸再见子胥啦！"然后用衣服包住自己的脸自杀了。句践乘势北上中原，会盟诸侯，成为春秋时期最后一位霸主。

明朝李贽《咏古》之一："卧薪尝胆为吞吴，铁面枪牙是丈夫。"今天，卧薪尝胆已演变为成语，形容人刻苦自励，发愤图强。卧薪尝胆的精神成为中国传统文化的精华之一，给身处难关的人们带来极大的鼓舞。

但也有人怀疑卧薪尝胆故事的真实性。《左传》定公、哀公部分记载了大量越王句践的当政国事，但没有提到卧薪尝胆。《国语》的《吴语》与《越语》记述了吴越斗争的经过，却没有写到句践卧薪尝胆。《史记·越王句践世家》记载：句践悬苦胆，坐卧看得到，吃饭尝苦胆。这里，司马迁承认句践尝胆之事，但没说卧薪之事。那么，"卧薪尝胆"是什么时候出现的呢？苏轼《拟孙权答曹操书》中，苏轼称孙权"卧薪尝胆"。究竟苏轼是否见过"卧薪尝胆"的出处，这个出处是否和句践相关，已无从得知。但到南宋时，吕祖谦《左氏传说》中说到吴王夫差"坐薪尝胆"。明朝张溥《春秋列国论》解释说，夫差即位，为报父仇，卧薪尝胆激励自己。这样看来，卧薪尝胆似乎没句践的事。明朝末年梁辰鱼《浣溪沙》剧本里，大力渲染句践卧薪尝胆的英雄行为。明末文学家冯梦龙的作品中也多次谈到句践卧薪尝胆的故事。这中间的真与假，有待我们去思考、去探究。

思考讨论

1. 解释下列句子中加点的词语：

汤系夏台 ____________　　越王句践反国 ____________

振贫吊死 ____________　　为质于吴 ____________

2. 结合生活中的实例，谈一谈"卧薪尝胆"的现实意义。

陶朱公

范蠡事越王句践[1]，既苦身戮力[2]，与句践深谋二十余年，竟灭吴[3]，报会稽之耻，北渡兵于淮以临齐、晋[4]，号令中国[5]，以尊周室，句践以霸[6]，而范蠡称上将军[7]。还反国，范蠡以为大名天下[8]，难以久居[9]，且句践为人可与同患，难与处安，为书辞句践曰[10]："臣闻主忧臣劳，主辱臣死。昔者君王辱于会稽[11]，所以不死，为此事也。今既以雪耻，臣请从会稽之诛。"句践曰："孤将与子分国而有之。不然，将加诛于子[12]。"范蠡曰："君行令，臣行意[13]。"乃装其轻宝珠玉，自与其私徒属乘舟浮海以行[14]，终不反。于是句践表会稽山以为范蠡奉邑[15]。

范蠡

注释

[1]事：侍奉。　　[2]苦：使苦。戮（lù）力：尽力。

[3]竟：终于，最终。 [4]淮：淮河。临：靠近。齐、晋：齐国和晋国。 [5]号令:发号施令。 [6]霸:各诸侯国的领袖。 [7]上将军:古天子率兵称上将军。范蠡军功卓著，所以称上将军。 [8]以为:认为。 [9]居:享有。 [10]为书:写信。辞:辞别，此指辞职。 [11]昔者：过去。 [12]加诛（zhū）:加罪。 [13]行意：按照自己的意志办事。 [14]私徒属：随从，亲信。以：相当于“而”。 [15]表：表彰。以为：作为。奉邑：封邑。

译文

范蠡在越王句践手下任职做事，勤奋不懈，吃了很多苦头，他与句践运筹谋划二十多年，终于灭亡了吴国，报了当年被围会稽的耻辱。之后，越军又向北进军淮河，紧逼齐国和晋国；进而号令中原各诸侯国，尊崇周王朝。句践天下称霸，范蠡做了上将军。回国后，范蠡觉得名气大了，难以长久安全，况且句践的为人，可以与他共患难，却不可以把与他共安乐，于是写了一封辞职信给句践说：“我听说，君王心中有忧愁，臣子就应该劳苦；君主受了屈辱，臣子就该去死。当初，您在会稽受兵围的屈辱，我之所以没有死，是为了报仇雪恨。现在既已雪耻，按照规矩，我应该担负会稽受辱的罪责，臣请求您赐我死罪吧。”句践说：“我要把越国的江山分一半给你。不然，我就要杀死你。”范蠡说:“君王您可以执行您的命令，臣子按照自己的意思做事。”于是范蠡收拾行李，装好了细软珠宝，带着家人和随从人等，从海上乘船离去，再也没有回到越国。越王句践为了表彰范蠡，把会稽山封为他的奉邑。

范蠡浮海出齐[1]，变姓名，自谓鸱夷子皮[2]，耕于海畔，苦身戮力，父子治产。居无几何[3]，致

产数十万[4]。齐人闻其贤[5]，以为相。范蠡喟然叹曰：“居家则致千金，居官则至卿相，此布衣之极也[6]。久受尊名，不祥。”乃归相印，尽散其财，以分与知友乡党[7]，而怀其重宝，间行以去[8]，止于陶[9]，以为此天下之中，交易有无之路通，为生可以致富矣。于是自谓陶朱公。复约要父子耕畜[10]，废居[11]，候时转物，逐什一之利。居无何[12]，则致赀累巨万[13]。天下称陶朱公。

故范蠡三徙[14]，成名于天下，非苟去而已[15]，所止必成名。卒老死于陶，故世传曰陶朱公[16]。

（选自《史记·越王句践世家》）

注释

[1]浮海：乘船出海。 [2]鸱（chī）夷：皮革制的口袋。 [3]几何：多久。 [4]致：达到。 [5]其：他，指范蠡。 [6]布衣：百姓。 [7]与：给。乡党：泛指乡里，周围的人家。 [8]间（jiàn）行：潜行，从小路走。 [9]陶：古代地名。 [10]约要：约束，约定。 [11]废居：指商人看到货物价贱而买进，价贵而卖出，以获取利润。废，出卖。居，储蓄。 [12]无何：不久。 [13]赀：通“资”，资产。巨万：亿万，表示极多。 [14]三徙：自越徙于齐，又自齐徙于陶。 [15]而已：罢了。 [16]世传：世间相传。

译文

范蠡从海上到了齐国，更名换姓，自称“鸱夷子皮”。在海边，父子一起种地，吃苦耐劳，合力治理家业。过了不久，家里财产就累积达几十万。齐国人听说他有才能，就请他做相国。范蠡深深叹了口气道：“住在家里能累积千金财产，出外做官能做到卿相的高位。一个平民百姓能这样，也就达到极点了。长久享受尊贵的名号，肯定会不吉利。”于是就退还了相印，把家中的财物都分发给周围的好朋友和乡里的乡亲们，只带了些贵重物品，悄悄地从偏僻的小路离开了。到了陶地，他们就在此住了下来。他认为这里是天下的中间地带，交易买卖的道路连通各地，做些生意可以发财致富。于是自称陶朱公。又和家人约定好，父子一同种地；囤积货品，等待时机出售，争取获得十分之一的利润。没有多久，家中的资产达到了亿万。天下都纷纷称颂陶朱公。

所以，范蠡三次迁移，驰名天下。他不是随意到了某处就算了，所到之处，一定有所作为，因此才得以成名。最后年老，死在陶地，所以世人相传叫他陶朱公。

文史链接

会稽山

会稽山，又名茅山、苗山，位于浙江省绍兴市东南，距离市中心约六公里，是中国九大名山之首、五大镇山之一，历史文化源远流长，主要景观有大禹陵、香炉峰等。治水英雄大禹在这里大会诸侯，会稽山自此名震华夏。会稽山也是中国历代帝王加封、祭祀的著名镇山。秦始皇上会稽，祭大禹，丞相李斯立石颂德，成就了今天著名的会稽刻石。

会稽山松竹翠绿，繁花似锦，盛产毛竹、松、杉、水果和茶叶，拥有丰富的自然景观和人文景观，自古以来就是文人墨客流连忘返之所。山下镜湖，水清如镜。顾恺之形容会稽山水："千岩竞秀，万壑争流，草木蒙笼，若云兴霞蔚。"南朝王籍的诗句"蝉噪林逾静，鸟鸣山更幽"就是咏会稽山。东晋王羲之、谢安等名士因"会稽有佳山水"而定居绍兴。

大禹陵是会稽山上重要名胜古迹之一，属国家级文物保护单位。禹庙前面有一水池，名禹池，贺知章定为放生池。禹庙建于南朝梁大同十一年（545），是江南少有的大型古建筑群。陵内有著名的《岣嵝山铭》石碑，原碑在湖南衡山（又称岣嵝山），已佚。禹王殿东门向上行，有窆石亭，亭内有窆石，"窆"是下葬的意思。此石形若秤砣，顶有穿孔，相传是大禹下葬时使用的工具，为禹庙的镇庙之宝。

会稽山香炉峰，海拔三百五十四米，因峰顶岩石状如香炉而得名。云雨天气时，山顶雾霭缭绕，仿佛香炉里升起的青烟。炉峰禅寺是香炉峰的主要景观，南朝宋时，香火鼎盛。阳明洞天，又称会稽山洞，实际是一个群山环抱的山谷，传说黄帝曾在此建侯神馆，后来道教把它列为三十六小洞的第十一洞天。禹穴，即阳明洞，传说大禹在此得到黄帝"金简玉字书"，然后才知山河体势和百川之脉，终于治水成功。治水完成后，大禹把书藏在洞中，仅留一线缝隙。从司马迁"上会稽，探禹穴"后，寻访禹穴或来此隐居者络绎不绝。明代著名学者王守仁曾在此结庐读书，钻研心学，创立"阳明学派"，成为一代宗师。他的心学后来成为明、清、民国时期的重要思想，并传播日本、朝鲜等国，推进了邻国的革新运动。

春秋战国时期，会稽山成为越国军事上的核心堡垒。秦始皇"上会稽，祭大禹”，表达了对兼有“天子之气”和“王霸之气”的会稽山的敬意。

思考讨论

下列对选文有关内容的理解正确的一项是（　　）

A. 选文主要写范蠡两次辞官的经过和原因。

B. 范蠡离句践而去，是因为句践是个不能与大臣共患难同享福的人。

C. 范蠡归还相印，散尽家财，是个淡泊名利的人。

D. 范蠡从商经营有方，治国深谋远虑，颇负盛名。

去疾让贤

灵公元年春[1]，楚献鼋于灵公。子家、子公将朝灵公[2]，子公之食指动，谓子家曰：“佗日指动[3]，必食异物。”及入[4]，见灵公进羹[5]，子公笑曰：“果然！”灵公问其笑故，具告灵公[6]。灵公召之[7]，独弗予羹。子公怒，染其指[8]，尝之而出[9]。公怒，欲杀子公。子公与子家谋先。夏，弑灵公。郑人欲立灵公弟去疾，去疾让曰[10]：“必以贤，则去疾不肖；必以顺，则公子坚长。”坚者，灵公庶弟，去疾之兄也。于是乃立子坚，是为襄公[11]。

襄公立，将尽去缪氏[12]。缪氏者，杀灵公，子公之族家也。去疾曰："必去缪氏，我将去之。"乃止。皆以为大夫。

（选自《史记·郑世家》）

注释

[1] 灵公:郑灵公。 [2] 子家、子公:郑国大夫。朝:拜见。 [3] 佗：同"他"，那。 [4] 及：等到。 [5] 羹（gēng）：汤。 [6] 具：通"俱"，都，完全。 [7] 召：叫他近前。 [8] 染：蘸。其:他的。 [9] 尝:品尝。之:指头上蘸的汤。 [10] 让：推让。 [11] 襄公：郑襄公。 [12] 缪（miào）：姓氏。

译文

郑灵公元年（前 605）的春天，楚国送给灵公一只鼋鱼。大夫子家和子公将要朝见灵公，这时，子公的食指抖动了一下，就告诉子家说："我的食指那天颤抖过，必定会有珍异食物吃。"等到入宫后，看见灵公正在吃鼋汤，子公笑着说："果然如此！"灵公就问子公为什么笑，子公就把前面的情况告诉了灵公。灵公听完后，把他叫到跟前，但就是不给他喝汤。子公感觉受到戏弄，非常生气，然后用食指在汤里蘸了一下，放到口里尝了尝，转身就出了宫。这下灵公可生气了，想要杀死子公。子公知道灵公不会放过他，就和子家商量先下手。到了夏天，他们找个机会杀死了灵公。灵公死后，郑国人想要立灵公的弟弟去疾做国君，去疾推让说："如果必须要贤明的人才能做国君，那么我是个无才能的人；如果必须按照长幼的顺序定国君，那么公子坚比我年长。"公子坚是灵公的弟弟，去疾的哥哥。于是就立公子坚为国君，这就

是郑襄公。

郑襄公继位以后，想要把缪氏家族全部杀掉。缪氏就是杀死灵公的子公的家族。去疾说："如果一定要杀掉缪氏一家，那么我也将要离开郑国了。"这样，襄公才不杀缪氏，并且把缪氏都任命为大夫。

文史链接

子产不毁乡校

乡校指乡间的公共场所，兼有学校教育和乡人聚会议事与娱乐等功能。郑国人闲聚乡校，议论国政，任意褒贬。郑国有个叫然明的大夫对此很不满，就向子产建议说："把乡校毁了吧，怎么样？"此时,子产担任郑国执政大臣。子产就对然明说:"为什么要毁掉呢?大家做完事聚到一起，议论议论我们的政策。大家喜欢的，我们就实行；而他们厌恶的，我们就纠正。是我们的老师，怎么能毁掉它呢？我听说尽心做好事可以减少怨恨，没听说倚仗权势可以防止怨恨。我们可以很容易地制止这些议论,然而这样做就好比堵塞河流,一旦大决口，造成的伤害必然很大，并且难以挽救。倒不如放开个小口导流，我们认真听取大家的议论，把它作为治病的良药。"听了子产的分析，然明敬佩地说："我现在才知道您真的可以成大事。与您相比，我真是无才啊。如果确实这样做，郑国就有了依靠，而不仅仅对我们这些臣子有利！"孔子得知这番话后说："从这些话来看，说子产不施仁政，我是难以相信的。"

子产是春秋时郑国著名的政治家。复姓公孙，名侨，字子产，又字子美，郑国新郑（今河南新郑）人。他是郑穆公的孙子，公元前 554 年任郑国卿，采取"宽猛相济"的方针，推行了一系列政治改革，把郑国治理得井然有序，如承认私田合法，征收土地私有者军赋；铸刑书，这是我国最早的成文法律。他主张保存乡校、听取人们意见，他善于因人而用，仁厚爱民、轻财重德，任职期间建树颇多，被称为“春秋第一人”。

思考讨论

从郑灵公和公子去疾两人的身上分别能够得出哪些道理？

贫贱骄人

十七年，伐中山，使子击守之[1]，赵仓唐傅之[2]。子击逢文侯之师田子方于朝歌[3]，引车避，下谒。田子方不为礼。子击因问曰：“富贵者骄人乎？且贫贱者骄人乎？”子方曰：“亦贫贱者骄人耳。夫诸侯而骄人则失其国，大夫而骄人则失其家。贫贱者，行不合，言不用，则去之楚、越[4]，若脱躧然[5]，奈何其同之哉！”子击不怿而去[6]。西攻秦，至郑而还，筑洛阴、合阳[7]。

（选自《史记·魏世家》）

注释

[1]使子击守之：乐羊攻灭中山后，文侯乃改派太子击前往镇守。　[2]傅：此处“傅”字用作动词，指辅导、协助。傅，古

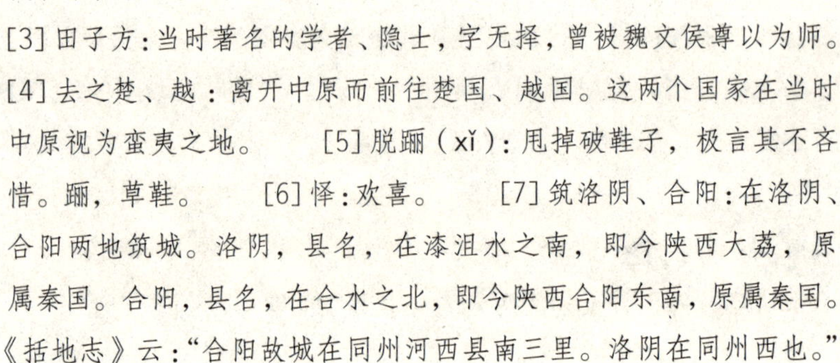
代官名，指“太傅”、“少傅”，是帝王或太子的辅导官员。
[3] 田子方：当时著名的学者、隐士，字无择，曾被魏文侯尊以为师。
[4] 去之楚、越：离开中原而前往楚国、越国。这两个国家在当时中原视为蛮夷之地。 [5] 脱躧（xǐ）：甩掉破鞋子，极言其不吝惜。躧，草鞋。 [6] 怿：欢喜。 [7] 筑洛阴、合阳：在洛阴、合阳两地筑城。洛阴，县名，在漆沮水之南，即今陕西大荔，原属秦国。合阳，县名，在合水之北，即今陕西合阳东南，原属秦国。《括地志》云：“合阳故城在同州河西县南三里。洛阴在同州西也。”

 译文

公元前408年，讨伐中山，文侯改派太子击前往镇守，让赵仓唐辅助他。子击在朝歌遇到了文侯的老师田子方，引车马为其让路，并亲自下车拜谒。田子方没有以礼相答。子击于是问道：“是富贵值得骄傲呢，还是贫贱值得骄傲？”田子方说：“是贫贱者值得骄傲。诸侯骄傲就会失其国，大夫骄傲就会失其家。贫贱之士的行为不合于现实，意见不被采纳，就可以到楚国、越国等其他国家去，就像丢掉破旧的鞋子一样。”子击很不高兴地离开了。魏国向西攻打秦国，到了郑地就回来了，并在新夺取的洛阴、合阳筑造了城池。

文史链接

战国士阶层及其人格精神

战国时期，魏文侯攻占中山国，派太子击去驻守。太子击在路上碰见了文侯的老师田子方就上前打招呼，田子方不予理睬。太子击问他是富贵还是贫贱值得骄傲，田子方认为贫贱可以骄傲，

诸侯骄傲就会失国，大夫骄傲就会失家，贫贱之士的意见不被采纳还可以到别国去。田子方作为当时著名的学者及隐士，他的回答体现了隐士群体遗世独立、清虚高蹈的人格追求。贫贱骄人指的是贫贱的人对富贵权势持轻蔑鄙视态度，与富贵骄人意义相反，贫贱骄人体现了中国古代知识分子贫贱不移、抱道不屈的品格。

战国时期，文化下移，产生了新的社会阶层——士阶层。士人阶层成为文化的拥有者，其作用也日益受到了统治阶级的重视。人力资源也成为诸侯国之间激烈争夺的软实力。各国开明统治者大量招揽食客，提供优越的生活条件，以提高自己在“国际”竞争中的地位，因为养士著称的有“战国四公子”，即赵国平原君赵胜、楚国春申君黄歇、齐国孟尝君田文以及魏国信陵君魏无忌，各养食客多达数千人。这些食客中囊括了各类人才，既有谋略之士，也有鸡鸣狗盗之徒，他们都以自己的才华和胆略对诸侯国的势力变化产生了重要影响。冯谖为齐国孟尝君田文的食客，高瞻远瞩、腹有良谋，通过“为君市义”、“狡兔三窟”等良策，解除了孟尝君的后顾之忧，使“孟尝君为相数十年，无纤介之祸者”。苏秦也以白衣身份位列卿相，最后挂六国相印，为秦国的壮大创造了条件。张仪“一怒而诸侯惧，安居则天下息”正是战国士人叱咤风云的典型写照。

特殊的时代背景使得士人的人格精神得以形成，他们无所顾虑，优游于各诸侯国之间，昂首挺胸，寻找自己的用武之地，各国统治者也多礼贤下士，不敢稍加怠慢。文中田子方“贫贱骄人”的言论，正是当时统治者及士人阶层心理活动的深刻揭露。诸侯国、士大夫为了国家和食邑的长久，不得不谦恭礼士；与之形成鲜明对比的士人阶层，无牵无挂，言论自由，自然可以保持自己独立的个性和高蹈的人格。这可以说是战国那个特殊的时代的产物。

士人“贫贱骄人”的精神代代传承，成为一种神圣的自尊。孟子所谓“民为贵，社稷次之，君为轻”以及“富贵不能淫，贫贱不能移，威武不能屈”则是这一精神的具体阐释。

思考讨论

结合历史，谈谈你对“贫富”与“道义”之间关系的看法。

抱薪救火

安釐王元年，秦拔我两城。二年，又拔我二城，军大梁下，韩来救，予秦温以和。三年，秦拔我四城，斩首四万。四年，秦破我及韩、赵，杀十五万人，走我将芒卯。魏将段干子请予秦南阳以和。苏代谓魏王曰[1]：“欲玺者段干子也[2]，欲地者秦也[3]。今王使欲地者制玺[4]，使欲玺者制地[5]，魏氏地不尽则不知已。且夫以地事秦，譬犹抱薪救火[6]，薪不尽，火不灭。”王曰：“是则然也。虽然，事始已行，不可更矣。”对曰：“王独不见夫博之所以贵枭者[7]，便则食[8]，不便则止矣。今王曰‘事始已行，不可更’，是何王之用智不如用枭也？”

（选自《史记·魏世家》）

注释

[1] 苏代：《战国策·魏策三》作孙臣。 [2] 欲玺：想要得到秦国的爵赏。 [3] 欲地：想得到魏国的地盘。 [4] 欲地者制玺：想得魏土地者掌管着给魏国奸细的授玺之权。制，控制。 [5] 欲玺者制地：让想获秦国爵赏的奸细掌管着支配魏国土地之权。 [6] 薪：柴。 [7] 博：博戏，古代一种下棋的游戏。贵枭：喜欢得到枭。枭，博戏时掷骰子得上采为枭。或云骰子上刻有枭形。博戏的方法已失传，大约是用五个骰子和若干棋子，掷一次骰子，走一棋子，掷得枭采就可以吃对方的棋子。 [8] 食：指吃对方的棋子。

译文

魏安釐（xī）王元年（前276），秦军攻下魏国两座城。二年，又攻下魏国两座城，陈兵大梁城下，韩国派兵来援救，把温邑让给秦国求和。三年，秦军攻下魏国四座城，斩杀四万人。四年，秦军打败魏军和韩军、赵军，杀死十五万人，赶跑了魏将芒卯。魏将段干子请求把南阳让给秦国求和。苏代对魏王说：“想升官的是段干子，想得到土地的是秦国。如今大王让想得土地的人控制官印，让想升官的人控制土地，魏国的土地不送光了就不会终结。况且用土地侍奉秦国，就好像抱着干柴去救火，柴不烧完，火是不会灭的。”魏王说：“那是当然了，尽管如此，可是事情已经开始实行，不能更改了。”苏代回答说：“大王没见过玩博戏的人特别看重枭子，是由于有利就可以吃掉对方的子，无利就停下来。如今大王说‘事情已经开始实行，不能更改了’，大王使用智谋怎么还不如博戏时的用枭呢？”

文史链接

诸侯失策与秦国崛起

《史记·魏世家》记述战国时期魏国的世系及其兴衰。文中多简短记事，但在魏文侯、魏惠王和安釐王三代记事颇详。因为魏之兴在文侯之世，魏之衰从惠王开始，而安釐王的失策加速了魏的灭亡。由于作者紧紧抓住了魏国历史转折的关键，所以全文篇幅虽长，但纲目清晰，有条不紊，平而不淡，时有波澜。其中对魏安釐王的记述篇幅较长，将近全文的三分之一。主要内容不在记事，而是用不同的方式，从不同的角度揭示了安釐王的严重失策。首先是通过苏代对安釐王的批评指出了“以地事秦，譬犹抱薪救火”的道理。后来成语“抱薪救火”就用来比喻以错误的方法去消灭祸害，结果反而使祸害扩大。

面对日益骄横的秦国，各诸侯国纷纷采取割地的策略来赢得短期的安定，然而，割地难以满足秦国吞并天下的野心，割地使得秦国的版图和实力不断加强，而其他诸侯国却在不断削弱，这一策略无疑是短视的。魏安釐王以地事秦的举措，遭到苏代的反对，他“抱薪救火”的比喻可谓生动形象、鞭辟入里，抓住了问题的本质。而安釐王却以“事始已行，不可更矣”为由，表示难以改变即行的策略。对此，苏代又举了一个生动形象的例子加以反驳，他说玩博戏的人之所以特别看重枭子，是由于枭子可以根据实际情况的利弊选择吃掉对方的子还是停下来。博戏尚且如此，何况国家策略呢？这一“事始已行，不可更矣”的固定思维，使得魏国亡羊而没有及时补牢，酿成了不可挽回的严重后果，进一步助长了秦国并吞天下的嚣张气焰。秦国最终统一天下与各诸侯国抱薪救火的失策不无关联。即便明白如苏代者纷纷进言献策，要求亡羊补牢，仍无法改变统治阶级的短浅之见。

抱薪救火与南辕北辙类似，目的与做法产生了严重的背离，错误的策略反而使自己离目标越来越远。亡羊补牢则是抱薪救火的一剂良药，能够挽狂澜于既倒。然而，对于时势的认识需要开阔视野和长远的眼光，对他人谏言的接纳更需要阔大的心胸与从善如流的品格，兼具这些能力和品格的帝王毕竟还是少数，所以历史上因为抱薪救火的失策而致使江山易主、社稷倾颓的帝王屡见不鲜。唐太宗善于纳谏的故事，也成为后世帝王的典范。

思考讨论

结合历史背景，思考“抱薪救火”故事产生的特殊背景及其与“博之所以贵枭”比喻的内在关联。

弹琴论道

驺忌子以鼓琴见威王，威王说而舍之右室。须臾[1]，王鼓琴，驺忌子推户入曰：“善哉鼓琴！”王勃然不说[2]，去琴按剑曰：“夫子见容未察[3]，何以知其善也？”驺忌子曰：“夫大弦浊以春温者[4]，君也[5]；小弦廉折以清者[6]，相也[7]；攫之深[8]，醳之愉者[9]，政令也；钧谐以鸣[10]，大小相益[11]，回邪而不相害者[12]，四时也[13]：吾是以知其善也。”王曰：“善语音。”驺忌子曰：“何独语音，夫治国

家而弭人民皆在其中[14]。”王又勃然不说曰：“若夫语五音之纪[15]，信未有如夫子者也。若夫治国家而弭人民，又何为乎丝桐之间[16]？”驺忌之曰：“夫大弦浊以春温者，君也；小弦廉折以清者，相也；攫之深而舍之愉者，政令也；钧谐以鸣，大小相益，回邪而不相害者，四时也。夫复而不乱者，所以治昌也；连而径者[17]，所以存亡也[18]：故曰琴音调而天下治。夫治国家而弭人民者，无若乎五音者。”王曰：“善。”

（选自《史记·田敬仲完世家》）

注释

[1]须臾：片刻。　[2]勃然：发怒变色。　[3]见容未察：只看到了我弹琴的样子，而未认真品味我的琴声。　[4]浊：形容琴声宽缓浑厚。温：温和。　[5]君也：如同君主的宽和气度。[6]廉折：指乐声高亢，节奏明快。　[7]相也：如同宰相的精明干练。　[8]攫：用手指勾拨琴统，是古琴弹奏的指法。深：指抓得紧而有力。　[9]醳（shì）：通“释”，指用手指向外拨弦。愉：指舒缓、舒展。　[10]钧谐：调谐，和谐。　[11]相益：互相补充，引申为互相增色。　[12]回邪：不正，曲折。害：妨害。　[13]四时也：犹如一年四季的周而复始。　[14]弭（mǐ）人民：安抚黎民百姓。弭，顺服，安定，安抚。　[15]五音之纪：指音乐方面的规律。　[16]何为乎丝桐之间：与音乐又有什么关系呢？丝桐，指古琴。丝和桐是制造琴的两种材料，古琴琴体

多用桐木，弦用丝弦，故称丝桐。　[17] 连而径：指乐音的连贯、流畅。连，连贯。径，快捷。　[18] 存亡：使将亡或已亡之国得以复存，使危亡的局面得以稳定。

译文

驺忌子由于善弹琴而进见齐威王，威王很喜欢他，并让他住在宫中的右室。没多久，威王正在弹琴，驺忌子推门就进来说："琴弹得好极了！"威王突然不高兴，离开琴手按宝剑说："先生只看到我的样子，还没有认真观察，怎么能知道弹得好呢？"驺忌子说："大弦缓慢并且温和，这是象征国君；小弦高亢明快并且清亮，象征宰相；手指勾弦用力，放开舒缓，象征政令；发出的琴声和谐，大小配合美妙，曲折不正之声而不相干扰，象征四时：我由此能知道您弹得好。"威王说："你很善于谈论音乐。"驺忌子说："何止是谈论音乐，治理国家和安抚人民都在其中啊！"威王又突然不高兴说："如果谈论五音的调理，我相信没有比得上您的。如果是治理国家和安抚人民，又怎么能在琴弦之中呢？"驺忌子说："大弦缓慢并且温和，象征国君；小弦高亢明快并且清亮，象征宰相；勾弦用力但放开舒缓，象征政令；弹出的琴声和谐，大小配合美妙，曲折不正之声不相干扰，象征四时。回环往复而不乱，是由于政治昌明；连贯而轻快，是由于保存了将亡之国：所以说琴音调谐就能保天下太平。治理国家和安抚人民，没有比五音的道理更相像的了。"威王说："好极了。"

文史链接

弹琴论道与进谏艺术

“声音之道，与政通矣。”音乐与政治之间的关系，历来受到重视。自从周公制礼作乐以来，音乐一直和礼仪、政治联系起来。《礼记·乐记》云：“治世之音安以乐，其政和；乱世之音怨以怒，其政乖；亡国之音哀以思，其民困。”邹忌子之所以能够得到齐威王的赞赏，在于他在音乐之中道出了治国安民的大道理，齐威王由此受到了启发。邹忌子弹琴论道主要是运用了琴音的象征。他认为大弦缓慢并且温和，可以象征国君；小弦高亢明快并且清亮，可以象征宰相；勾弦用力但放开舒缓，可以象征政令；弹出的琴声和谐，大小配合美妙，曲折不正之声不相干扰，可以象征四时。琴声的回环往复而不乱，是由于政治昌明；连贯而轻快，是由于保存了将亡之国：所以说琴音调谐就能保天下太平。治理国家和安抚人民，没有比五音的道理更相像的了。可以说这一系列的象征，是非常符合琴音和治国的实际的。当然，邹忌子的象征不是在谈论琴音，而是通过论琴音来劝谏齐威王，向其阐明治国之道。这一方式非常巧妙。齐威王爱好弹琴，邹忌投其所好，寓大道于其中，不但不会引起齐威王的反感，反而会引导其进行深入思考，从而达到劝谏启发的目的。《战国策·齐策》中记载的《邹忌讽齐王纳谏》就记载了邹忌高超的讽谏艺术，邹忌将自己与徐公之美进行了比较，看到徐公时“孰视之，自以为不如，窥镜而自视，又弗如远甚”，而妻、妾、客都说自己比徐公美，原因在于其私我、畏我、有求于我，以此来劝谏齐王，多采纳真实不虚的谏言，少被甜言蜜语所惑。

这一曲折进谏的艺术，在战国之际并不罕见，原因在于当时多庸主暴君，游士说服他们时难以直言，大多采取引类譬喻的方式，借人们日常生活中常见的事物为喻，曲折地达到辩说、劝谏的目的。这种譬喻的方法，可以将抽象的哲理形象化，可以避免直言所造成的听话者的抵触情绪以及心理障碍，能够使对方在比较平静的氛围中有所启发，并欣然接受，不失为一种普遍的说话技巧，在今天的日常生活中也随时可以用到。

思考讨论

结合相关文献记载，思考讨论音乐与政治之间的关系。

唇亡齿寒

王建立六年，秦攻赵，齐楚救之。秦计曰："齐楚救赵，亲则退兵，不亲遂攻之。"赵无食，请粟于齐，齐不听。周子曰："不如听之以退秦兵，不听则秦兵不却，是秦之计中而齐楚之计过也[1]。且赵之于齐、楚，扞蔽也[2]，犹齿之有唇也，唇亡则齿寒。今日亡赵，明日患及齐楚。且救赵之务，宜若奉漏瓮沃焦釜也[3]。夫救赵，高义也；却秦兵，显名也。义救亡国，威却强秦之兵，不务为此而务爱粟[4]，为国计者过矣。"齐王弗听。秦破赵于长平四十余万[5]，遂围邯郸。

（选自《史记·田敬仲完世家》）

注释

[1] 过：错误。 [2] 扞（hàn）蔽：屏障。 [3] 奉漏瓮沃焦釜：极言其不容耽搁。奉，捧着。沃，浇水。釜，锅。[4] 务：致力。 [5] 秦破赵于长平四十余万：秦将白起大破赵军，坑杀赵降卒四十余万，这场战役即是著名的长平之役，它是我国历史最早、规模最大的包围歼灭战。此场战争极大地加速了秦国统一中国的进程。据史书记载，秦军前后坑杀赵军四十万人，被后人认为是战国形势的转折点。参见《史记·白起王翦列传》。

译文

齐王建即位六年，秦国进攻赵国，齐、楚去救它。秦国盘算说："齐、楚援救赵国，如果它们关系亲近，我们就退兵；如果他们不亲近，我们就进攻它。"赵国没有粮食，请求齐国支援粟米，齐国不答应。周子说："不如答应它以便使秦兵撤退，不答应它秦兵就不会撤退，这样就使秦国的计谋得逞，而齐、楚的计谋失败了。况且赵国对于齐、楚来说，就是屏障啊，好像牙齿外面有嘴唇一样，嘴唇没有了，牙齿就会受寒。今天赵国灭亡，明天祸患就该到齐国、楚国了。而且救赵的事，应该像捧着漏水的瓮去浇烧焦的锅一样。救赵，是高尚的义举；使秦兵退却，可以显扬威名。仗义解救将亡的国家，扬威退却强秦的军队，不尽力去做这件事而专注于吝惜粮食，为国家出谋划策的人错了。"齐王不听劝谏。秦军在长平打败了赵国的四十多万军队，接着就包围了邯郸。

文史链接

唇齿关系与战国政治格局

长平之战在战国时期各诸侯国势力发展之中是一个转折点，长平之战以后，秦国势力迅速增强，齐王建十六年（前249），秦国灭亡周室。齐国君王后去世。二十三年，秦国设置东郡。二十八年，齐王到秦国朝拜，秦王政在咸阳设酒宴款待。三十五年，秦国灭亡韩国。三十七年，秦国灭亡赵国。三十八年，燕国派荆轲刺杀秦王，秦王发觉了，杀死了荆轲。第二年，秦军攻破燕都，燕王逃跑到辽东。再一年，秦国灭亡魏国，秦军驻扎在历下。四十二年，秦国灭亡楚国。第二年，俘虏了代王嘉，杀死燕王喜，灭亡燕国。六国削弱，为秦最终统一六国创造了条件。这一结局的出现，一定程度上是由齐王建不善于纳谏所致，与前面的齐威王形成了鲜明的对比。“唇亡齿寒”的成语故事，指嘴唇没有了，牙齿就会觉得冷，比喻关系密切，利害相关。

唇亡齿寒的成语形象地阐释了春秋战国之际诸侯国之间的格局，其也多次见于先秦典籍之中。《左传・哀公八年》：“夫鲁，齐晋之唇，唇亡齿寒，君所知也。”《左传・僖公五年》：晋侯复假道于虞以伐虢。宫之奇谏曰：“虢，虞之表也。虢亡，虞必从之。晋不可启，寇不可玩，一之谓甚，其可再乎？谚所谓‘辅车相依，唇亡齿寒’者，其虞、虢之谓也。”无论是鲁国与齐国、晋国之间，还是虞国和虢国之间，在战略位置上都是嘴唇和牙齿的关系。这种关系在当时军事、政治格局之中非常重要，即便是今天，我们也十分强调与邻里乃至周边国家的睦邻友好，其道理也是一样的。城门失火则会殃及池鱼。只有与周边国家一起进步，使他们都得到安定、和谐，才会为自身的发展提供宽松和谐的环境。

思考讨论

1. 统计"唇亡齿寒"的相关文献记载，分析比较其产生的时代背景及文化内涵。

2. 以唇亡齿寒的成语故事为例，谈谈你对生态保护的看法。

招摇过市

灵公夫人有南子者，使人谓孔子曰："四方之君子不辱欲与寡君为兄弟者[1]，必见寡小君[2]。寡小君愿见。"孔子辞谢，不得已而见之。夫人在絺帷中。孔子入门，北面稽首。夫人自帷中再拜，环佩玉声璆然。孔子曰："吾乡为弗见，见之礼答焉[3]。"子路不说。孔子矢之曰[4]："予所不者[5]，天厌之[6]！天厌之！"居卫月余，灵公与夫人同车，宦者雍渠参乘，出，使孔子为次乘，招摇市过之[7]。孔子曰："吾未见好德如好色者也。"于是丑之，去卫，过曹。

（选自《史记·孔子世家》）

注释

[1] 不辱：不以为辱，谦词。寡君：对别国人说话时，自称本国的国君为"寡君"。 [2] 寡小君：自称本国国君的夫人。

招摇过市

[3]“吾乡”句：我本来不想见她，既然见了，就只好以礼相答。乡，通“向”，前者。这是弟子们不满孔子叩拜南子的做法，孔子为自己的行为进行辩解的话。 [4]矢：誓，起誓。 [5]不：通“否”，假。 [6]厌：厌弃，抛弃。 [7]招摇：张扬炫耀。市：闹市，指人多的地方。

译文

卫灵公有个夫人叫做南子，南子派人对孔子说："四方而来的想结交我国国君的客人，必然也会前来见我。我也愿意接见。"孔子表示了感谢，不得已就去见了南子。南子在帷帐之中，孔子进门之后，向北而行稽首之礼。南子在帷帐中再拜答谢，身上的玉佩发出悦耳的声响。孔子回来对弟子说："我本来是不想见她的，后来既然已经见了，就只好以礼相答。"子路听了很不高兴，孔子起誓说："如果我说的话不是真的，那就让老天爷抛弃我。抛弃我。"

在卫国住了一月有余，卫灵公和南子同车出游，使宦官雍渠做参乘，让孔子做次乘，声势浩大地从闹市中经过。孔子感叹说："我没有见过爱好美德如爱好美色一样的人。"于是以此事为丑，离开卫国，经过曹国。

文史链接

招摇过市与好德好色论

公元前494年，孔子带着弟子子路、颜回周游到卫国，卫灵公想与他结为兄弟，作风轻浮而执掌大权的卫灵公妻子南子故意挑逗孔子。卫灵公与南子带孔子出游，在大街上招摇过市，丝毫不提在卫国施行仁政之事，孔子只好带学生离开卫国。招摇过市指在公开场合大摇大摆显示声势，与引人注目都有引人注意的意思。但招摇过市是贬义成语，偏重指故意在公众中张扬炫耀，吸引人注意，一般用于人；引人注目不含"炫耀"之意，可用于人和物。

孔子由卫灵公招摇过市产生忧虑，认为好色者众而好德者寡，仁政的施行很困难。裴骃《集解》引李充曰："使好德如好色，则弃邪而反正矣。"通过对卫灵公好色的描写，反映了孔子周游列国推行仁政的艰难。招摇过市反映了孔子周游列国时的尴尬与无奈，这在当时那个礼崩乐坏的时代，可谓屡见不鲜。孔子虽然承认人的动物本能，然而他更加强调自身道德修养对生物本能的超越，强调德行的重要性。然而，这种超越并不是所有人都能够做到的。好色者多，而好德者寡是当时一个不争的事实。商纣王宠爱妲己，设炮烙之刑，建酒池肉林，日夜荒淫无度；周幽王宠爱褒姒，为博美人一笑，竟然视朝政大典为儿戏，上演了烽火戏诸侯的历史闹剧。他们都因好色而亡国，这是历史上惨痛的教训。但是，后世统治者中，有的并没有以史为鉴，洁身自好，励精图治，而是继续重蹈着商纣王、周幽王的覆辙。这里的卫灵公宠爱南子，招摇过市、鱼肉百姓，就是一个典型的代表。很难想见一个荒淫、好色之徒，能够遍施仁爱之心。因此，孔子施行仁政的思想在这些荒淫君主面前得不到重视，不难想见；孔子周游列国处处碰壁，几度“面有菜色”，“累累如丧家之犬”的狼狈遭际，不难想见；“其身正，不令而行；其身不正，虽令不从”，有这类昏君当道，《春秋》中“弑君三十六，亡国七十二，诸侯奔走不得保其社稷者”的历史记载，也就不是空穴来风了。

思考讨论

谈谈招摇过市与孔子强调施行仁政的内在关系。

韦编三绝

孔子晚而喜《易》，序《象》、《系》、《象》、《说卦》、《文言》[1]。读《易》，韦编三绝[2]。曰：“假我数年，若是，我于《易》则彬彬矣[3]。”

（选自《史记·孔子世家》）

注释

[1] 序：作注释。意为给《易经》编写了《象（tuàn）辞》、《系辞》、《象辞》、《说卦》、《文言》等五种注释书。 [2] 韦编三绝：

极言读书遍数之多，以至于穿连简册的皮条被翻断了好多次。韦，熟牛皮。韦编，用熟牛皮绳把竹简编连起来。三，概数，表示多次。绝，断。　　[3]彬彬：指有修养、有学问的样子。这里指的是对文章有深刻透彻的理解。

译文

孔子晚年喜欢《易经》这本书，并为其编写了《彖辞》、《系辞》、《象辞》、《说卦》、《文言》等五种注释书。孔子刻苦勤奋攻读《易经》，以至于穿连简册的皮条被翻断了好多次。他还说："如果再给我几年的时间，那么，我对《易经》就会有更加深刻透彻地理解了。"

文史链接

"韦编"的由来

春秋时期的书籍以竹简为主，一根竹简上多则几十个字，少则八九个字。一部书要用许多竹简，用牢固的绳子编连成册，以便于阅读。这种编连竹简的绳子一般有三种：用丝线编连的叫"丝编"，用麻绳编连的叫"绳编"，用熟牛皮绳编连的叫"韦编"。像《易》这样厚重的书，是用熟牛皮绳将许多竹简编连起来的。

孔子与《周易》

孔子晚年喜欢读《易》，并且撰写了《彖》上下、《象》上下、《系辞》上下、《文言》、《序卦》、《说卦》、《杂卦》等，合称《十翼》，又称《易大传》。孔子反反复复把《易》读了许多遍，又附注了许多内容，以至于把串连竹简的牛皮绳子磨断了许多次。后人以孔子韦编三绝的成语比喻读书勤奋用功。即使读书读到了这样的地步，孔子还谦虚地说："如果多给我几年工夫，那么，我对《易经》

就会有更加深刻透彻地理解了。”学者多认为《易经》作于殷末周初，而《易传》则成于战国时代。《十翼》虽然并非孔子一人所作，但是《易经》、《易传》却与孔子有着密切的关系。

勤奋刻苦与个人成才

孔子读书勤奋以致韦编三绝的故事激励着历代无数读书人。头悬梁锥刺股、凿壁偷光、囊萤映雪等成语故事都是反映读书人勤奋刻苦的历史佳话。这种精神可以说是继孔子韦编三绝而来，同时也反映了一个人的意志与毅力。这种意志和毅力也就是克服困难、坚持到底的能力，用今天教育学的名词来讲，就是一个人“情商”的一部分。一个人的成功固然有先天禀赋的因素，但是更重要的是后天的努力。古人云：“天才出于勤奋。”爱迪生也说：“天才就是百分之一的灵感加上百分之九十九的汗水。”鲁迅先生说：“我是把别人喝咖啡的时间用来写作。”纵观古今中外学有所成者，无一不是勤奋刻苦换来的。宋代大文学家苏东坡曾经说过：“古之成大事业大学问者，不惟有超世之才，亦必有坚忍不拔之志。”这种坚忍不拔的志向，在读书学习方面可体现为恒心和毅力。有联云：“贵有恒，何必三更起五更眠；最无益，只怕一日曝十日寒。”诚哉斯言！三天打鱼两天晒网的学习是很难获得真学问和达到高境界的。

人与人之间禀赋也就是“智商”的差异微乎其微，其差别则在情商的高低。情商不是与生俱来的，而是后天自己努力养成的。先天禀赋再好，没有后天的努力，也会一事无成。著名的方仲永的故事就是一个教训，纵然其禀赋过人，是一个不折不扣的神童，但由于其忽视后天的学习与积累，最终也只是一个普通人。不禁令人谓之叹惋。

孔子晚年仍然读书勤奋刻苦如此，着实令人钦佩，可谓活到老学到老的典范。青少年朝气蓬勃，精力旺盛，正是读书学习的大好时机，只要继承孔子韦编三绝的精神，志存高远，矢志不渝，一定能够学有所成，实现自己的理想和抱负。

思考讨论

统计形容历代刻苦读书的成语故事，并思考勤奋对于一个人成才的重要作用。

鸿鹄之志

陈胜者，阳城人也[1]，字涉。吴广者，阳夏人也[2]，字叔。陈涉少时，尝与人佣耕，辍耕之垄上，怅恨久之，曰："苟富贵[3]，无相忘[4]。"庸者笑而应曰[5]："若为庸耕[6]，何富贵也？"陈涉太息曰[7]："嗟乎，燕雀安知鸿鹄之志哉[8]！"（选自《史记·陈涉世家》）

注释

[1] 阳城：秦县名，县治在今河南方城东。 [2] 阳夏（jiǎ）：秦县名，县治即今河南太康。 [3] 苟：如果。 [4] 无：勿。 [5] 庸：同"佣"。 [6] 若：你。 [7] 太息：长叹。 [8] 鸿鹄之志：比喻远大的志向。鸿鹄，天鹅。志，志向。

译文

陈胜，阳城人，字涉。吴广，阳夏人，字叔。陈胜年轻的时候，由于家庭贫困，曾经做人家的雇农，替别人耕地。有一次，陈胜把农具往田埂上一扔，愤愤不平地在那里发呆。忽然，他对和他一块儿耕种的人说：我们大家日后如果谁富了，可千万不要忘记了在一块儿耕种的这些穷哥们儿。听了陈胜的这些话，有些人想想自己受贫穷、受压迫剥削的地位，笑着说：你给人家当雇农，怎么会富贵呢？陈涉长叹一声说："哎！小小的燕雀怎么能了解鸿鹄的远大志向啊！"

文史链接

立志与成才

秦二世元年（前 209）七月，陈涉与吴广发动农民起义，建立了中国历史上第一个农民政权。这个政权虽然持续时间不长，但终于推翻了秦朝的严酷统治。起义的领导人虽然为一介布衣，没有多少文化，但是从小就树立的远大的理想。其早年躬耕陇上与朋辈交谈，"燕雀安知鸿鹄之志哉"一语惊人，其后来推翻秦国的残暴统治也在情理之中。后人以鸿鹄之志比喻人有远大抱负。这则成语最早见于《吕氏春秋·士容》："夫骥骜之气，鸿鹄之志，有谕乎人心者，诚也。"意义与雄心壮志与胸怀大志相近。

《史记》之中许多英雄人物早年都有着鸿鹄之志。以项羽、刘邦为例。秦始皇游览会稽郡渡浙江时，项梁和项籍一块儿去观看。项籍说："那个人，我可以取代他！"刘邦曾经到咸阳去服徭役，有一次秦始皇出巡，允许人们随意观看，刘邦看到了秦始皇，长叹一声说："唉，大丈夫就应该像这样！"这些话语都体现了项羽和刘邦青少年时代就树立了远大的志向。

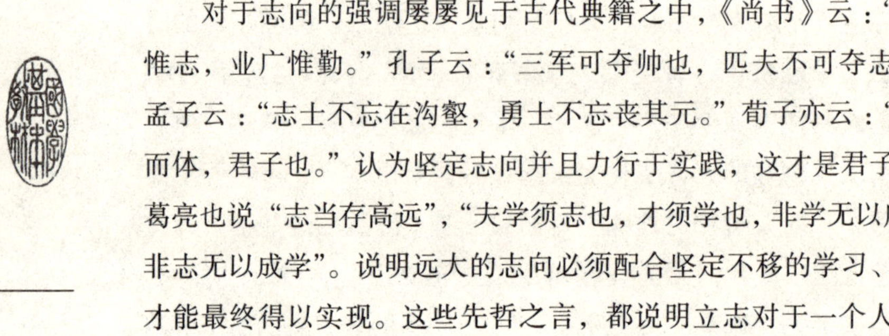

对于志向的强调屡屡见于古代典籍之中，《尚书》云："功崇惟志，业广惟勤。"孔子云："三军可夺帅也，匹夫不可夺志也。"孟子云："志士不忘在沟壑，勇士不忘丧其元。"荀子亦云："笃志而体，君子也。"认为坚定志向并且力行于实践，这才是君子。诸葛亮也说"志当存高远"，"夫学须志也，才须学也，非学无以广才，非志无以成学"。说明远大的志向必须配合坚定不移的学习、实践才能最终得以实现。这些先哲之言，都说明立志对于一个人成长成才的重要性。

树立远大的志向，主要不是去战胜别人，而是不断地超越自己。《韩非子》云："志之难也，不在胜人，在自胜也。"超越自己是超越本我状态下产生的一系列的欲望，不为外物所累。《尚书》云："玩人丧德，玩物丧志。"意思就是说对待别人轻慢不恭，就会丧失道德；沉溺于好玩的东西不能自拔，就会消磨掉志气。《五代史·伶官传序》云："祸患常积于忽微，智勇多困于所溺。"这些警句对于青少年来说，尤有借鉴意义。不能抵抗外界的诱惑，而沉溺其中，是立志成才的最大障碍。

思考讨论

结合历史，谈一谈树立远大志向对一个人成长发展的重要作用。

篝火狐鸣

二世元年七月，发闾左适戍渔阳[1]，九百人屯

大泽乡[2]。陈胜、吴广皆次当行，为屯长。会天大雨，道不通，度已失期。失期，法皆斩。陈胜、吴广乃谋曰：“今亡亦死，举大计亦死[3]，等死，死国可乎[4]？”陈胜曰：“天下苦秦久矣。吾闻二世少子也，不当立，当立者乃公子扶苏。扶苏以数谏故，上使外将兵。今或闻无罪，二世杀之。百姓多闻其贤，未知其死也。项燕为楚将，数有功，爱士卒，楚人怜之。或以为死，或以为亡。今诚以吾众诈自称公子扶苏、项燕，为天下唱[5]，宜多应者。”吴广以为然。乃行卜。卜者知其指意，曰：“足下事皆成，有功。然足下卜之鬼乎[6]！”陈胜、吴广喜，念鬼[7]，曰：“此教我先威众耳。”乃丹书帛曰“陈胜王”，置人所罾鱼腹中[8]。卒买鱼烹食，得鱼腹中书，固以怪之矣。又间令吴广之次所旁丛祠中[9]，夜篝火[10]，狐鸣呼曰：“大楚兴，陈胜王。”卒皆夜惊恐。旦日，卒中往往语，皆指目陈胜。

（选自《史记·陈涉世家》）

注释

[1]发闾左：征调住在里巷左侧的居民。适戍：发配戍守。渔阳：秦县名，县治在今北京密云西南。　[2]屯：停驻。大泽乡：在

今安徽宿县东南。　[3] 举大计：行大谋，这里指的是造反。

[4] 死国：为建立自己的王朝而舍生。　[5] 唱：同“倡”，倡导，发端。　[6] 卜之鬼：“卜”字前省略“何不”，其意为“您为何不到鬼神那里去占卜一下呢”？实为暗示陈胜假借鬼神来号召群众。　[7] 念鬼：内心忖度卜者所云“卜之鬼”的含义。

[8] 罾（zēng）：渔网，这里用作动词，指捕获。　[9] 间：私下，暗中。次所：戍卒所驻之处。丛祠：草丛树木荫蔽中的荒庙。

[10] 篝火：举火，点火。

译文

公元前 209 年，秦二世下令征发贫民总共九百人前往卫戍渔阳边境，停驻在大泽乡。陈胜和吴广都在戍边兵卒之列，并被任命为屯长之类的小官。途中遇到大雨，路不能通行，他们估计已经误了到达渔阳的期限。延误期限，按照法律，他们要被斩首。陈胜和吴广在一起商量说：“如今逃走了也是死，造反干一番大事业也是死，不如起来造反吧。”陈胜又说：“天下受秦朝统治之苦已经很久了，我听说二世皇帝是始皇帝的小儿子，不应该由他来继位，该继位的是公子扶苏。扶苏因为屡次规劝皇上，皇上派他领兵在外地驻守。现在有人听说他并没有什么罪，却被二世皇帝杀害了。老百姓多听说扶苏是位贤才,还不知道他已经死了。还有，项燕原来是楚国的大将，多次立功，爱护士兵，楚国人很爱戴他。有的人以为他已经死了，有的人以为他逃亡在外。现在如果我们冒用公子扶苏和项燕的名义，号召天下人造反，响应的人一定很多。”吴广同意他的办法，于是他们就去占卜凶吉。那占卜的人猜到了他们的意图，便说：“你们的事准能成功，再向鬼神卜问一下吧！”陈胜、吴广十分高兴，心里忖度占卜者所谓“卜之鬼”的含义，说：“他这是让我假借鬼神来迷惑大众，树立威信啊。”于是，陈胜用朱砂在一块白绸上写了“陈胜王”三个字，偷偷地塞进鱼肚子里面。士兵买回来烹调食用，把鱼肚剖开，发现了鱼腹中的绸子，感到非常奇怪。接着，陈胜暗中派吴广到附近一座草木丛生的古庙里，夜里点起火，又模仿狐狸的声音呼喊着：“大楚兴，陈胜王！”半夜里，兵卒都被这奇异的现象惊呆了。第二天，大家到处议论纷纷，都指指点点地看着陈胜。

文史链接

篝火狐鸣与神道设教

篝火狐鸣又叫狐鸣篝火，是陈胜、吴广假托狐鬼之事以发动群众起义的故事，后用来比喻策划起义。虽然陈胜不迷信“君权神授”的迷信思想，曾经发出“王侯将相宁有种乎”的大胆质疑，然而在当时迷信思想盛行的时代，为了取得大多数人的支持和信任，凝聚人心，陈胜不得不采用卜者的建议，以神道设教的方法，迷惑士卒树立权威。无疑这一做法为陈胜凝聚军心、最终发动起义推翻秦朝暴政，建立张楚政权，起到了十分重要的作用。

卜者“占之鬼神”的建议是篝火狐鸣产生的关键，这种前兆迷信作为古代占卜发生的基础，属于原始宗教的范畴。所谓前兆迷信是指用神意或神秘力量来解释前兆现象与未来事物之间的联系。“占之鬼神”则是借鬼神的力量来制造前兆现象，以与未来迷惑军心、建立威信提供帮助。这种鬼神的力量是通过篝火狐鸣的神秘现象来实现的，是以狐狸为征兆的迷信。狐狸说话本身就是一个怪异现象，而其内容却是“大楚兴，陈胜王”的奇异话语。这在今天看来，全为荒诞不经之语，而在当时人们看来，却是上

天旨意的征兆。这种占卜的形式只是古代占卜形式中的一种，此外还有鸟占、兽骨占、筵占、竹占、星占、梦占等。当时之人相信某些动物具有知晓未来的灵性，狐狸可以通灵的传说也在后世文学中屡见不鲜。清代蒲松龄的《聊斋志异》中就记载了大量的狐鬼花妖的故事，这些故事之中的狐狸不但可以通灵，而且都幻化为人形，具备了善良、爱笑、多情的人物个性。

这种假装鬼神迷惑大众的做法，在农民起义初起阶段俯拾即是，在陈涉篝火狐鸣的若干年后，汉高祖刘邦的一系列帝王天命神话又成为蛊惑民众的新技法。高祖未出生之前，他的母亲刘媪曾经在大泽的岸边休息，梦中与神交合。当时雷鸣电闪，天昏地暗，太公正好前去看她，见到有蛟龙在她身上。不久，刘媪有了身孕，生下了高祖。刘邦常常到王媪、武负那里去赊酒喝，喝醉了躺倒就睡，王媪、武负看到他身上常有龙出现，觉得这个人很奇怪。后面还提到了赤帝子斩白帝子的离奇故事，这些神奇的记载与陈胜的篝火狐鸣起到了同样的作用，都可以借助鬼神笼络人心，树立威信，为自己的起义或称王带上天意的光环。历代农民起义领袖及帝王热衷于这些神道设教的手段，并且屡试不爽，不断上演了一幕幕神奇怪异的历史片段。

思考讨论

举例说明历代农民起义中对陈胜狐鸣篝火做法的继承和发展。

萧规曹随

惠帝二年，萧何卒。参闻之，告舍人："趣治行，吾将入相。"居无何，使者果召参。参去，属其后相曰[1]："以齐狱市为寄，慎勿扰也[2]。"后相曰："治无大于此者乎？"参曰："不然。夫狱市者，所以并容也[3]，今君扰之，奸人安所容也？吾是以先之。"

参始微时，与萧何善；及为将相，有郤[4]。至何且死，所推贤唯参。参代何为汉相国，举事无所变更，一遵萧何约束。

注释

[1]属其后相：叮嘱齐国的继任丞相。属，通"嘱"，托付。[2]"以齐"句：将齐国刑法和市场两件事情托付，不要轻易干扰。寄，托付。　[3]并容：好人、坏人都允许其存在。　[4]郤：通"隙"，隔阂，矛盾。

译文

惠帝二年，萧何去世。曹参听说了这个消息，告诉舍人："赶快治办行装，我将要入朝当相国了。"没有待几天，使臣果然召曹参回去。曹参离开的时候，叮嘱继任的齐相说："我把齐国的监狱及市场托付给你了，千万不要轻易变更制度。"继任齐相者说："难道没有比现行制度更好的了吗？"曹参说："不是这样的。所谓监狱与市场，即好人坏人都允许其存在，现在你去干扰它，坏人到

哪里去安身呢？我先提醒你一下。”

曹参当初地位卑微的时候，跟萧何友好；等到做了将军、相国，两人之间就有了隔阂。到萧何临死的时候，所推荐的贤相只有曹参一人。曹参接替萧何做了汉朝的相国，所有的事务都没有改变，完全遵守萧何制定的规约。

择郡国吏木诎于文辞[1]，重厚长者，即召除为丞相史[2]。吏之言文刻深[3]，欲务声名者[4]，辄斥去之。日夜饮醇酒。卿大夫已下吏及宾客见参不事事，来者毕欲有言。至者，参辄饮以醇酒，间之，欲有所言，复饮之，醉而后去，终莫得开说，以为常。

相舍后园近吏舍，吏舍日饮歌呼。从吏恶之，无如之何，乃请参游园中，闻吏醉歌呼，从吏幸相国召按之[5]。乃反取酒张坐饮，亦歌呼与相应和。参见人之有细过，专掩匿覆盖之，府中无事。

注释

[1]择郡国吏：指从各郡、各诸侯国的行政官员中物色可以调进中央的人选。木诎：木讷，拙于文辞。　[2]除：授职，任命。丞相史：丞相手下的办事人员。　[3]言文刻深：严格执法，严格以规章制度律人。言文，指法律条文与规章制度。　[4]欲务声名：追求办事严格的好名声。　[5]幸相国召按之：希望丞相能把这些人整治一下。幸，希望。按，惩治，查办。

译文

选拔郡和封国的官吏时，呆板而言语钝拙、忠厚的长者，就召来任命为丞相史。而说话雕琢、严酷苛刻、想竭力追求名声的官吏，就遭到了罢免。曹参日夜喝醇厚美酒。卿大夫以下的官吏和宾客见到曹参不做事，来的人都想说话。凡是来的人，曹参就把醇厚美酒给他们喝，一有空，官员们想要说话，曹参又让他们喝酒，喝醉以后才离开，始终得不到说话的机会，这是常有的事。相国官邸的后园靠近下属官员的住处，官员每天饮酒唱歌呼喊。曹参的随从侍吏厌恶他们，但不能对他们怎么样，就请曹参到园中游玩，听见官员酒醉唱歌呼喊，随从侍吏希望相国召来并惩治他们。曹参反而取来酒设座唱起来，也唱歌呼喊跟他们彼此呼应唱和。曹参见到别人有小的过错，一心为他们隐藏遮盖，相府中没发生过事。

参子窋为中大夫[1]。惠帝怪相国不治事，以为“岂少朕与[2]”？乃谓窋曰：“若归，试私从容问而父曰：‘高帝新弃群臣，帝富于春秋，君为相，日饮，无所请事，何以忧天下乎？’然无言吾告若也[3]。”窋既洗沐归[4]，间侍，自从其所谏参[5]。参怒，而笞窋二百，曰：“趣入侍[6]，天下事非若所当言也。”至朝时，惠帝让参曰[7]：“与窋胡治乎[8]？乃者我使谏君也。”参免冠谢曰：“陛下自察圣武孰与高帝？”上曰：“朕乃安敢望先帝乎！”曰：“陛

下观臣能孰与萧何贤？”上曰：“君似不及也。”参曰：“陛下言之是也。且高帝与萧何定天下，法令既明，今陛下垂拱，参等守职，遵而勿失，不亦可乎？”惠帝曰：“善。君休矣！” （选自《史记·曹相国世家》）

注释

[1]参子窋（zhú）：曹参的儿子曹窋。中大夫：郎中令的属官，在皇帝身边掌管议论。 [2]岂少朕与：莫非对我有什么不满意的吗？少，不满。 [3]无言吾告若也：不要说是我让你问的。[4]洗沐归：即休假回家。洗沐，洗头洗澡，这里指休息日、假日。[5]自从其所：像是出于自己的意思。 [6]趣入侍：意为你就管侍奉好皇帝就行了。趣，通“促”，紧要。 [7]让：责备。[8]与窋胡治乎：与窋有什么关系，为什么要笞掠曹窋。胡，为何。治，笞掠。

译文

曹参的儿子曹窋任中大夫。惠帝责怪相国不治理国事，心想：“莫非对我有什么不满意的吗？”于是对曹窋说：“你回去之后，试着私下问一下你的父亲，说：‘高祖皇帝刚刚驾崩，天子年少，您作为相国，天天饮酒，无所事事，这样怎么能够为江山社稷做事呢？’但是不要说是我让你问的。”曹窋休假以后回去了，乘机进言，按照惠帝的话劝谏曹参。曹参大怒，用竹板打了曹窋二百下，说：“赶快入朝侍奉皇帝，天下的事不是你应当谈论的。”到了朝拜的时候，惠帝责备曹参说：“为什么处罚曹窋呢？先前是我让他劝谏你的。”曹参摘下帽子谢罪说：“陛下自己考察，和高皇帝相比，哪一个更加圣明英武？”皇上说：“我怎么敢与先帝比呢！”曹参又说：“陛下看我和萧何相比，哪一个更加贤能？”皇上说：“你好像赶不上萧何。”曹参说：“陛下说的是正确的。况且高皇帝和萧何平定天下，法令已经明确，现在陛下垂衣拱手、无为而治，我们这些人恪守职责，遵循前代之法不要丢失，不也可以吗？”惠帝说：“好。你去歇着吧。”

文史链接

萧规曹随的历史功绩

汉初，萧何创立了规章制度，萧何死后，曹参做了宰相，仍照着实行。曹参在朝廷任丞相三年，极力主张清静无为不扰民，一切遵照萧何制定好的法规治理国家，使西汉政治稳定、经济发展，人民生活日渐提高。曹参死后，百姓们编了一首歌谣称颂他说：“萧何定法律，明白又整齐；曹参接任后，遵守不偏离。施政贵清静，百姓心欢喜。”曹参继承萧何制度的做法，史称“萧规曹随”。汉代扬雄《解嘲》云：“夫萧规曹随，留侯画策。”萧规曹随后来比喻按照前任的成规办事，与因循守旧、故步自封、一如既往等意义相近，含贬义。

萧规曹随反映了汉初休养生息的历史现实。刘邦建立汉朝之后，崇尚黄老之学，以道家学说为基础，并吸收儒学的积极因素而形成，由于这一政治文化思潮托名于黄帝和老子，史称“黄老之学”。黄老之学的特征是“贵清静”、“尚无为”，以达到“与民休息”、“无为而治”的目的。黄老之学于汉初发端，于萧规曹随时期勃兴，在文景之治时期达到鼎盛。汉武帝“罢黜百家，独尊儒术”之后受到抑制。司马谈《论六家要旨》总结了先秦至汉初

学术发展情况，首次将先秦、汉初诸子划分为阴阳、儒、墨、名、法、道德等六个派别，独崇道家思想，对阴阳、儒、墨、名、法五家有褒有贬，从理论上对汉初黄老政治进行了总结和高度评价。以淮南王刘安为代表的淮南学派编著的《淮南子》，以道家学说为主，兼采儒、墨、申、韩、阴阳五行各家之说，是汉初休养生息时期政治文化与社会风尚的理论概括，可以看作黄老之学集大成的理论著作。刘安及淮南学派谋反被诛可以看作黄老之学由盛转衰的标志。总之，黄老之学与萧规曹随的政治文化策略，对于恢复汉初由多年战乱而造成的凋敝现状，恢复生产生活，发挥了十分重要的作用，为汉武帝时期国力鼎盛局面的形成奠定了基础。

因此，对于萧规曹随的认识，我们不能单纯理解为墨守成规、因循守旧、不务创新的懒惰做法，而应将其放在汉初特殊的时代背景之下，客观看待其在历史上发挥的重要作用和深远影响。在特殊的环境之下，清静无为恰恰是最大的有为。

思考讨论

在提倡创新的今天，如何认识和评价“萧规曹随”的历史作用和现实意义。

黄石兵法

良尝间从容步游下邳圯上[1]，有一老父，衣褐[2]，至良所，直堕其履圯下[3]，顾谓良曰：“孺子[4]，下取履！”良鄂然[5]，欲殴之。为其老，强忍，下取

圯上受书

履。父曰："履我[6]！"良业为取履，因长跪履之。父以足受，笑而去。良殊大惊，随目之。父去里所，复还，曰："孺子可教矣。后五日平明，与我会此。"良因怪之，跪曰："诺。"五日平明，良往。父已先在，怒曰："与老人期，后，何也？"去，曰："后五日早会。"五日鸡鸣，良往。父又先在，复怒曰："后，何也？"去，曰："后五日复早来。"五日，良夜未半往。有顷，父亦来，喜曰："当如是。"出一编书，曰："读此则为王者师矣。后十年兴。十三年孺子见我济北，谷城山下黄石即我矣。"遂去，无他言，不复见。旦日视其书，乃《太公兵法》也[7]。良因异之[8]，常习诵读之。

……

子房始所见下邳圯上老父与《太公书》者，后十三年从高帝过济北，果见谷城山下黄石，取而葆祠之[9]。留侯死，并葬黄石（冢）。每上冢伏腊[10]，祠黄石。

（选自《史记·留侯世家》）

注释

[1]从容：闲暇，无目的样子。圯（yí）：桥。 [2]褐：粗布短衣，古代贫者之服。 [3]直：特意，故意。 [4]孺子：孩子、小子，是一种不客气、不讲礼貌的称呼。 [5]鄂：通"愕"。[6]履我：给我穿上（鞋子）。 [7]《太公兵法》：相传为姜太公作的一部兵书。 [8]异之：以之为异。 [9]葆：通"宝"。祠：祭祀。 [10]伏腊：秦汉时，夏天的伏日，冬天的腊日，都是节日，合称"伏腊"。

译文

张良闲暇时徜徉于下邳桥上，有一个老人，穿着粗布衣裳，走到张良跟前，故意把他的鞋甩到桥下，看着张良对他说："小子，下去把鞋捡上来！”张良有些惊讶，想打他，因为见他年老，勉强地忍了下来，下去捡来了鞋。老人说："给我把鞋穿上！”张良既然已经替他把鞋捡了上来，就跪着替他穿上。老人把脚伸出来穿上鞋，笑着离去了。张良十分惊讶，随着老人的身影注视着他。老人离开了约有一里路，又返回来，说："你这个孩子可以教导教导。五天以后天刚亮时，跟我在这里相会。”张良觉得这件事很奇怪，跪下来说："嗯。”五天后的拂晓，张良去到那里。老人已先在那里，生气地说："跟老年人约会，反而后到，为什么呢？”老人离去，并说："五天以后早早来会面。”五天后鸡一叫，张良就去了。老人又先在那里，又生气地说："又来晚了，这是为什么？”老人离开说："五天后再早点儿来。”五天后，张良不到半夜就去了。过了一会儿，老人也来了，高兴地说："应当像这样才好。”老人拿出一部书，说："读了这部书就可以做帝王的老师了。十年以后你就会发迹。十三年后你到济北见我，谷城山下的黄石就是我。”说完便走了，没有别的话留下，张良从此再也没有见到这位老人。天明时一看老人送的书，原来是《太公兵法》。张良因而觉得这部书非同寻常，经常学习、诵读它。

……

张良当初在下邳桥上遇见那个给他《太公兵法》的老人家，在别后十三年他随高祖皇帝经过济北，果然见到谷城山下的黄石，便把它取回，奉若至宝地祭祀它。留侯去世时，黄石也随之一起安葬。以后每逢扫墓以及冬夏节日祭祀张良的时候，也同时祭祀黄石。

文史链接

张良形象的神秘色彩

张良遇圯上老人授书，并于十三年后取谷城山下黄石祭祀的故事传诵千古。这则故事出自《史记·留侯世家》，通过对这则故事的生动描写，司马迁刻画了张良隐忍的性格特点，颇具传奇色彩。司马迁对此也发出了“学者多言无鬼神，然言有物。至如留侯所见老父予书，亦可怪矣”的感慨。这则故事也激励了无数历史人物努力克服性格弱点，最终成就一番事业。正如苏轼所说："古之成大事者，不惟有超世之才，亦必有坚忍不拔之志。”张良受黄石老人兵书的故事，正印证的这一点。

除了张良受书故事之外，太史公在《史记·留侯世家》中还记载说：张良曾经在淮阳学习礼法，到东方见到了仓海君。他找到一个大力士，造了一把一百二十斤重的铁锤。秦始皇到东方巡游，张良与大力士在博浪沙这个地方袭击秦始皇，误中了副车。功成名就之后，张良表示“愿弃人间事，欲从赤松子游耳。”赤松子是汉代普遍崇拜的得到成仙之人，与王子乔齐名，并称为“松乔”。汉代修仙的重要手段就是“学辟谷，道引轻身”。“欲从赤松子游”表明了张良想从功名利禄的束缚之中解脱出来，清静无为，修仙入道的人生志趣。张良的这一思想转变，不是突发奇想，而是各种原因综合作用的结果。首先，多年战乱，黎民饱受战乱之苦，深感人生之短暂，加之汉初推行黄老之学，政治上主张清静无为，人们对战国以来的神仙之说充满殷切的向往和渴望，上至王公贵族下到黎民百姓都渴望长生久视，社会上兴起了一股求仙热潮。最具代表性的就是淮南王刘安。其次，张良深谙“狡兔死，良狗烹；飞鸟尽，良弓藏；敌国破，谋臣亡”的道理，在群臣争功的情况下，他“不敢当三万户”，刘邦对他的封赏，他也极为知足，他称病杜门不出，行“道引”、“辟谷”之术，并扬言“愿弃人间事，欲从赤松子游”，处处表现出急流勇退的思想。在汉初“三杰”中，韩信被杀，萧何被囚，张良却始终毫发未伤，得以保全。司马迁通过一系列故事，把张良刻画成了我国历史上一个城府极深、明哲保身的人物典型。

总之，张良受黄石兵书的故事与后面“东见仓海君”、“得力士”、“学辟谷，道引轻身”、“欲从赤松子游”等一系列扑朔迷离、亦真亦幻的故事情节，都具有浓厚的道教色彩，可谓浑然一体、妙趣天成，为张良这一人物形象的塑造抹上了一层神秘的色彩。张良也因此成为一位颇具传奇色彩的历史人物，关于他的故事也被后人不断演绎并广为传诵。

思考讨论

黄石兵法的故事给予我们怎样的人生启示？

借箸代筹

汉三年，项羽急围汉王荥阳[1]，汉王恐忧，与郦食其谋桡楚权[2]。食其曰：“昔汤伐桀，封其后于杞[3]。武王伐纣，封其后于宋。今秦失德弃义，侵伐诸侯社稷，灭六国之后，使无立锥之地。陛下诚能复立六国后世，毕已受印，此其君臣百姓必皆

戴陛下之德，莫不向风慕义，愿为臣妾[4]。德义已行，陛下南向称霸，楚必敛衽而朝[5]。”汉王曰：“善。趣刻印[6]，先生因行佩之矣[7]。”

注释

[1]荥阳：古代城邑名称，在今河南荥阳东北，历来为兵家必争之军事要地。 [2]桡（náo）：阻止，这里指削弱、限制。楚权：项羽的势力。 [3]杞：古国名，在今河南杞县。 [4]臣妾：仆人、奴婢，这里指臣下、子民。 [5]敛衽：整理衣襟。敛衽而朝有恭敬、服从，甘愿臣服之意。 [6]趣刻印：意为赶紧刻制印章。趣，同“促”，迅速。 [7]因行佩之矣：出发时就可以带着它啦。因行，趁往行之机会。佩，携带。

译文

公元前204年，即刘邦被封为汉王的第三年，项羽在荥阳围困了刘邦，刘邦恐惧忧虑，和谋士郦食其谋划削弱项羽的势力。郦食其说：“过去商汤讨伐夏桀，并分封他的后代在杞国。周武王讨伐商纣王，分封他的后代在宋国。今天秦朝失去德行，背弃道义，侵伐诸侯，危及社稷，灭掉六国之后，使得其国无立锥之地。陛下您如果能够重新分封六国后世，使其受印而治，那么他们的君臣百姓一定会对陛下感恩戴德，没有不臣服于陛下的。德义施行之后，南向而称霸，楚国一定会恭敬臣服。”刘邦说：“好。赶紧刻制印章，您出发的时候就可以带着它了。”

食其未行，张良从外来谒。汉王方食，曰：“子

房前[1]！客有为我计桡楚权者。”具以郦生语告，曰：“于子房何如？”良曰：“谁为陛下画此计者？陛下事去矣。”汉王曰：“何哉？”张良对曰：“臣请藉前箸为大王筹之[2]。”曰：“昔者汤伐桀而封其后于杞者，度能制桀之死命也。今陛下能制项籍之死命乎？”曰：“未能也。”“其不可一也。武王伐纣封其后于宋者，度能得纣之头也。今陛下能得项籍之头乎？”曰：“未能也。”“其不可二也。武王入殷，表商容之闾[3]，释箕子之拘[4]，封比干之墓[5]。今陛下能封圣人之墓，表贤者之闾，式智者之门乎[6]？”曰：“未能也。”“其不可三也。发巨桥之粟，散鹿台之钱，以赐贫穷[7]。今陛下能散府库以赐贫穷乎？”曰：“未能也。”“其不可四矣。殷事已毕，偃革为轩[8]，倒置干戈，覆以虎皮，以示天下不复用兵。今陛下能偃武行文，不复用兵乎？”曰：“未能也。”“其不可五矣。休马华山之阳，示以无所为。今陛下能休马无所用乎？”曰：“未能也。”“其不可六矣。放牛桃林之阴[9]，以示不复输积。今陛下能放牛不复输积乎？”曰：“未能也。”“其不可七矣。且天下游士离其亲戚，弃坟墓，去故旧，从陛下游

者，徒欲日夜望咫尺之地。今复六国，立韩、魏、燕、赵、齐、楚之后，天下游士各归事其主，从其亲戚，返其故旧坟墓，陛下与谁取天下乎？其不可八矣。且夫楚唯无强[10]，六国立者复桡而从之[11]，陛下焉得而臣之？诚用客之谋，陛下事去矣。”汉王辍食吐哺，骂曰："竖儒，几败而公事！"令趣销印。

（选自《史记·留侯世家》）

注释

[1] 子房：张良的字。前：过来。泷川资言曰："汉高呼诸臣常称其名，独于张良则否，盖以宾待之也。" [2] 藉：同"借"。前箸：您面前的筷子。筹：计算。原意是借你前面的筷子来指画当前的形势。后比喻从旁为人出主意，计划事情。 [3] 表商容之间：在商容所居住过的里巷口立表以彰显之。表，标也，如碑碣匾额之类，用以彰显善行者也。商容，纣时贤人，进谏商纣王而不听，去而隐居太行山。 [4] 箕子：纣王的叔父，为殷太师，谏纣王不听，于是佯装疯狂为奴隶，被商纣王所囚禁。拘：囚禁。[5] 封墓：修坟。比干：商纣时的贤臣，因力谏纣王，被剖心而死。[6] 式：同"轼"，车前横木。古人乘车路逢某事物，有应表示敬意者，即把头伏在车前横木上，这种动作也叫做轼。智者：指上文提到的箕子一类的贤士。 [7] "发巨"句：《史记·周本纪》记载武王灭商以后，曾经"命南宫括散鹿台之财，发巨桥之粟，以振贫弱萌隶"。巨桥，指巨桥仓，商朝粮仓名。鹿台，古台名，商纣王生前曾将大量财宝贮藏其中。武王灭商之后，纣王逃上鹿台，

自焚而死。 [8]偃革为轩：偃，废弃。轩，有篷的车，即所谓“乘车”，与兵车相对而言。 [9]放牛：让牛休息。牛代指战争之时供运输所用者。桃林：也称桃林寨，大约在今河南灵宝以西、陕西潼关以东地区。《史记·周本纪》云：“纵马于华山之阳，放牛于桃林之虚，偃干戈，振兵释旅，示天下不复用也。”

[10]楚唯无强：天下唯有楚国最强。无强，无敌，没有比它更强大的。

[11]桡而从之：屈服。

译文

郦食其还没有出发，张良从外面来拜谒汉王。汉王正在吃饭，说：“子房，你过来！谋士中有人为我设计了一个削弱楚国的方案。”然后把郦食其的话告知了张良，说：“子房对这件事怎么看？”张良说：“是谁为陛下设计的这个方案？陛下的大好形势就要失去了！”刘邦说：“为什么？”张良回答说：“请允许我借您面前的筷子为您计算一下。”说：“过去商汤讨伐夏桀，并分封他的后代在杞国，能够治夏桀的死罪。现在陛下能治项羽的死罪吗？”刘邦说：“不能。”张良说：“这是不能实行的第一个理由。周武王讨伐商纣王，分封他的后代在宋国，取得了商纣王的首级。现在陛下能够得到项羽的首级吗？”刘邦说：“不能。”张良说：“这是不能实行的第二个理由。周武王进入殷朝国都朝歌，在商容所居住过的里巷口立表以彰显之，释放了被商纣王所囚禁的箕子，并为比干重修坟墓。现在陛下能够封圣人的坟墓，在商容所居住过的里巷口立表彰显，在智者的门口表示敬意吗？”刘邦说：“不能”。张良说：“这是不能实行的第三条理由。发巨桥之粟，散鹿台之财，以赈济贫弱。现在陛下能够散发府库中的钱粮来赈济贫穷之民吗？”刘邦说：“不能。”张良说：“这是不能实行的第四个理由。殷朝的事情已经说完了，废兵车而用乘

车，把兵器搁置起来，盖上虎皮，表示天下不再有战争。现在陛下能够停止征伐，施行文德，不再用兵吗？”刘邦说：“不能。”张良说：“这是不能实行的第五个理由。将战马放归华山南面，来表示自己无为而治。现在陛下能够放马而无为以治吗？”刘邦说：“不能。”张良说：“这是不能实行的第六个理由。将战时运输所用弃而不用，以示天下不再有战争输送。现在陛下能够不再输送战略物资吗？”刘邦说：“不能。”张良说：“这是不能实行的第七个理由。况且天下游士离别其亲戚，放弃其祖坟，与故旧分离，来追随陛下，日夜只是希望得到一块封地。现在重新恢复六国的局面，封立韩国、魏国、燕国、赵国、齐国、楚国的后裔，天下的游士各自回去侍奉他们的主子，回到家乡、亲人那里去，返回自己的故旧坟墓之所在，这样的话，那陛下和谁一起攻取天下呢？这是不能实行的第八个理由。况且天下唯有楚国势力最强，重新分封的六国之主削弱而屈服于它，陛下怎么能够让他们都臣服于您呢？如果用这个谋士的策略，那陛下的事业就会毁于一旦了。”刘邦中断吃饭，吐出口中正在咀嚼的食物，大骂道：“这个儒家小子，差点坏了你老子的大事！”下令立刻将新刻之印销毁。

文史链接

借箸代筹的远见卓识

当刘邦与项羽楚汉之争的紧要关头，有个叫郦食其的儒生给刘邦出了个主意，让他分封战国时期六国的后代，以此来笼络包括楚国在内的天下臣民之心。刘邦吃饭之时，恰逢张良来见，便询问张良这个主意如何，张良立即表示坚决反对，从刘邦的食案上抓过一把筷子说：“请让我以这把筷子来为大王筹划。”接着条分缕析，从八个方面力驳这种主张的危害。这就是“借箸代筹”典故的由来，亦可称之为“张良借箸”。刘邦接受了张良的意见，收回成命，避免了分裂割据现象的出现，成就了两汉四百年的统一大业。明朝的刘基曾有诗形容这一情节。朱元璋问刘基：“能诗乎？”刘答：“儒者末事，何谓不能？”时朱元璋正在进餐，便指面前的斑竹箸筷子让刘基赋诗。刘基即席口占曰：“一对湘江玉并看，二妃曾洒泪痕斑。”朱元璋皱眉不悦道：“秀才气味。”待后两句一出：“汉家四百年天下，尽在张良一借间！”刘基的远见卓识于此二句之中遂跃然纸上。这一说法并没有夸大其辞，张良借箸代筹的故事正发生在楚汉战争的关键时刻，如果没有张良及时纠正郦食其的错误策略，悬崖勒马，刘邦很可能就此失去战略上的优势地位，汉朝的建立也就无从谈起。

郦食其建议刘邦效法商汤和周武王分封的做法是不符合当时的历史背景的。其一，商汤讨伐夏桀，分封他的后代在杞国。周武王讨伐商纣王，分封他的后代在宋国，都是在天下初定之后，且两者讨伐的对象是人人得而诛之的夏桀和商纣王，与当时刘邦、项羽争夺天下的关键时期以及对象有着本质的区别。其二，分封制是和宗法制度密切相连的。宗法制是由父系家长制演变而来的。将天子后代分为大宗、小宗。天子世代相传，每代的天子都是以嫡长子的身份继承王位，奉始祖为大宗；嫡长子的诸弟封为诸侯，叫做小宗。且西周时期的分封大部分也是分封同姓诸王，维护了贵族世袭统治。如果刘邦分封六国后裔，无异于放虎归山，战争的成果必然会毁于一旦。即便是后来刘邦建立汉朝之后，施行了分封刘姓之王的制度，也没有避免若干年之后的“吴楚七国之乱”，其后改分封制为郡县制，方才维护了封建社会的长治久安。事实证明分封制是特殊历史时期的产物，已经不再适应历史的发展了。

思考讨论

"借箸代筹"的故事对于刻画刘邦和张良形象起到了什么作用？

犬马之心

"大司马臣去病昧死再拜上疏皇帝陛下[1]：陛下过听[2]，使臣去病待罪行间[3]。宜专边塞之思虑[4]，暴骸中野无以报[5]，乃敢惟他议以干用事者[6]，诚见陛下忧劳天下，哀怜百姓以自忘[7]，亏膳贬乐[8]，损郎员[9]。皇子赖天[10]，能胜衣趋拜[11]，至今无号位师傅官[12]。陛下恭让不恤[13]，群臣私望[14]，不敢越职而言。臣窃不胜犬马心[15]，昧死愿陛下诏有司，因盛夏吉时定皇子位[16]。唯陛下幸察[17]。臣去病昧死再拜以闻皇帝陛下。"三月乙亥，御史臣光守尚书令奏未央宫。制曰："下御史。"（选自《史记·三王世家》）

注释

[1] 大司马臣去病：即武帝时名将霍去病，其因讨伐匈奴有功而被封为骠骑将军，加号大司马。大司马，古代官名，"三公"之一，武帝时只是用为加官。昧死再拜上疏皇帝陛下：是汉臣上疏皇帝之时特用的戒惧性谦词。后文"臣去病昧死再拜以闻皇帝陛

下”与此同。 [2]过听：错误地听信。 [3]待罪行间：指受任大司马骠骑将军之职。行间，行伍之间。这里的“过听”、“待罪”都是客气的说法。 [4]边塞之思虑：意为专门考虑国家边塞的安全。 [5]暴骸中野：指战死沙场。中野，原野之上。[6]惟他议：考虑自己职分以外的事情。以干用事者：来麻烦主管这项事务的官员。干，打扰。用事者，主管该项工作的人。[7]自忘:忘身。 [8]亏膳贬乐:降低伙食标准，裁减歌舞人员。[9]损郎员：减少侍奉人员及警卫人员数量。 [10]赖天：托上天之灵。 [11]胜衣趋拜：幼儿渐长，身体能够架起衣服，可以走路、行礼。趋，小步疾行，古代臣子在君父面前行走的一种特定姿势。 [12]号位：指“王”、“侯”一类的封号。师傅官：指太师、太傅、少师、少傅等在帝王、太子或诸侯王、王太子身边主管教育、训导的官员。 [13]恭让不恤：恭敬谦让，不把自己儿子们的“私事”放在心上。不恤，不考虑。 [14]私望：指私下观望。 [15]不胜犬马心：意为实在克制不住自己犬马报主的殷殷之情。犬马，旧时臣子对君主的自卑之称。意谓臣下对君主的忠心。 [16]盛夏吉时定皇子位：《礼记·月令》云：“立夏之日，天子亲帅三公、九卿、大夫以迎夏于南郊，还反，行赏、封诸侯。”司马贞《索隐》按曰:“明堂月令云‘季夏月，可以封诸侯，立大官’是也。” [17]唯陛下幸察:请您考虑一下我的建议。唯，表祈使语气。幸，谦词。

译文

“大司马臣霍去病冒着杀头的危险再拜给皇帝陛下上疏：由于陛下错误地听信，让我担任大司马骠骑将军之职。我应该专门考虑国家边塞的安全，就是战死沙场也难以报答陛下的知遇之恩。之所以考虑自己职分以外的事情，给主管该事务的官员带来麻烦，实在是因为陛下为天下之事辛劳忧虑，哀怜百姓而忘身，降低伙食标准，裁剪歌舞人员，减少警卫人员的数量。皇子托上天之福，渐渐长大，直到现在还没有一个封号和主管其教育、训导的官员服侍左右。陛下恭敬谦让，不把自己儿子们的私事放在心上，群臣私下观望，不敢超越自己的职责而说话。臣实在克制不住自己犬马报主的一片心情，冒死请陛下诏令有关部门，选择盛夏吉时分封皇子，确立名爵。请陛下考虑我的建议。臣霍去病冒着杀头的危险再次恳请陛下考虑。”三月乙亥这一天，御史臣兼尚书令光将霍去病上疏送呈皇帝。皇帝批复：“下到御史府讨论。”

文史链接

君臣“空文”

选文中的这段话是霍去病一则上疏的内容。关于此文的作者历来颇有争议，虽然学界多认为本文非太史公之原作，但其仍有重要价值意义。从这段上疏的内容可以看出，霍去病以犬马之心进谏，可谓情之殷殷，言之切切，在“庄严肃穆”的行文之中，展示了一个忠贞不贰的臣子形象。然而，这一则上疏典型地反映了封建帝王与群臣之间的虚应故事，也成了滑稽有趣的演出剧本。实际上，在霍去病上疏之前，封皇子刘胥为齐王已经是武帝与王夫人在寝室之中早已内定之事，然而在付诸朝纲的实际操作之中，却要经过“天子恭让，群臣守义”的虚假程序。霍去病表面“忠心”，实则“谄媚”，是封建臣子上疏言事的一个代表。类似朝政大事，也多经过群臣再三请求，皇帝屡次驳回的复杂、虚假程序，最后皇帝“无奈”接受，下令施行。正如吴见思所评：“闺房私语，已定王齐，觉以前诏奏，皆属空文。”历代帝王与群臣之间，此类“空文”何其多也！

“天子恭让”是尧、舜时代既已确定的美德。尧了解自己的儿子丹朱不贤，不配传给他天下，因此才姑且试着让给舜。让给舜，天下人就都得到利益而只对丹朱一人不利；传给丹朱，天下人就会遭殃而只有丹朱一人得到好处。尧说：“我毕竟不能使天下人受害而只让一人得利。”所以最终还是把天下传给了舜。尧逝世后，三年服丧完毕，舜把帝位让给丹朱，自己躲到了南河的南岸。诸侯前来朝觐的不到丹朱那里去却到舜这里来；打官司的也不去找丹朱却来找舜；歌颂功德的，不去歌颂丹朱却来歌颂舜。舜说：“这是天意呀！”然后才到了京都，登上天子之位，这就是舜帝。舜的儿子商均不成材，舜就事先把禹推荐给上帝。十七年后舜逝世。服丧三年完毕，禹也把帝位让给舜的儿子，就跟舜让给尧的儿子时的情形一样。诸侯归服禹，这样，禹就登临了天子之位。这就是著名的尧舜禹禅让的传说。这里的禅让真正体现了天子恭让的美德，与后世“家天下”时代统治者的恭让有着本质的不同。这里的恭让是让贤，是真实不虚、胸怀天下的谦恭礼让，而后世统治者的恭让是虚伪做作、利己专私的假恭假让，表面上却标榜这是上承尧舜的美德。尧舜禹作为圣主贤君的典范，一直是后世帝王治理国家的榜样。“德比尧舜”也便成为后世为臣子者阿谀谄媚帝王的常用词语。臣下如霍去病者也深谙此道，明白帝王心理，以此“空文”作为讨好帝王，加官晋爵，赢得恩宠的手段。“犬马之心”的成语，将这一谄媚主上之心理十分生动地刻画了出来。这一做法可谓一举多得，一方面，可以颂皇帝之德行；另一方面，可以表臣下之忠心；更重要的是以一种崇高、体面的方式，解皇帝心想而又难言之隐忧。在殷殷切切、冠冕堂皇的言辞和反复请求与辞退之下，隐藏的却是君臣之间心照不宣的虚情假意与利己之心。

思考讨论

结合这个故事，谈一谈你对封建君臣关系及奏疏文的看法。

聖賢之道

湯一介

戊子年夏

國學基本教材

史记选读（下）

张　华　黄晓芳　赵立学◎编注

浙江古籍出版社

图书在版编目（CIP）数据

史记选读 / 张华，黄晓芳，赵立学编注．— 杭州：浙江古籍出版社，2013.9

国学基本教材

ISBN 978-7-5540-0149-3

Ⅰ．①史… Ⅱ．①张… ②黄… ③赵… Ⅲ．①中国历史–古代史–纪传体 Ⅳ．① K204.2

中国版本图书馆 CIP 数据核字（2013）第 210347 号

史记选读

张　华　黄晓芳　赵立学　编注

出版发行　浙江古籍出版社

（杭州体育场路 347 号　电话：0571-85176986）

网　　址　www.zjguji.com

责任编辑　陈临士　伍姬颖

特约编辑　田　雨　秦　南

责任校对　余　宏

美术编辑　刘　欣

责任印务　贾　敏

照　　排　杭州立飞图文制作有限公司

印　　刷　富阳美术印刷有限公司

开　　本　880 × 1230　1/32

印　　张　10.625

字　　数　252 千字

版　　次　2013 年 9 月第 1 版

印　　次　2013 年 9 月第 1 次印刷

书　　号　ISBN 978-7-5540-0149-3

定　　价　21.00 元

目　录

第五章　列　传

不食周粟

伯夷、叔齐，孤竹君之二子也[1]。父欲立叔齐，及父卒，叔齐让伯夷。伯夷曰："父命也。"遂逃去。叔齐亦不肯立而逃之。国人立其中子。于是伯夷、叔齐闻西伯昌善养老[2]，盍往归焉。及至，西伯卒，武王载木主[3]，号为文王，东伐纣。伯夷、叔齐叩马而谏曰[4]："父死不葬，爰及干戈，可谓孝乎？以臣弑君[5]，可谓仁乎？"左右欲兵之。太公曰："此义人也。"扶而去之[6]。武王已平殷乱[7]，天下宗周，而伯夷、叔齐耻之，义不食周粟，隐于首阳山，采薇而食之。及饿且死，作歌。其辞曰："登彼西山兮，采其薇矣。以暴易暴兮，不知其非矣。神农、虞、夏忽焉没兮，我安适归矣？于嗟徂兮[8]，命之衰矣！"遂饿死于首阳山。（选自《史记·伯夷列传》）

伯夷、叔齐采薇首阳山

注释

[1]孤竹君：孤竹国国君，孤竹是殷代国名。 [2]西伯昌：即周文王姬昌，当时是西方诸侯之长，故称西伯。 [3]载木主：用车载着木制的灵牌位。 [4]叩马：勒住马的意思。 [5]弑：古代臣杀君或者子女杀父母称为弑。 [6]去之：就是让他们离去的意思。 [7]殷乱：指商纣乱政。 [8]于嗟（xū jiē）：叹词。于，通“吁”。

译文

伯夷、叔齐是孤竹国国君的两个儿子。父亲想要立叔齐为国君，等到父亲去世，叔齐要把国君之位让给伯夷。伯夷说：“这是父亲的遗命。”于是便逃走了。叔齐不愿意做国君也逃走了。国人只好拥立孤竹国国君的次子做国君。这时伯夷、叔齐听说西伯昌能够优待尊养老人，便都前去归附西伯昌。等到到了那里，西伯昌去世了，武王用车载着他的木制的灵牌位，尊称为文王，往东去讨伐殷纣王。伯夷、叔齐勒马进谏说：“父亲死了不加安葬，就大动干戈，这能称得上是孝吗？以臣子的身份去杀害君主，这能说是仁义吗？”武王身边的侍从想要杀害他们。太公说：“他们是仁义之人啊。”就让他们离去了。武王讨伐商纣后，天下奉周王室为宗主，而伯夷、叔齐却认为宗周是耻辱的，他们坚持节气不吃周朝的粮食，隐居在首阳山，靠采摘野菜充饥。等到将要饿死的时候，作了一首歌：“登上西山啊，采摘薇菜。用暴臣代替暴君啊，竟认识不到自己的错误。神农、虞、夏的天下转眼就消失了啊，我们去哪里找到归宿？哎呀就这样死了吧，命运如此衰薄！”于是饿死在首阳山上。

文史链接

后世对伯夷、叔齐的评价

《不食周粟》的故事节选自《史记·伯夷列传》，司马迁不仅为伯夷、叔齐立传，而且将《伯夷列传》置于七十列传之首，《伯夷列传》带有列传总序的性质。伯夷、叔齐作为高风亮节的义士典范而千古流传。从古至今，人们对于伯夷、叔齐的评价也非常多。

孔子多次称赞伯夷、叔齐。《论语·述而》中称伯夷、叔齐为“古之贤人”，他们“求仁而得仁”，坚守节义，一生无悔。《论语·微子》中孔子曾说：“不降其志，不辱其身，伯夷、叔齐与？”伯夷和叔齐不动摇、不降低自己的志向，也不辱没自己的身份。《论语·公冶长》中孔子又称：“伯夷叔齐不念旧恶，怨是用希。”伯夷、叔齐不记人家过去的仇恨，所以很少被怨恨。孔子称赞伯夷、叔齐不念旧恶、宽容待人，这也是儒家所提倡的为人处世的态度。《论语·季氏》说“伯夷叔齐饿于首阳之下，民到于今称之”，伯夷、叔齐饿死在首阳山，民众一直称道他们。《论语》中孔子尊伯夷、叔齐为贤人，可见孔子是非常敬重伯夷和叔齐的。《孟子·万章下》中说：“伯夷，目不视恶色，耳不听恶声。非其君不事，非其民不使。

治则进，乱则退。横政之所出，横民之所止，不忍居也。思与乡人处，如以朝衣朝冠坐于涂炭也。当纣之时，居北海之滨，以待天下之清也。故闻伯夷之风者，顽夫廉，懦夫有立志。”伯夷的眼睛不看邪恶的事物，耳朵不听邪恶的声音。不是他心目中理想的君主就不去服侍，不是他所认可的百姓就不去使唤。天下安定太平就出来做官，天下混乱就退而隐居。有暴政的国家和有刁民的地方，他都不愿去居住。他认为和没教养的乡下人打交道，就如同穿戴礼服礼帽坐在污秽的东西上一样。在商纣王当政时，他住在北海的海边，等待着天下的清明。因此，听说了伯夷节操的人，贪婪之人会变得廉洁，懦弱之人会变得有志向。孟子称伯夷为“圣之清者”。《管子》中认为“伯夷叔齐，非于死之日而后有名也，其前行多修矣”。伯夷、叔齐不是饿死后才出名的，之前的德行就已经非常完美了。

唐代的大诗人韩愈写过赞颂伯夷、叔齐的《伯夷颂》：“士之特立独行，适于义而已，不顾人之是非，皆豪杰之士，信道笃而自知明者也。一家非之，力行而不惑者寡矣；至于一国一州非之，力行而不惑者，盖天下一人而已矣；若至于举世非之，力行而不惑者，则千百年乃一人而已耳。若伯夷者，穷天地亘万世而不顾者也。昭乎日月不足为明；崒乎泰山不足为高；巍乎天地不足为容也。当殷之亡、周之兴，微子贤也，抱祭器而去之。武王、周公圣也，从天下之贤士与天下之诸侯而往攻之，未尝闻有非之者也。彼伯夷、叔齐者，乃独以为不可。殷既灭矣，天下宗周。彼二子乃独耻食周粟，饿死而不顾。繇是而言，夫岂有求而为哉？信道笃而自知明也。今世之所谓士者，一凡人誉之，则自以为有余；一凡人沮之，则自以为不足。彼独非圣人，而自是如此。夫圣人乃万世之标准也。余故曰，若伯夷者，特立独行，穷天地亘万世而不顾者也。虽然，微二子，乱臣贼子接迹于后世矣。”韩愈是非常称赞伯夷的“特立独行”的。

当然，对于伯夷、叔齐的评价，也是仁者见仁，智者见智。如《庄子·盗跖》中认为伯夷、叔齐“无异于磔犬流豖操瓢而乞者，皆离名轻死，不念本养寿命者也”。又如鲁迅所写的《采薇》，彻底颠覆了伯夷、叔齐的形象，伯夷、叔齐恪守旧礼、逃避现实、迂腐软弱、自命清高，成为被嘲讽的对象。然而，总体来说，伯夷、叔齐作为尚谦让、崇廉洁、守节义的典型，对中国文化还是有着重要影响的。

思考讨论

读了这篇故事，你如何评价伯夷和叔齐？

管鲍之交

管仲夷吾者[1]，颍上人也。少时常与鲍叔牙游，鲍叔知其贤[2]。管仲贫困，常欺鲍叔[3]，鲍叔终善遇之[4]，不以为言[5]。已而鲍叔事齐公子小白[6]，管仲事公子纠[7]。及小白立[8]，为桓公，公子纠死，管仲囚焉。鲍叔遂进管仲[9]。管仲既用，任政于齐。齐桓公以霸[10]，九合诸侯[11]，一匡天下，管仲之谋也。

注释

[1]管仲夷吾：管仲是春秋时期杰出的政治家，助齐桓公成就霸业。 [2]鲍叔:即鲍叔牙，下同。贤:指有才德。 [3]欺:欺骗。 [4]终：指始终。遇：对待。 [5]不以为言：不因此事发议论。 [6]已而：不久。公子小白：即后来的齐桓公。[7]公子纠：公子小白同父异母的兄弟。 [8]及：等到。[9]进：即举荐。 [10]以：因。 [11]九：泛指多次。

译文

管仲名夷吾，是颍水边上的人。管仲年轻的时候经常和鲍叔牙交游，鲍叔牙知道他是贤良之才。管仲家中贫困，常常欺骗鲍叔，鲍叔却始终友好地对待他，不因此事发议论。不久鲍叔侍奉齐国公子小白，管仲则侍奉公子纠。等到公子小白即位，成为齐桓公，公子纠死去，管仲被囚禁。鲍叔就向齐桓公推荐管仲。管仲被任用后，在齐国当政，齐桓公凭借管仲而称霸天下，多次会盟诸侯，扶正王室，这都是管仲的谋略。

管仲曰："吾始困时，尝与鲍叔贾[1]，分财利多自与，鲍叔不以我为贪，知我贫也。吾尝为鲍叔谋事而更穷困，鲍叔不以我为愚，知时有利不利也。吾尝三仕三见逐于君[2]，鲍叔不以我为不肖，知我不遭时也。吾尝三战三走[3]，鲍叔不以我为怯，知我有老母也。公子纠败，召忽死之，吾幽囚受辱，

鲍叔不以我为无耻，知我不羞小节而耻功名不显于天下也。生我者父母，知我者鲍子也。”

注释

[1]贾（gǔ）：指做买卖。　[2]见逐：被驱赶，被驱逐。[3]走：指逃跑。

译文

管仲说：“我起初贫困时，曾经和鲍叔一起做买卖，分财利时总是给自己多分，鲍叔不认为我是贪心，知道我是因为贫穷。我曾替鲍叔谋划事情却使他更加困窘，鲍叔不认为我愚笨，知道时机有好有不好。我曾经多次做官又多次被君王驱逐，鲍叔不认为我不成器，知道我没遇上好时势。我曾经多次参加战斗又多次逃跑，鲍叔不认为我胆小怕死，知道我家中还有年迈的母亲。公子纠失败，召忽为此而死去，我被囚禁受了屈辱，鲍叔不认为我没有廉耻，知道我不因小的过错感到羞愧，却以功名不显扬于天下而深感羞耻。生我的是父母，而真正了解我的人是鲍子。”

鲍叔既进管仲，以身下之[1]。子孙世禄于齐，有封邑者十余世，常为名大夫。天下不多管仲之贤而多鲍叔能知人也[2]。

（选自《史记·管晏列传》）

注释

[1]以身下之：将自已置于管仲之下。　[2]多：这里指赞美，推崇。

译文

鲍叔举荐管仲后，将自己置于管仲之下。他的子孙世代在齐国享受俸禄，领有封邑达十多代，多为知名大夫。天下人不赞美管仲的才德，却赞美鲍叔能够识别人才。

文史链接

管仲佐桓公以霸术

管仲治齐，进行了一系列改革，助齐桓公成就霸业，建立了彪炳史册的功绩。《国语·齐语》中记载了在鲍叔牙的劝说和推荐之下，齐桓公不计前嫌，任用管仲为相，初见面，齐桓公便向管仲请教如何治理振兴齐国，管仲向桓公提出了治国称霸的方略。

桓公问管仲，过去先君襄公修筑高台以示高贵，围捕禽兽，网吐射鸟，轻圣贤重女人，妃嫔锦衣玉食，兵士挨冻受饿，亲倡优，远贤德，国家不能日有所进，月有所长，如此下去，恐怕宗庙无人打扫，社稷也难以受祭。这些情况应该如何处理？

管仲回答道，以前的周昭王、周穆王以效法文王、武王而美名远扬，集合年高有德的人，考察百姓中有德行道义的人，制定法令作为民众的行为准则，树立榜样，用法度把百姓维系起来，先整齐根本再解决细枝末节的问题，以赏赐奖励善行，以刑法纠正恶行，使长幼有序，以这些作为纲纪。

桓公进一步问如何做，管仲便提出了自己的见解，从前圣王治理天下，把都城分三区、郊野分五区，确定百姓的居住区域，成就他们的事业，陵墓是他们最终的归宿，慎重地使用生、杀、贫、富、贵、贱六种权柄。

桓公又问怎样才能发展百姓的事业，管仲说，士、农、工、商四种职业的人，不要混杂居住，若混杂居住则会使他们互相干扰，不能安心工作。桓公问怎样安排他们的住地，管仲提出建议，以前圣王把士人安排在清静之处居住，把工匠安排在官府居住，把商人安排在市场居住，把农民安排在田野居住。让士人集中在一起居住，空闲时父辈间可谈论信义礼仪，子弟间可谈论孝顺老人，侍奉国君的谈论尽忠尽职，年幼的谈论尊敬兄长。从小就耳濡目染，他们的心是安定的，不会见异思迁。因此父兄的教诲不用督促就可以实行，子弟的学习不用费多少力气就可以学好。如此，士人的子弟就一直是士人。让工匠集中在一起居住，了解四季的不同产品需要，辨别质量的优劣，衡量估计器材的用途，选择适用的材料。从早到晚做这些事，把制作的产品销往四方，以此来教诲他们的子弟，交谈的是手艺，看到的是技艺，展示的是制成品。年少的时候就学习这些，他们就会心安于此，不会随便转行。所以，父兄教育不用严峻督促就可以完成，子弟学习不必费力气就可以学好。如此，工匠的子弟就一直是工匠。让商人集中在一起居住，考察四时所需，观察本地资财的有无，了解市场价格，然后背、抱、挑、举，用牛车拉，用小马车拖，贩运货物到四方，用已有的东西换取缺乏的物品，贱买贵卖。从早到晚忙这些事，以此教育子弟，谈论生财之道，交流赚钱经验，展示经营手段。从小就学习做生意，他们的心安于这些，不会随便转行，因此，父兄教育不用督促就可以完成，子弟学习不必费力气就可以学好。如此，商人的子弟就一直是商人。让农民集中在一起居住，了解不同季节的农事，根据农事准备农具。寒冷的冬天，打草治田，等待春耕；耕种季节，深耕细作，等待春雨；春雨过后，带着农具，在田里做事。劳动时脱去上衣，戴上草帽，穿上蓑衣，满身泥土，暴晒皮肤，用尽力气在田里干活。从小就耳濡目染，他们的心是安定的，不会见异思迁。因此父兄的教诲不用督促就可以实行，子弟的学习不用费多少力气就可以学好。如此，农民的子弟就一直是农民。他们居住在野外而不做坏事，他们当中的优秀者能做官的，一定值得信赖。官吏发现这样优秀的人而不报告，罪在五刑之列。官员必须推荐贤才。

桓公又问怎样确定百姓的住地，管仲认为，把国都划分为二十一个乡。桓公表示赞同。管仲于是将国都划分为二十一个乡，工匠和商人六个乡，士人和农民十五个乡。桓公统帅五个乡，国子统帅五个乡，高子统帅五个乡。分国事为三，官职也各设置三名。设立三卿管群臣，三族管工匠，三乡管商人，三虞管川泽，三衡管山林。

桓公说想在诸侯间做一番事业，问管仲可以吗，管仲认为不可以，因为国家还未安定。关于如何安定国家，管仲提出了自己的看法，研习旧法，好的加以实行；繁殖人口，救贫困，安百姓，如此，国家才能安定。桓公问国家安定了，是否就能讨伐诸侯了，在管仲看来，还不行。管仲认为，如果整顿军队、修造铠甲兵器，其他大诸侯国也会如此，那就难以很快实现心愿了。如果想要尽快实现讨伐诸侯的志向，军事活动可以隐藏起来，治理内政，其中寄寓军令。

于是管仲制定治理国家的政令，五家为一轨，设轨长；十轨为一里，设有司；四里为一连，设连长；十连为一乡，设良人。就用这种制度作为军事组织的命令，五家为一轨，因此五人为一伍，轨长率领；十轨为一里，因此五十人为一小戎，里的有司率领；四里为一连，因此二百人为一卒，连长率领；十连为一乡，因此二千人为一旅，良人率领；五乡为一帅，因此万人为一军，五乡的帅率领。全国有三军，因此有国君亲自统帅的中军旗鼓，有国子旗鼓，有高子旗鼓。春天利用春猎练兵，秋天利用秋猎练兵。所以小队伍在里整训，大兵团在郊外整训。通过内政训练好军队，命令民众不要迁徙。同伍之人，祭祀共享酒肉，死丧同哀伤，灾祸共担当。这些人关系密切，世代同住一地，非常熟悉，融洽和睦，能同欢乐共哀伤。因此，防守时都很牢固，作战时都很英勇。君主若拥有三万这样的兵士，在普天下行动，讨伐无道的诸侯，保卫王室，便无人能够抵挡了。

思考讨论

1. 你觉得鲍叔牙有哪些品质值得学习？

2. 谈一谈你对“生我者父母，知我者鲍子也”这句话的理解。

意气扬扬

晏子为齐相，出，其御之妻从门间而窥其夫[1]。其夫为相御[2]，拥大盖，策驷马[3]，意气扬扬，甚自得也。既而归，其妻请去[4]。夫问其故。妻曰：“晏子长不满六尺，身相齐国，名显诸侯。今者妾观其出，志念深矣，常有以自下者。今子长八尺，乃为人仆御，然子之意自以为足，妾是以求去也。”其后夫自抑损[5]。晏子怪而问之，御以实对。晏子荐以为大夫。

（选自《史记·管晏列传》）

注释

[1]御：此处是车夫的意思。窥：指暗中偷看。[2]御：这里指驾车。[3]策：指鞭打。[4]请去：请求离去。[5]抑损：谦恭、谦逊、退让的意思。

译文

晏子做了齐国的宰相，外出时，他的车夫的妻子从门缝里暗中偷看她的丈夫。她的丈夫为宰相驾车，头遮大伞盖，手鞭四匹马，意气扬扬，非常得意。不久车夫回到家里，他的妻子请求离去。车夫问妻子为什么要离去。妻子说："晏子身高不足六尺，却做了齐国宰相，在各诸侯国名声显扬。今天我看他出行，志向意念很是深远，常有一种自谦的风度。如今您身高八尺，只是给人家当仆役驾车，可是您还得意扬扬，自以为非常满足，我因此请求离去。"此后，车夫就谦恭退让起来。晏子感到奇怪，就问车夫，车夫将实际情况告诉晏子。晏子就推荐车夫做了大夫。

文史链接

晏子进谏的故事

晏子，姓晏名婴，字仲，谥平。晏子历任齐灵公、齐庄公、齐景公三朝卿相，爱国忧民，节俭谦恭，机敏善辩，善于进谏，是历史上著名的思想家、政治家、外交家。为了匡正齐君的过失，晏子曾多次进谏。《晏子春秋》中记录了晏子的多次进谏，这些充满忠诚和智慧的进谏，给我们很多启示。下面给大家讲三个晏子进谏的故事。

故事一：

齐景公饮酒时，非常高兴，就让大家开怀畅饮，臣子不必拘礼。晏子劝景公，认为君臣之礼是不能废除的，人类之所以比禽兽高贵，就在于能用礼法约束和规范自己的行为，礼节是不能不讲究的。齐景公酒兴正浓，根本听不进去。过了一会儿，景公出入时，晏子并没有站起来迎送，而是安坐不动。大家举杯敬酒时，晏子无视景公，自己先饮。晏子无视礼节的种种举动激怒了景公，景公责备晏子，晏子对景公说，不敢忘记景公让大家不必拘礼的话，不要礼节的后果，就是这样的。景公意识到自己的错误，接受了晏子的忠告，从此之后，整顿法纪，修订礼仪，治理国政，百姓都规矩起来了。

故事二：

齐景公酷爱射鸟，派烛邹专门管鸟，却让鸟给飞跑了。景公大发雷霆，命令官吏杀死烛邹。晏子对景公说烛邹有三大罪状，先公布罪状再将他处死，景公同意了。于是，晏子就把烛邹叫到景公面前，逐条数说烛邹的罪状，晏子指出，烛邹为君王管鸟，却让鸟飞跑了，这是罪状一；烛邹使君王因鸟之故而杀人，这是罪状二；杀了烛邹，天下诸侯都以为君王重鸟轻士，这是罪状三。晏子公布完烛邹的罪状后，再请景公杀死烛邹。景公明白了晏子的意思，就放了烛邹。

故事三：

齐景公的宠妾婴子死了，景公守着婴子的尸体，一连三天不吃饭，身不离席，不让安葬。近臣提醒景公，他根本就听不进去。晏子就骗景公说有会法术的人和医生希望给婴子治病，可以试试让婴子起死回生。景公大喜，便按照晏子的话沐浴饮食，把婴子的宫室隔离起来。于是，晏子命人把尸体收殓。收殓之后，对景

公说医生无法医治，已经收殓了。景公非常不高兴，知道晏子骗了自己。晏子便对景公亲谗佞之徒、远贤良之辈的做法进行了批评，同时也指出景公对待宠妾婴子之死哀伤过度所产生的非理性行为不符合圣王的节制，违背圣明君王的本性，认为做百姓非难的事情，是不可以的。景公接受了晏子的建议。

思考讨论

1. 这个故事中的人物各有什么特点？
2. 读了这个故事，你悟出了什么道理？

穰苴执法

司马穰苴者[1]，田完之苗裔也[2]。齐景公时，晋伐阿、甄，而燕侵河上，齐师败绩。景公患之。晏婴乃荐田穰苴曰：“穰苴虽田氏庶孽[3]，然其人文能附众，武能威敌，愿君试之。”景公召穰苴，与语兵事，大说之，以为将军，将兵扞燕晋之师[4]。穰苴曰：“臣素卑贱，君擢之闾伍之中，加之大夫之上，士卒未附，百姓不信，人微权轻，愿得君之宠臣，国之所尊，以监军，乃可。”于是景公许之，使庄贾往。穰苴既辞，与庄贾约曰：“旦日日中会于军门[5]。”穰苴先驰至军，立表下漏待贾。贾素骄贵，以为将己之军而己为监，不甚急；亲戚左右送之，留饮。日中而贾不至。穰苴则仆表决漏，入，行军勒兵，申明约束。约束既定，夕时，庄贾乃至。穰苴曰：“何后期为？”贾谢曰：“不佞大夫亲戚送之，故留。”穰苴曰：“将受命之日则忘其家，临军约束则忘其亲，援桴鼓之急则忘其身[6]。今敌国深侵，邦内骚动，士卒暴露于境，君寝不安席，食不甘味，百姓之命皆悬于君，何谓相送乎！”召军正问曰：“军法期而后至者云何[7]？”对曰：“当斩。”庄贾惧，使人驰报景公，请救。既往，未及反，于是遂斩庄贾以徇三军[8]。三军之士皆振栗。久之，景公遣使者持节赦贾，驰入军中。穰苴曰：“将在军，君令有所不受。”问军正曰：“驰三军法何？”正曰：“当斩。”使者大惧。穰苴曰：“君

穰苴斩庄贾

之使不可杀之。”乃斩其仆，车之左驸，马之左骖，以徇三军。遣使者还报，然后行。士卒次舍井灶饮食问疾医药，身自拊循之[9]。悉取将军之资粮享士卒，身与士卒平分粮食，最比其羸弱者[10]。三日而后勒兵。病者皆求行，争奋出为之赴战。晋师闻之，为罢去[11]。燕师闻之，度水而解[12]。于是追击之，遂取所亡封内故境而引兵归。未至国，释兵旅，解约束，誓盟而后入邑。景公与诸大夫郊迎，劳师成礼，然后反归寝[13]。既见穰苴，尊为大司马。田氏日以益尊于齐。（选自《史记·司马穰苴列传》）

注释

[1] 穰苴（ráng jū）：穰苴是人名，齐国田氏之族，因官拜司马，所以又称为司马穰苴。 [2] 苗裔：指后代，子孙。 [3] 庶孽：旧时指旁支子孙。 [4] 扞：抵御，抵抗。 [5] 旦日：明天。日中：即中午。 [6] 援：拿起，操起。枹（fú）：指鼓槌。 [7] 期：指约定时间。 [8] 徇（xùn）：示众的意思。 [9] 拊循：安抚、安慰、抚慰的意思。 [10] 羸（léi）弱：瘦弱的意思。 [11] 罢：指撤兵，撤退。 [12] 度：通“渡”。 [13] 寝：这里指寝宫。

译文

司马穰苴，是齐国田完的后代。齐景公时，晋国攻伐齐国的东阿和甄城，同时燕国也在侵犯齐国黄河南岸一带的领土，齐军惨败。齐景公为此十分忧愁。于是晏婴向齐景公推荐田穰苴：“穰苴虽说是田家的旁支子孙，但他的文才能使众人心服口服，武略能威慑敌人，希望您起用他。”齐景公召见穰苴，和他谈论军事，十分满意，就任命穰苴做将军，率军抵御燕国和晋国的军队。穰苴说：“我的地位向来卑贱，君王将我从平民中提拔起来，将我的官位安排于大夫之上，但士兵不会服从于我，百姓也不相信我，人微而权轻，希望您派一位您所宠爱并且国人敬重的大臣来监督军队，如此才行。”于是齐景公答应了，派庄贾监督军队。穰苴辞别齐景公之后，与庄贾约定：“明天正午在军营门前集合。”第二天，穰苴先到军营，树立木表、刻漏记录时间，等候庄贾。庄贾平日骄横显贵，认为率领的是自己的军队，又身为监军，就不着急；亲戚朋友为庄贾送行，留他喝酒。正午时候，庄贾还没赶到军营。穰苴就推倒木表，放掉刻漏的水，进入军营之中，巡视军营，整顿军队，宣布军纪，明确军令。等到军纪军令宣布完毕，已经是傍晚时分，庄贾才到达军营。穰苴问道：“为何迟到？”庄贾说道：“亲戚朋友们为我饯行，所以多留了一些时间。”穰苴说：“作为一个将领，接受命令的时候就应该忘记自己的家庭；身处军队，受到军令约束就应该忘记自己的亲属，拿起鼓槌擂鼓进军的时刻就应该舍生忘死。如今敌国军队深入侵略，国内民心骚动不安，士兵们在边境日晒雨淋，国君寝食难安，百姓的安危都系于你的身上，哪里还说什么为你送行呢？”穰苴召军法官问道：“按照军法，对于约定时间迟到的人该如何处置？”军法官答道：“应当斩首。”庄贾害怕了，派人急报景公求救。报信的人还没回来，穰苴就下令将庄贾斩首并在全军示众。全军的士兵既震惊又害怕。过了许久，齐景公派的使者才来传达赦免庄贾的命令，使者驱车直入军营。

穰苴说："将领在军队，对于国君的命令，可以有所不受。"他又问军法官说："驾着车马在军营里飞驰，该当何罪？"军法官回答："应当斩首。"使者大为恐惧。穰苴说："国君的使者是不能杀的。"于是就将使者的仆从斩首，砍掉车子左侧的夹栏，杀死左边驾车的马，向全军示众。穰苴让使者回去向国君汇报，然后就率领军队出发了。行军的时候，士兵们安营扎寨、打井饮水、筑灶炊食、医伤治病，穰苴都亲自加以抚慰。穰苴把自己将军名下应得的物资粮食全部拿出来和士兵们分享，与士兵们平分粮食，对瘦弱有病的士兵格外照顾。三天后，穰苴重新整顿军队。连生病的士兵都要求同赴战场，争先恐后地参加战斗。晋国军队了解到这样的情况，因此而撤退了。燕国军队了解到这样的情况，渡过黄河向北撤退，解除了包围。于是穰苴率领齐国的军队跟踪追击，收复了所有失陷的国土，然后收兵而归。军队还没进入国都，穰苴就宣布解除武装，取消军纪军令，宣誓立盟后进入都城。齐景公和各大夫都到郊外迎接，依礼节慰劳全军，然后才返回寝宫。齐景公接见了穰苴，任命他做大司马。从此，田氏家族在齐国一天天地尊贵起来。

文史链接

关于《史记·司马穰苴列传》

司马穰苴是齐景公时期有名的军事家，《史记·司马穰苴列传》是司马迁在整部《史记》中为军事家所立的第一篇传，重在写其军事方面的才能。《穰苴执法》的故事是其中的主要部分。穰苴因其突出的军事才能和成功抵御晋、燕侵犯而收复失地的功绩，受到了景公的重用，田氏家族也因此而日益尊贵。但齐国卿大夫之间倾轧斗争，田氏家族的发展引起了高氏、国氏、鲍氏的强烈不满和嫉恨，齐国的大夫高昭子、国惠子、鲍牧等都想陷害穰苴，他们就在齐景公面前诬陷、诽谤穰苴。齐景公信以为真，辞退了穰苴，穰苴郁郁不得志，生病而死。田氏由此怨恨高氏、国氏。等到田常杀死齐简公，就消灭了高昭子、国惠子的家族。再到田和（田常的曾孙）自立为君,后田因齐（田和之孙）又自称齐威王。田因齐打仗完全仿效司马穰苴，使得各个诸侯国都朝服于齐国。

关于《史记·司马穰苴列传》，人们多有评价。张履祥认为“穰苴杀庄贾，人知借君之宠臣以立威而已，不知权臣在内，将帅岂能立功于外？故因以法以诛之，使君侧之奸先去，庶几无挠吾成功者矣。此是古人最有作用处，文复字字生动”（《杨园先生集·读史记》）。牛运震认为“《司马穰苴传》只记诛庄贾、退燕晋师一事，而规模整齐，节次井井，如睹部伍行阵、铁刀金戈气象”（《史记评注》）。汤谐认为“‘文’‘武’二句，一篇纲领。诛庄贾、斩使者仆是‘武’，拊循士卒是‘文’。以是附众，以是威敌，而燕晋之兵不战已屈矣。行文严肃静重，亦在乃文乃武之间”（《史记半解》）。这些评价，对我们阅读和理解《史记·司马穰苴列传》很有启发。

思考讨论

1. 请将下列句子翻译成现代汉语。

（1）晏婴乃荐田穰苴曰：“穰苴虽田氏庶孽，然其人文能附众，武能威敌，愿君试之。”

（2）穰苴曰：“臣素卑贱，君擢之闾伍之中，加之大夫之上，士卒未附，百姓不信，人微权轻，愿得君之宠臣，国之所尊，以监军，乃可。”

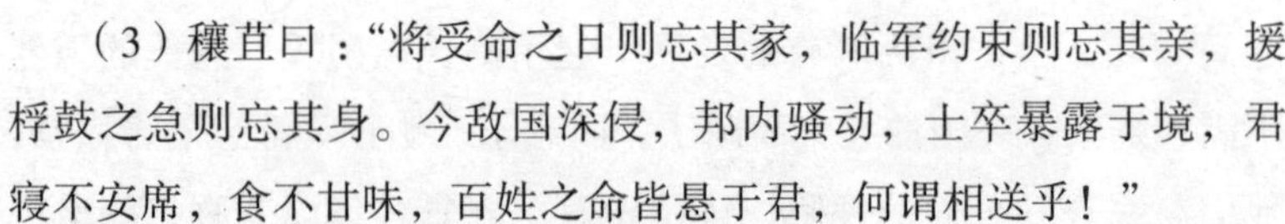
（3）穰苴曰：“将受命之日则忘其家，临军约束则忘其亲，援桴鼓之急则忘其身。今敌国深侵，邦内骚动，士卒暴露于境，君寝不安席，食不甘味，百姓之命皆悬于君，何谓相送乎！”

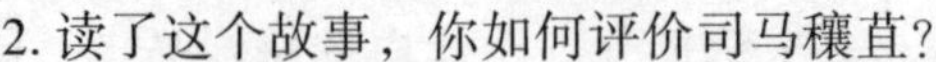
2. 读了这个故事，你如何评价司马穰苴？

三令五申

孙子武者[1]，齐人也。以兵法见于吴王阖庐。阖庐曰：“子之十三篇，吾尽观之矣，可以小试勒兵乎[2]？”对曰：“可。”阖庐曰：“可试以妇人乎？”曰：“可。”于是许之，出宫中美女，得百八十人。孙子分为二队，以王之宠姬二人各为队长，皆令持戟。令之曰：“汝知而心与左右手背乎[3]？”妇人曰：“知之。”孙子曰：“前，则视心；左，视左手；右，视右手；后，即视背。”妇人曰：“诺。”约束既布[4]，

孙武吴宫教战

乃设铁钺，即三令五申之。于是鼓之右，妇人大笑。孙子曰："约束不明，申令不熟，将之罪也。"复三令五申而鼓之左，妇人复大笑。孙子曰："约束不明，申令不熟，将之罪也；既已明而不如法者[5]，吏士之罪也。"乃欲斩左右队长。吴王从台上观，见且斩爱姬，大骇。趣使使下令曰[6]："寡人已知将军能用兵矣。寡人非此二姬，食不甘味，愿勿斩也。"孙子曰："臣既已受命为将，将在军，君命有所不受。"遂斩队长二人以徇。用其次为队长，于是复鼓之。妇人左右前后跪起皆中规矩绳墨[7]，无敢出声。于是孙子使使报王曰："兵既整齐，王可试下观之，唯王所欲用之，虽赴水火犹可也。"吴王曰："将军罢休就舍，寡人不愿下观。"孙子曰："王徒好其言，不能用其实。"于是阖庐知孙子能用兵，卒以为将[8]。西破强楚，入郢，北威齐晋，显名诸侯，孙子与有力焉。

（选自《史记·孙子吴起列传》）

注释

[1]孙子武：孙武，春秋时齐国人，字长卿，尊称为孙子。[2]勒兵：整顿、操练军队。[3]而：你。心：指胸口。[4]约束：这里指纪律。[5]如：遵从。[6]趣：同"促"，

急忙的意思。 [7]绳墨：此处指要求、约束、纪律。 [8]卒：终于。

译文

孙子名武，是齐国人。孙子因精通兵法而被吴王阖庐接见。阖庐说："先生所写的十三篇兵法，我都读过了，现在可以小试牛刀操练军队吗？"孙子回答说："可以。"阖庐说："妇女可以操练吗？"孙子回答说："可以操练。"吴王于是从宫中调出美女，共一百八十人。孙子把她们分成两队，让吴王阖庐最宠爱的两个姬妾担任队长，让妇女们每人手持一支戟。孙子命令她们说："你们知道自己的心与左右手后背吗？"妇女们回答："知道。"孙子说："我说向前，你们就看着心口所对的方向；我说向左，就看着左手所对的方向；我说向右，就看着右手所对的方向；我说向后，你们就转过身看着后背所对的方向。"妇人说："是。"纪律已经宣布，就摆设了斧钺等刑具，又将纪律讲清楚。于是便击鼓发令，命令她们向右，妇女们大笑。孙子说："纪律没讲清楚，号令没让你们熟悉，这是将领之过。"又三番五次地将纪律讲清楚，便击鼓发令，命令她们向左，妇女们又大笑。孙子说："纪律没讲清楚，号令没让你们熟悉，这是将领之过；既然已经讲清楚了却不按命令行事，那就是队长和士兵的过错了。"于是要将左右两名队长斩首。吴王阖庐在台上观看，见孙子将要处斩他最宠爱的两个姬妾，大惊失色。吴王急忙派人传达命令给孙子："我已经知道将军善于用兵了，如果失去了这两个爱妾，我吃饭都会索然无味的，希望不要杀她们。"孙子说："我既然已经接受任命做了将军，将军在军队中，国君的命令有的是可以不接受的。"于是就将两个队长斩首示众。顺次用第二个人做队长，于是又击鼓发令。妇女们向左、向右、向前、向后、跪下、站起，都服从命令指挥，连大气都不敢出。于是孙子派人报告吴王说："队伍已经操练整齐，大王可以试着下台来看，任凭大王调遣使用她们，就算是赴汤蹈火也能办到。"吴王说："将军停止操练回住所休息吧，我不想下去视察了。"孙子说："大王只不过欣赏我的兵法著作，却不能在实际中发挥我的作用。"于是阖庐知道孙子的确善于用兵，任命孙子做了将军。向西进军攻克强大的楚国，进入楚国郢都，向北威震齐国和晋国，在诸侯国中名声显赫，这当中孙子出了大力。

文史链接

孙子兵法

孙子名武，春秋时齐国人，尊称为孙子，是我国古代杰出的军事家，古人称他为"兵圣"，著有《孙子兵法》。《孙子兵法》亦称《孙子》，又称《吴孙子兵法》、《孙武兵法》，被后世尊为"百代谈兵之祖"、"兵家圣典"、"世界古代第一兵书"。《孙子兵法》全书分十三篇：《始计篇》、《作战篇》、《谋攻篇》、《军形篇》、《兵势篇》、《虚实篇》、《军争篇》、《九变篇》、《行军篇》、《地形篇》、《九地篇》、《火攻篇》、《用间篇》，分别论述了战略的运筹和谋划，作战指导思想和原则，军队在各种地形、地理条件下的处置原则，军队在各种环境中的管理问题，以及以水、火辅助作战问题和用间的原则方法。《孙子兵法》见解独到新颖，内容极为丰富，博大精深，涉及政治、经济、天文、地理、外交、心理等许多方面。

孙子对战争是持慎重态度的，反对轻举妄动，草率用兵。《始计篇》说："兵者，国之大事，死生之地，存亡之道，不可不察也。"战争是国家大事，关系到人民的生死，也关系到国家的存亡，不能

不慎重研究。孙子提出，要从决定战争胜负的“五道”——五个要素衡量和研究，即“道”（政治）、“天”（天时）、“地”（地利）、“将”（将领）、“法”（制度）。切实掌握这些要素，才能打胜仗。同时也提出“七计”，即“主孰有道？将孰有能？天地孰得？法令孰行？兵众孰强？士卒孰练？赏罚孰明？”根据这些可以预测战争的胜负。

孙子主张要善于以谋略取胜。《谋攻篇》说：“凡用兵之法，全国为上，破国次之；全军为上，破军次之；全旅为上，破旅次之；全卒为上，破卒次之；全伍为上，破伍次之。是故百战百胜，非善之善者也；不战而屈人之兵，善之善者也。”并指出：“知彼知己者，百战不殆；不知彼而知己，一胜一负；不知彼，不知己，每战必殆。”

孙子还主张速胜，兵贵神速；主张争取主动，避免被动；反对天命鬼神；主张爱护士卒，是要使他们拼死作战；强调赏罚分明，严明军纪……

《孙子兵法》是世界上现存最早的军事理论著作，为历代兵家所推崇，影响深远。

思考讨论

你对孙子斩杀吴王两个宠妾的做法作何评价？

围魏救赵

其后魏伐赵，赵急，请救于齐。齐威王欲将孙膑，膑辞谢曰：“刑余之人不可[1]。”于是乃以田忌为将，而孙子为师，居辎车中[2]，坐为计谋。田忌欲引兵之赵，孙子曰："夫解杂乱纷纠者不控卷[3]，救斗者不搏撠[4]，批亢捣虚，形格势禁[5]，则自为解耳。今梁赵相攻，轻兵锐卒必竭于外，老弱罢于内[6]。君不若引兵疾走大梁，据其街路，冲其方虚，彼必释赵而自救。是我一举解赵之围而收弊于魏也。"田忌从之，魏果去邯郸，与齐战于桂陵，大破梁军。

（选自《史记·孙子吴起列传》）

注释

[1] 刑余之人：遭受过刑罚的人。 [2] 辎车：有篷帐、帷帐的车。 [3] 杂乱纷纠：指像乱丝般纠结在一起。 [4] 搏撠：搏斗，击刺。 [5] 形格势禁：是指在形势上阻遏制止敌方。 [6] 罢：通"疲"。

译文

后来魏国攻伐赵国，赵国形势危急，就向齐国请求救援。齐威王想让孙膑担任主将，孙膑却说："我是遭受过刑罚的人，不宜担任主将。"于是就让田忌担任主将，孙膑担任军师，坐在有帷帐的车里，暗中为田忌出谋划策。田忌打算率兵前去赵国救援，孙膑说："想要解开乱丝般的纠纷不能紧握拳头使劲拉，阻止斗殴不能参与搏斗，要抓住要害攻击敌人空虚之处，争斗者因形势所困，就会自行解围。现在魏国和赵国交战，魏国的精锐部队必定在国

外竭尽全力，老弱残兵也一定会在国内疲惫不堪。您不如率领军队火速直奔大梁，抢占它的交通要道，冲击它正当空虚薄弱的地方，魏国的军队肯定会放弃进攻赵国而回来自救。这样我们就替赵国解了围，并收到使魏国挫败的效果。”田忌按照孙膑的计谋去做，魏国的军队果然离开邯郸回师，和齐国的军队在桂陵交战，魏军大败。

文史链接

孙膑的故事

孙膑是中国古代著名的军事家，是孙武的后代，与孙武隔了大约一百年。孙膑曾和庞涓一同学习兵法。后来庞涓到魏国任职，做了将军，他清楚自己的才能不如孙膑，忌恨孙膑，就想方设法陷害孙膑。庞涓假借罪名把孙膑的双腿给废掉，并在孙膑的脸上刺字，想让他从此隐藏起来不再抛头露面。

后来齐国使者到了大梁，孙膑暗中求见，诉说自己的遭遇，对使者进行游说。齐国使者认为孙膑是难得的人才，便偷偷将孙膑载回齐国。孙膑受到齐国将军田忌的赏识。田忌曾多次与齐国贵族子弟下大赌注赛马。孙膑发现这些马奔跑的速度都差不了多少，按快慢将马分成上、中、下三等。孙膑建议田忌用下等马去与其他人的上等马同场比赛，再用上等马与其他人的中等马同场比赛，最后用中等马与其他人的下等马同场比赛。三轮下来，田忌败一次而胜两次，最终赢得齐王的千金赏赐。田忌把孙膑推荐给齐威王，齐威王向孙膑请教兵法，以孙膑为师。后来魏国攻打赵国，赵国向齐国求助，便发生了围魏救赵的故事。

十三年之后，魏国、赵国攻打韩国，韩国向齐国求救。齐派田忌前往救援，直奔大梁。魏将庞涓知道后，迅速带兵撤离韩国回到魏国。这时齐国的大军已越过边境西进了。孙膑便向田忌建议，利用魏军轻视齐军的心理，故意逐日减少士兵做饭的炉灶数量。庞涓追赶齐军，看到齐军的灶不断减少，就以为齐兵大都逃跑而越来越少了，便只带精锐骑兵追赶齐军。孙膑估计庞涓当天晚上可以到达马陵。马陵道狭路险，适合埋伏。孙膑命人在树上写下“庞涓死于此树之下”，命令善于射箭的人埋伏在两边，约定见火光则一齐射箭。庞涓当晚果然到了写字的树下，用火把照亮字迹。齐军看到火光，万箭齐发，魏军顿时大乱，庞涓无奈之下自杀。齐军乘胜击败魏军，并俘虏魏国太子。孙膑因此声名显赫，他的兵法著作在后世也广为流传。

思考讨论

除了围魏救赵，你还知道哪些关于孙膑的故事？

杀妻求将

吴起者，卫人也[1]，好用兵。尝学于曾子[2]，事鲁君。齐人攻鲁，鲁欲将吴起，吴起取齐女为妻[3]，而鲁疑之。吴起于是欲就名[4]，遂杀其妻，以明不与齐也[5]。鲁卒以为将。将而攻齐，大破之。

（选自《史记·孙子吴起列传》）

注释

[1]卫：春秋时的小国。　　[2]曾子：孔子的弟子曾参。[3]取：通“娶”。　　[4]就：成就的意思。　　[5]不与齐：不亲附齐，不帮助齐。

译文

吴起，是卫国人，善于用兵。吴起曾经向曾子求学，侍奉过鲁国的国君。齐国的军队讨伐鲁国，鲁国想任命吴起做大将，可是因为他娶了齐国的女子为妻，所以鲁国怀疑吴起。吴起这时很想成就功名，就把他的妻子给杀死，以此来表明他不会亲附和帮助齐国。鲁国终于任命吴起为大将。吴起率军攻伐齐国，大败齐国。

文史链接

吴起其人其事

吴起，为了功名不择手段，杀妻求将，以妻子之死换取鲁国的信任，成为大将，攻破齐国。鲁国有人诋毁吴起：他猜疑残忍，年轻时家中有千金的财产，求官不得，却把财产破败了。乡里人耻笑吴起，吴起杀死了三十多个耻笑他的人。吴起诀别母亲时，咬破自己的臂膀，发誓不做卿相不回卫国。后来吴起的母亲去世了，他也没有回国奔丧。曾子因鄙薄吴起而和他绝交。吴起来到鲁国，学兵法以侍奉鲁国国君，杀掉妻子，成为将军。鲁国是小国，以战胜国闻名会招来诸侯国的讨伐。鲁国和卫国是兄弟国家，若重用吴起，就是与卫国树敌。鲁国国君听到这些诋毁之语，便怀疑吴起，不再重用他。

吴起听说魏文侯贤明，想去投奔。李克告诉魏文侯吴起贪恋功名且好色，但带兵很有本领。魏文侯任命吴起为主帅，攻秦国，连夺五座城池。吴起作为主帅，与士卒同甘共苦，竟用嘴为士兵吮吸脓液。魏文侯因吴起善于带兵，能让士卒心服口服，就让吴起做西河地区的最高长官。魏文侯死后，吴起侍奉魏武侯。他对魏武侯说，国家的稳固在于国君对仁德的施行，不在于险要的地理位置，并列举了古代的例子。武侯认为吴起说得对。吴起做西河地区最高长官，很有声誉。后来，魏国让田文做相国，吴起对此很不高兴。吴起和田文比功劳，辩论一番，才觉得自己不如田文。田文去世后，相国是公叔，公叔畏忌吴起，便设计使武侯怀疑吴起，吴起怕被治罪，便离开了魏国，去到楚国。

楚悼王听说吴起贤能，就让他做了楚国相国。吴起昭明法令，裁减冗员，废除疏远王族的按例供给，优待战士，加强兵力，巩固国防，斥退游说之人。经过吴起一系列的整顿，楚国平定百越，吞并陈国和蔡国，击退韩、赵、魏的军队，并讨伐秦国，于是，诸侯忧虑楚国的强大。被吴起废除按例供给的王族都痛恨吴起，想要害死他。悼王去世后，王室大臣攻击、追杀吴起。吴起伏在悼王的尸体上，攻击吴起的人射杀他，也射中了悼王的尸体。安葬悼王后，太子即位，让把射杀吴起的同时射中悼王尸体的人全部诛杀，这样被灭族的竟有七十多家。

思考讨论

读了“杀妻求将”的故事，你如何评价吴起？

立木为信

令既具[1]，未布，恐民之不信，已乃立三丈之木于国都市南门，募民有能徙置北门者予十金[2]。民怪之[3]，莫敢徙。复曰“能徙者予五十金”。有一人徙之，辄予五十金[4]，以明不欺。卒下令。

（选自《史记·商君列传》）

城门立木

注释

[1]具：指准备就绪。　　[2]徙置：指搬迁，放置。

[3]怪之：这里是以之为怪的意思。　　[4]辄：马上，就。

译文

新法准备就绪后，还没有公布，恐怕百姓不相信，就在国都后边市场的南门竖起了一根三丈长的树干，招募百姓中能把此木搬到北门的人，就赏他十金。百姓觉得这很奇怪，没人敢去搬。再次宣布说“能够搬移此木的赏五十金”。有一个人将此木搬移到了北门，立刻就赏了他五十金，以此来表明令出必行，绝无欺骗。于是颁布新法。

文史链接

商鞅变法

商君，名鞅，姓公孙，其祖先本来姓姬。商鞅年轻时非常喜欢刑名法术之学，他听说秦孝公下令求贤，打算重整秦穆公的霸业，就入秦求见秦孝公。商鞅分别用五帝、三王的道理向秦孝公进言，都不合秦孝公的心意。商鞅又用五霸的道理向秦孝公进言，秦孝公准备采纳他的建议。商鞅再和秦孝公谈话，秦孝公非常满意。秦孝公采纳商鞅的建议，想要变法，又怕天下人非议，犹豫不决。商鞅便劝他不必担心非议，圣人若可以让国家强盛，就不必沿用旧法，若能够有利于百姓，就不必遵循旧礼。而甘龙认为应该顺应民俗，沿用成法。商鞅认为甘龙的说法是世俗的见解，聪明者制定法度，愚蠢者受到制约，贤能者懂得变更，普通人受到束缚。杜挚说仿效成法、遵循旧礼，是不会有过错的。商鞅说

治国之法不必一成不变，商汤和周武王不拘于古制能够称王于天下，夏和商的末代不变礼法而遭灭亡，遵循旧的礼法的人不值得称赞。秦孝公肯定商鞅的说法，便任命商鞅为左庶长。商鞅最终制定了变更旧法的新令，《史记·商君列传》载："令民为什伍，而相牧司连坐。不告奸者腰斩，告奸者与斩敌首同赏，匿奸者与降敌同罚。民有二男以上不分异者，倍其赋。有军功者，各以率受上爵；为私斗者，各以轻重被刑大小。僇力本业，耕织致粟帛多者复其身。事末利及怠而贫者，举以为收孥。宗室非有军功论，不得为属籍。明尊卑爵秩等级，各以差次名田宅，臣妾衣服以家次。有功者显荣，无功者虽富无所芬华。"新法准备就绪后，便发生了立木为信的故事。商鞅立木为信，树立了威信，为新法的实施奠定了基础。

新法施行一年，秦国百姓中诉说新法不当的人非常多。这时太子触犯新法，商鞅认为新法不能顺利推行是因为上面的人先触犯了新法。因为太子将继承君位，不能施加刑罚，便处罚了太子的老师。第二天，秦国人全都奉行新法。商鞅制定的新法在秦国实施十年，路不拾遗，山林无盗贼，百姓家家富裕而充足。百姓都勇敢地为国作战，不为私利争斗，社会秩序良好。之前诉说新法不当的人又都说新法的好处了，商鞅认为这些人扰乱教化，就把他们迁到边疆。从此以后，百姓不敢议论新法。

过了三年，秦在咸阳建筑宫殿，将国都迁到咸阳，颁布法令。《史记·商君列传》载："而令民父子兄弟同室内息者为禁。而集小乡邑聚为县，置令、丞，凡三十一县。为田开阡陌封疆，而赋税平。平斗桶权衡丈尺。"施行了四年，公子虔触犯新法，于是被判处劓刑。又过五年，秦国变得富强。商鞅建议秦孝公攻打魏国，秦孝公认可商鞅的说法，便派商鞅攻打魏国。商鞅设计打垮魏军。

魏国势力日益削弱，向秦国割地求和。秦国将十五个邑封给商鞅，封号为商君。

商鞅任秦相十年，怨恨他的皇亲国戚非常多。秦孝公死后，太子即位。商鞅被告发欲谋反，无奈出逃，没想到作法自毙，终遭车裂，可悲可叹。

思考讨论

商鞅为什么要立木为信？

王翦请田

王翦将兵六十万人，始皇自送至灞上[1]。王翦行，请美田宅园池甚众。始皇曰："将军行矣，何忧贫乎？"王翦曰："为大王将，有功终不得封侯，故及大王之向臣[2]，臣亦及时以请园池为子孙业耳。"始皇大笑。王翦既至关，使使还请善田者五辈。或曰："将军之乞贷[3]，亦已甚矣。"王翦曰："不然。夫秦王怚而不信人[4]。今空秦国甲士而专委于我[5]，我不多请田宅为子孙业以自坚，顾令秦王坐而疑我邪[6]？"

（选自《史记·白起王翦列传》）

注释

[1]灞上:灞水岸边。 [2]向:这里指器重。 [3]乞贷:请求赐予的意思。乞，指请求。贷，指借入或借出。 [4]怚：通“粗”，粗暴之意。 [5]空:倾尽，倾出。甲士:这里指军队。专委：独自委任，单独托付。 [6]顾：反而，难道。坐：无缘无故，白白地。

译文

王翦率军六十万出征，秦始皇亲自送到灞水岸边。王翦临出发时，请求秦始皇赐予许多良田、美宅、园林、池苑。秦始皇说：“将军尽管出发吧，哪里用得着担心贫穷呢？”王翦说：“为大王带兵，即使有功劳终究也难得封侯赐爵，因此趁着大王器重、需要我的时候，我也就及时请求大王赐予园林池苑作为子孙的产业罢了。”秦始皇听后大笑。王翦到达函谷关以后，又先后五次派使者回朝廷向秦始皇请求赐予良田。有人对王翦说：“将军请求赐予产业，也太过分了吧！”王翦说道：“这么说不对。秦王粗暴而不信任人。现在秦王倾尽全国的军队单独托付给我，我不多请求田宅为子孙置产业，以此表示自己出征的坚定意志，难道要使秦王无缘无故地怀疑我吗？”

文史链接

名将王翦

王翦年轻时就爱好兵法，后侍奉秦始皇。始皇十一年时，王翦率兵讨伐赵国的阏与，不仅攻克阏与，还拔取了九座城邑。始皇十八年，王翦率兵攻打赵国。一年多就攻下赵国，使赵王投降，平定赵地，设为郡。第二年，燕国的荆轲刺杀秦王，秦王便派王翦攻伐燕国。燕王逃跑，王翦平定燕国都城凯旋。秦王又派王翦的儿子王贲攻打楚国，楚兵被打败。再攻打魏国，魏王投降，平定了魏地。

秦始皇灭掉了赵国、魏国和韩国，赶跑燕王，多次打败楚国军队。秦将李信，年轻气盛，勇敢威武，曾大战燕国军队，捉到太子丹。秦始皇欣赏李信的英勇。一次，秦始皇问李信攻打楚国需要多少人马，李信称最多二十万。秦始皇又问王翦，王翦说非六十万不可。秦始皇便认为王翦老了胆怯了，李信年轻而勇敢。于是派李信和蒙恬率二十万士卒进攻楚国。王翦便推辞生病，回家乡养老。李信攻平与，蒙恬攻寝邑，战胜了楚军。李信攻下鄢郢，西进与蒙恬会师于城父。实际上，楚军一直在追击他们，紧跟三天三夜，大破李信军，秦军大败而逃。秦始皇知道后，愤怒至极，亲自去见王翦，向王翦道歉，请王翦出征，王翦在秦始皇的再三请求之下，答应出征。于是，便发生了“王翦请田”的故事。

王翦取代李信进攻楚国。楚国倾全国兵力抵御秦军。王翦到后，固守不出战。楚军多次挑逗，秦军仍然固守不出。王翦抚慰士卒，待到时机成熟，便准备出兵。楚军多次挑战无果，便撤兵后退。王翦的大军趁势追击，大破楚军。秦军后又杀死楚将项燕，楚军败逃。秦军攻下了楚国部分城邑。一年多后，又俘虏楚王，平定了整个楚国，设为郡县。后又南征百越君长。王翦的儿子王贲和李信攻下了燕国和齐国等地。秦始皇二十六年，兼并各诸侯国，统一天下，其中王氏、蒙氏功劳最高，声名远扬。

思考讨论

王翦为什么要多次向秦始皇请求赐予田宅？

毛遂自荐

秦之围邯郸，赵使平原君求救，合从于楚[1]，约与食客门下有勇力文武备具者二十人偕[2]。平原君曰：“使文能取胜[3]，则善矣。文不能取胜，则歃血于华屋之下[4]，必得定从而还。士不外索[5]，取于食客门下足矣。”得十九人，余无可取者，无以满二十人。门下有毛遂者，前，自赞于平原君曰[6]：“遂闻君将合从于楚，约与食客门下二十人偕，不外索。今少一人，愿君即以遂备员而行矣[7]。”平原君曰：“先生处胜之门下几年于此矣？”毛遂曰：“三年于此矣。”平原君曰：“夫贤士之处世也，譬若锥之处囊中[8]，其末立见[9]。今先生处胜之门下三年于此矣，左右未有所称诵[10]，胜未有所闻，是先生无所有也[11]。先生不能，先生留。”毛遂曰：“臣乃今日请处囊中耳。使遂蚤得处囊中，乃颖脱而出，非特其末见而已。”平原君竟与毛遂偕。十九人相与目笑之而未废也。

注释

[1] 合从（zòng）：即合纵，南北联合谓之合纵。此处是指战

国时齐、楚、燕、赵、魏、韩六国联合抗秦。 [2]偕：一道，一同。 [3]使：假使。 [4]歃血：古代举行盟会时，参与订立盟约的人用牲畜的血涂在嘴唇上，表示信守盟约。 [5]外索：向外面访求、求取。 [6]自赞：指自我介绍。 [7]备员：凑足人数，凑足名额。 [8]囊：布袋。 [9]末：尖端。 [10]左右：周围的人。称诵：赞扬，称赞。 [11]无所有：没有什么能力，没有本领。

译文

秦国大军围攻赵国的都城邯郸，赵国派平原君去求援，打算与楚国合纵抗秦。平原君决定从门客中挑选二十位勇力兼备、文武双全的人一同前往。平原君说："假使这次会谈能够成功，当然最好；如果会谈不能达成协议，那只好用武力与楚国在华丽的宫殿中歃血为盟，一定要签订合纵之约才能回来。同去的二十个人不必去外面找，在门下的食客中挑选就足够了。"在门下的食客中仔细挑选后，仅仅挑出十九个人是符合条件的，其余的人都不符合条件，没法凑足二十人。平原君门下有一个叫毛遂的人，主动向前，向平原君自荐说："我听说您打算到楚国去订合纵之约，要挑选门下食客二十个人一同前往，不向外面访求。如今缺少一个人，希望您允许我毛遂凑个数，以便成行。"平原君说："先生您在我的门下有几年了？"毛遂说："我在这里三年了。"平原君说："有才能的人在世上，就好像放在布袋里的锥子一样，它的末端就会立刻显露出来。如今先生在我的门下已经三年了，周围的人没有赞扬您的，我也没有听到过什么。由此可见先生是没有本领的。先生不能一同前往，还是留下吧。"毛遂说："我今天就是请求您把我放置在布袋中的。假使把我毛遂早点放置在布袋中，那整个锥子早就显露出来了，并不仅仅是显露出一点尖端了。”平原君最后决定与毛遂同行。那十九个门客互相用眼色讥笑毛遂，却也并没有阻止他。

毛遂比至楚[1]，与十九人论议，十九人皆服[2]。平原君与楚合从，言其利害，日出而言之[3]，日中不决。十九人谓毛遂曰："先生上。"毛遂按剑历阶而上，谓平原君曰："从之利害[4]，两言而决耳。今日出而言从，日中不决，何也？"楚王谓平原君曰："客何为者也？"平原君曰："是胜之舍人也。"楚王叱曰[5]："胡不下！吾乃与而君言，汝何为者也！"毛遂按剑而前曰："王之所以叱遂者，以楚国之众也。今十步之内，王不得恃楚国之众也[6]，王之命县于遂手。吾君在前，叱者何也？且遂闻汤以七十里之地王天下，文王以百里之壤而臣诸侯[7]，岂其士卒众多哉，诚能据其势而奋其威[8]。今楚地方五千里，持戟百万，此霸王之资也。以楚之强，天下弗能当。白起，小竖子耳，率数万之众，兴师以与楚战，一战而举鄢郢，再战而烧夷陵，三战而辱王之先人。此百世之怨而赵之所羞，而王弗知恶焉[9]。合从者为楚，非为赵也。吾君在前，叱者何也？"楚王曰："唯唯[10]，诚若先生之言，谨奉社稷而以从。”毛遂曰：“从定乎？”楚王曰：“定矣。”毛遂谓楚王之左右曰：“取鸡狗马之血来[11]。”毛遂奉铜槃而跪进之楚王曰[12]：“王当歃血而定从，次者吾君，次者遂。”遂定从于殿上。毛遂左手持槃血而右手招十九人曰：“公相与歃此血于堂下。公等录录[13]，所谓因人成事者也。”

注释

[1]比：等到。 [2]服：佩服。 [3]日出：指早晨。 [4]从：合纵的意思。 [5]叱（chì）：呵斥。 [6]恃：倚仗。 [7]壤：指土地。臣诸侯：使诸侯臣服。 [8]诚能：实在。据其势：指把握有利的形势。奋其威：展示、发挥他的威力。 [9]恶：羞愧之意。 [10]唯唯：指谦卑地连声应答。 [11]鸡狗马之血：古代歃血定盟所用的牲畜之血。 [12]奉：即捧。进：指献给。 [13]录录：即“碌碌”，指平庸无能。

译文

等到毛遂到了楚国，与那十九个门客议论大事，十九个人都非常佩服。平原君与楚王商议合纵联盟的事，向楚王谈了合纵联盟的利弊关系。从早晨开始谈，一直到中午，还是没有结果。那十九个门客对毛遂说：“先生上去吧。”毛遂手按着剑把，拾阶而上，他对平原君说：“合纵的利害，两句话就可以决定。今天从早晨就开始谈合纵，到中午还没决定，这是为什么？”楚王对平原君说：“这

个客人是干什么的啊？”平原君说：“这是我的家臣。”楚王便呵斥道：“怎么还不下去！我在和你的主人谈话，你来干什么！”毛遂提着剑向前对楚王说：“大王您之所以敢呵斥我毛遂，是倚仗着楚国人多势众。但是今天在十步之内，大王您是不能再倚仗楚国人多势众了，大王您的性命就系于我毛遂的手中。我的主人在面前，您为什么这样呵斥我？况且我听说商汤凭着七十里的土地称王于天下，周文王凭着百里的土地而使诸侯臣服，难道是因为他们人多势众吗，实在是因为他们能把握有利的形势，发挥他们的威力。如今楚国之地纵横五千里，士卒百万，这是成就霸业的资本。以楚国如此强大的实力，天下是不能阻挡的。白起，不过是个小子罢了，他率领几万人马来攻打楚国，一战就攻克了鄢郢都城，再战便烧毁了楚国的夷陵，三战就辱没了大王您的先祖。这些事是楚国百世的深仇大恨，赵国也替楚国感到羞耻，但是大王您却不感到羞愧。合纵抗秦为的是楚国，不是为了赵国。现在当着我主人的面，您为什么这样呵斥我？”楚王听了连声应答：“是啊！是啊！先生说的对极了，就让我们国家来和赵国联合抗秦吧。”毛遂问：“合纵的事决定了吗？”楚王答道：“决定了。”毛遂对楚王左右的人说：“拿鸡狗马的血来。”毛遂捧着铜盘跪着献给楚王说：“请大王首先歃血定下合纵之约，其次是我的主人，再次是我。”就这样在楚国的殿堂上签订了合纵之约。毛遂左手拿着一盘血，右手招呼那十九个门客说：“各位就在堂下歃血吧。你们平庸无能，只能算是靠别人成事的人。”

平原君已定从而归，归至于赵，曰：“胜不敢复相士[1]。胜相士多者千人，寡者百数，自以为不失天下之士，今乃于毛先生而失之也。毛先生一至楚，而使赵重于九鼎大吕[2]。毛先生以三寸之舌，强于百万之师。胜不敢复相士。”遂以为上客。

（选自《史记·平原君虞卿列传》）

注释

[1]相士：指识别、考察人才。 [2]九鼎大吕：国家的宝贵器物。九鼎，相传为大禹所铸，古代传国的宝物。大吕，周庙的大钟，亦为宝物。

译文

平原君和楚国定下了合纵之约后，回到赵国，说：“我不敢再鉴别考察人才了。我考察人才多则千人，少则几百人，自以为不会错漏天下人才，现在对于毛先生来说，却考察错了。毛先生一到楚国，就使赵国的地位比九鼎和大吕还要尊贵。毛先生凭着三寸不烂之舌，比百万雄师还有力。我不敢再鉴别考察人才了。”于是毛遂就成为上等宾客。

文史链接

“战国四公子”之平原君

《毛遂自荐》的故事节选自《史记·平原君虞卿列传》。赵国的平原君赵胜与魏国的信陵君魏无忌、齐国的孟尝君田文以及楚国的春申君黄歇均以养士著称，他们礼贤下士、广招门客，又都为王公贵族，因此被人们称为战国四公子。以德才论，平原君赵胜在战国四公子中居末。

平原君赵胜是赵国惠文王的弟弟，在赵国众多公子中最为贤能，喜欢招揽宾客，投奔于他门下的宾客约有几千人。平原君做过赵惠文王和孝成王的宰相，曾经三次离开宰相职位，又三次恢复官职，被封在东武城。

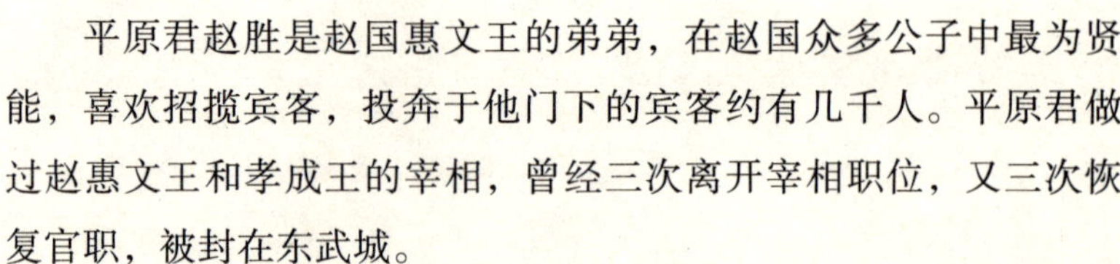

平原君家的楼房可以俯临下面的民宅。一户百姓家有个跛子，总是一瘸一拐地外出打水。平原君的一个美妾住在楼上，她往下看到那个跛子打水时一瘸一拐的样子，便哈哈大笑，嘲笑那个跛子。那个跛子便请求平原君：“我听说您喜爱贤士，士人不远千里归附于您，就因为您重士轻妾。我不幸有残疾，您的妾看到了竟然大声嘲笑，我希望得到嘲笑我的那个妾的头。”平原君笑着答应了。等那人离开后，平原君嘲笑那个跛子竟想因一笑之故就让他杀了美妾，太过分了，终究没有杀那个妾。过了一年多，平原君的门客走了一半多。平原君深感奇怪，认为自己并未失礼，为何如此多的门客要走。一个门客对平原君说，因为没杀嘲笑跛子的美妾，让大家觉得平原君重色轻士，所以贤士纷纷离开。平原君听后恍然大悟，便斩下美妾的头，亲自登门献给跛子，并向跛子道歉。此后，门客又都陆续回来了。

秦军围攻赵都邯郸，赵国派平原君去楚国求援，打算与楚国合纵抗秦，便发生了毛遂自荐的故事，平原君门下的食客毛遂主动请求一同前往楚国完成使命，在与楚国商谈的过程中，毛遂智勇双全，平原君在毛遂的鼎力相助下最终与楚国签订合纵抗秦之约，平原君拜毛遂为上客。

平原君回到赵国后，楚派春申君带兵救赵，魏国的信陵君也假托王命夺得军权前去救赵，却都还没赶到。秦国围攻邯郸，邯郸告急，平原君甚是焦虑。邯郸传舍官吏的儿子李同对平原君说：

"赵国快灭亡了，您不担忧吗？"平原君说："赵亡我就会成为俘虏，怎么能不担忧呢？"李同说："邯郸的百姓，用死人之骨当柴烧，交换孩子当饭吃，困难至极，可是您后宫妃嫔侍女数以百计，都穿着锦绣绸衣，精粮鱼肉吃不完，而百姓的粗布衣服却无法遮体，糟糠也不能吃饱。百姓贫困，兵器用尽，有人削尖树棍当长矛箭矢，而您家里器皿钟磬完整无损。假如秦军攻破赵国，您还能拥有这些吗？假如赵国得以保全，您又何必担忧没这些呢？现在您果真能让夫人以下的都编在士兵行列，让他们分别承担守城劳役，把家里的东西都分发给士卒，士卒在危苦时刻，是很容易感激您的恩德的。"平原君听从了李同的劝说，得到三千敢死士卒。李同和三千敢死士卒拼死冲向秦军，竟逼退秦军三十里。此时楚、魏的救兵赶到，秦军撤走，邯郸得以保全。李同在战斗中殉难，他的父亲被封为李侯。

赵孝成王十五年，平原君去世。其子孙世代承袭封爵，直至赵亡。

思考讨论

1. 在这个故事中，作者是如何刻画毛遂形象的？

2. "毛遂自荐"的故事对你有何启示？

负荆请罪

既罢归国，以相如功大，拜为上卿，位在廉颇之右[1]。廉颇曰："我为赵将，有攻城野战之大功，

负荆请罪

而蔺相如徒以口舌为劳[2]，而位居我上，且相如素贱人[3]，吾羞，不忍为之下。”宣言曰[4]：“我见相如，必辱之。”相如闻，不肯与会。相如每朝时，常称病，不欲与廉颇争列[5]。已而相如出，望见廉颇，相如引车避匿。于是舍人相与谏曰：“臣所以去亲戚而事君者，徒慕君之高义也。今君与廉颇同列，廉君宣恶言而君畏匿之，恐惧殊甚[6]，且庸人尚羞之[7]，况于将相乎！臣等不肖[8]，请辞去。”蔺相如固止之，曰：“公之视廉将军孰与秦王？”曰：“不若也。”

相如曰："夫以秦王之威，而相如廷叱之，辱其群臣，相如虽驽[9]，独畏廉将军哉？顾吾念之，强秦之所以不敢加兵于赵者，徒以吾两人在也。今两虎共斗，其势不俱生。吾所以为此者，以先国家之急而后私仇也。"廉颇闻之，肉袒负荆[10]，因宾客至蔺相如门谢罪。曰："鄙贱之人，不知将军宽之至此也。"卒相与欢，为刎颈之交[11]。（选自《史记·廉颇蔺相如列传》）

注释

[1]右：上面。 [2]徒：仅仅。 [3]贱人：指身份、地位低微之人。 [4]宣言：这里是扬言的意思。 [5]列：指位次的先后。 [6]殊甚：意思是太过分了。 [7]庸人：指一般人。 [8]不肖：不贤，不中用，没出息。 [9]驽（nú）：指愚笨，无能力。 [10]负荆：是指背着荆杖，表示愿意接受责罚。[11]刎（wěn）颈之交：指能够生死与共的朋友。

译文

渑池之会以后回到赵国，蔺相如因为立了大功，被赵王封为上卿，官位在廉颇之上。廉颇说："我身为赵国将军，有着攻城野战的大功劳，而蔺相如仅仅凭借口舌立了一点功劳，地位却在我的上面，况且蔺相如本来就是身份低贱之人，我深感羞耻，不甘心处在他的下面。"廉颇扬言说："我要是碰到蔺相如，一定会当面羞辱他。"蔺相如听说后，不愿意再与廉颇会面。蔺相如每次上朝时，常常称病，不想同廉颇争位次的先后。没过多久，蔺相如

外出，在路上远远望见廉颇，便导引坐车回避廉颇。于是蔺相如的门客共同劝道：“我们之所以离开亲人来侍奉您，仅仅是仰慕您的高尚的节义。如今您和廉颇位次相同，廉颇放出许多恶言侮辱您，您却畏惧躲避，太过于恐惧了，这连普通人都会感到耻辱，更何况您是身为将相的人啊！我们这些人没才能、不中用，请允许我们告辞离开您。”蔺相如坚决挽留这些门客，说道：“在你们看来，廉将军与秦王相比，谁更厉害？”门客都说：“廉将军不如秦王。”蔺相如说：“以秦王的威势，我蔺相如敢在朝堂上当面斥责他，羞辱秦王的大臣，我蔺相如虽然愚笨，难道会唯独害怕廉将军吗？只是我考虑到，强大的秦国之所以不敢进攻赵国，仅仅是因为有我和廉将军的缘故啊。如今两虎相斗，这种情势之下，是不能共存的。我之所以对廉将军如此忍让，是因为把国家的急难放在前面，而把私人恩怨放在后面。”廉颇听说后，裸露着肩背，背负着荆条，在门客的引导下来到蔺相如的门前道歉谢罪。廉颇说道：“我实在是个鄙俗卑贱的糊涂人，想不到您待我是这样的宽宏大量。”廉颇和蔺相如终于交欢和好，二人结成了生死与共的好朋友。

文史链接

渑池之会

蔺相如智勇双全，不畏强秦，不辱使命，完璧归赵，回国后，赵王欣赏蔺相如的才能，任命他为上大夫。秦王并没得到赵国的和氏璧，很不甘心，后来攻打赵国，夺下石城，第二年又再次攻打赵国，杀两万人。

秦王又心生一计，派使者通告赵王，欲在西河外渑池和赵王会面。赵王非常害怕秦国，不太敢去，打算不去了。廉颇、蔺相如劝赵王若不去赴约就会显得赵国怯弱，秦国会愈加骄横。赵王便去赴会了，由蔺相如陪同前往。廉颇送赵王至边境，告别时相约赵王此次赴会估计来回不会超过三十天，若过了三十天赵王还没回来，就立太子为王，以此来断绝秦国妄想。于是赵王便与秦王会于渑池。秦王饮酒正酣，就让赵王为自己弹瑟。赵王弹瑟，秦国史官写下秦王令赵王鼓瑟之事。蔺相如便上前让秦王敲击瓦缶，秦王发怒，不肯敲击，蔺相如便对秦王说五步之内可以血溅秦王。秦王的侍从想杀蔺相如，蔺相如大喝一声，吓退侍从。秦王很生气又很无奈，只好敲击瓦缶。蔺相如便让赵国史官写下秦王为赵王敲击瓦缶之事。秦国的大臣又要求赵国用十五座城向秦王献礼，蔺相如毫不示弱，也让秦国用咸阳向赵王献礼。秦王一直到酒宴结束，始终没能取胜压倒赵国。赵国又大规模部署兵力防备秦国，使得秦国不敢轻举妄动。蔺相如在渑池之会立了大功，被赵王封为上卿，官位在廉颇之上，于是，便发生了“负荆请罪”的故事。

思考讨论

1. 这个故事中，蔺相如为什么要回避廉颇？廉颇后来又为何要负荆请罪？

2. 读了“负荆请罪”的故事，你有什么感想？

纸上谈兵

赵括自少时学兵法，言兵事，以天下莫能当[1]。尝与其父奢言兵事，奢不能难[2]，然不谓善。括母问奢其故，奢曰："兵[3]，死地也，而括易言之[4]。使赵不将括即已，若必将之，破赵军者必括也。"及括将行，其母上书言于王曰："括不可使将。"王曰："何以？"对曰："始妾事其父，时为将，身所奉饭饮而进食者以十数，所友者以百数，大王及宗室所赏赐者尽以予军吏士大夫，受命之日，不问家事。今括一旦为将，东向而朝，军吏无敢仰视之者，王所赐金帛，归藏于家，而日视便利田宅可买者买之。王以为何如其父？父子异心，愿王勿遣。"王曰："母置之，吾已决矣。"括母因曰："王终遣之，即有如不称，妾得无随坐乎？"王许诺。

注释

[1]当：同"挡"。 [2]难：驳难，驳倒。 [3]兵：这里指打仗，作战。 [4]易：轻率、轻易的意思。

译文

赵括从小就学习兵法，谈论军事，认为天下没有谁能敌过自己。

赵括曾与父亲赵奢谈论兵法，赵奢不能驳倒他，但却不认为他好。赵括的母亲问赵奢缘故，赵奢说："作战打仗，是要置人于死地的事情，赵括说得太轻而易举了。如果赵国不用赵括做大将就罢了，若一定要任他为将，那么使赵军大败的一定就是赵括了。"等到赵括将要率兵出发时，赵括的母亲上书给赵王说："赵括不能担任将军。"赵王问："为什么这么说？"赵括的母亲说："当初我侍奉赵括的父亲，他的父亲那时是将军，亲自捧着饮食去献给别人吃的事情数以十计，被他当做朋友的人数以百计，大王和宗室贵族赏赐给他的财物全部分给军吏僚属，从接受命令之日起，便不再过问家中私事。现在赵括刚刚被任命为将军，就面向东坐接受朝见，军吏们都不敢抬头看他，大王赐给他的金帛，赵括都拿回家里藏着，而且每天看到有便利的田宅可以买的就买下来。大王认为赵括和他父亲相比哪里像呢？父子二人的心地思想完全不同，希望大王不要派赵括为将领兵。"赵王说："老母亲就放下此事别管了，我已经决定了。"赵括的母亲便接着说："大王终究要派赵括担此重任，如果他因不称职而受到处分，我能够不受连坐吗？"赵王答应了赵括母亲的要求。

赵括既代廉颇，悉更约束，易置军吏[1]。秦将白起闻之，纵奇兵，详败走[2]，而绝其粮道，分断其军为二，士卒离心。四十余日，军饿，赵括出锐卒自博战[3]，秦军射杀赵括。括军败，数十万之众遂降秦，秦悉阬之[4]。赵前后所亡凡四十五万。明年，秦兵遂围邯郸，岁余，几不得脱。赖楚、魏诸侯来救，

乃得解邯郸之围。赵王亦以括母先言，竟不诛也。

（选自《史记·廉颇蔺相如列传》）

注释

[1]易置：即撤换。 [2]详：同“佯”，假装的意思。 [3]博战：搏斗作战之意。博，通“搏”。 [4]阬：同“坑”，活埋的意思。

译文

赵括代替了廉颇，将军队中原来的军规、军令全部更改，原来的官吏也全部撤换。秦国大将白起听说了，就出奇兵，佯装败亡逃跑，将赵括军队运粮的道路截断，把赵括的军队分割成两部分，使他们军心动摇。四十多天后，赵括的军队闹饥荒，赵括亲率精锐士卒与秦军搏斗作战，秦军用箭射死了赵括。赵括的军队惨败后，几十万士兵投降秦军，秦军把他们都活埋了。赵国前前后后共损失了四十五万人。第二年，秦国的军队就包围了邯郸，长达一年多，赵国几乎无法摆脱。依靠楚国和魏国的救援，赵国才得以解除邯郸之围。赵王也因赵括母亲有言在先，没有诛杀她。

文史链接

名将赵奢

赵括的父亲赵奢曾是赵国征收田赋的下级官吏，收取租税时平原君不肯缴纳，赵奢便依法处死了平原君家里九个管事的人。平原君大怒，要杀赵奢。赵奢趁机劝说平原君：平原君在赵国身份尊贵，若纵容家里不遵国法，就会削弱法令，进而使国家衰弱，国弱则会受诸侯侵犯，赵国就会灭亡，平原君还用什么来保持财富，以平原君的身份地位，若能带头执法便会使上下公平，进而使国家强盛，使赵国稳固。平原君认为赵奢贤能，就把他推荐于赵王。赵王让赵奢治理赋税，全国税收公平，百姓富裕，国家充实。

秦国攻伐韩国，军队驻扎于阏与。赵王问可否救援，廉颇和乐乘都认为道远险狭，难以救援。赵奢则有不同的看法，认为道远险狭，勇者可胜。于是赵王命赵奢前去救援。

赵奢的军队离开邯郸三十里，就下令禁止对用兵作战之事进谏，违者斩。秦军驻扎于武安西面，击鼓呐喊，喊声震天。赵奢军中有小吏建议急救武安，赵奢就斩杀了他。赵奢军队留在原地二十八天，几次加固营垒，又款待秦国间谍。秦国间谍将情况汇报给秦将，秦军便放松了警惕。赵奢放走秦国间谍后，便急速行军，两天一夜就到达了，令善射的骑兵在距离阏与五十里处驻扎。秦军得知后全部赶来。军士许历建议赵奢严阵以待，并提出先据北面山头的得胜。赵奢接受了许历的建议，派人速占北面山头。秦军后到，攻不上北山，赵奢军队大破秦军。阏与的包围解除。

赵惠文王赐予赵奢马服君的封号。从此，赵奢便与廉颇、蔺相如地位相同。

四年后，赵惠文王去世，孝成王继位。孝成王七年，秦赵军队对抗于长平，当时赵奢已死，蔺相如病危，赵王派廉颇攻秦军，赵军屡败，固守不出。秦军挑战，廉颇仍然固守。秦国间谍散布谣言说秦国最怕赵奢之子赵括。赵王信以为真，便让赵括代替廉颇为将军。蔺相如认为赵括只读兵书，不知随机应变。赵王不听蔺相如的建议，仍任赵括为将。接下来，就发生了“纸上谈兵”的故事。赵括虽为名将赵奢之子，但父子二人迥异，形成了鲜明的对比。

思考讨论

“纸上谈兵”的故事对你有什么启示？

奇货可居

子楚，秦诸庶孽孙，质于诸侯，车乘进用不饶[1]，居处困，不得意。吕不韦贾邯郸，见而怜之，曰：“此奇货可居[2]。”乃往见子楚，说曰：“吾能大子之门。”子楚笑曰：“且自大君之门，而乃大吾门！”吕不韦曰：“子不知也，吾门待子门而大。”子楚心知所谓[3]，乃引与坐[4]，深语[5]。吕不韦曰：“秦王老矣，安国君得为太子。窃闻安国君爱幸华阳夫人[6]，华阳夫人无子，能立适嗣者独华阳夫人耳[7]。今子兄弟二十余人，子又居中，不甚见幸，久质诸侯。即大

吕不韦说华阳夫人

王薨[8]，安国君立为王，则子毋几得与长子及诸子旦暮在前者争为太子矣[9]。”子楚曰：“然。为之奈何？”吕不韦曰：“子贫，客于此，非有以奉献于亲及结宾客也。不韦虽贫，请以千金为子西游，事安国君及华阳夫人，立子为适嗣。”子楚乃顿首曰：“必如君策，请得分秦国与君共之。”

注释

[1]进：同“赆”，指所给的钱财。饶：丰富，多。 [2]奇货可居：指商人把珍奇的货物囤积起来，等待高价卖出。居，囤积。[3]所谓：指所说话的含义。 [4]引：引进。 [5]深语：指深谈密谋。 [6]窃：私下里。 [7]适（dí）嗣：指继承王位的人。适，同“嫡”。 [8]即：假使。薨：指诸侯王去世。[9]毋：无。几：期望，希望。旦暮：早晚。

译文

子楚是秦昭王的一个孙子，太子安国君的庶出儿子，在赵国做人质。他日常所用的车马、财物一点也不充足，生活穷困，落寞不得志。吕不韦在邯郸做生意，看到子楚后觉得惋惜，说：“子楚是一件难得的珍宝，可以囤积起来获取高额回报。”于是，他就前往拜见子楚。见面后，他对子楚说道：“我能够使您的门庭光大。”子楚笑着答道：“您暂且先把自己的门庭光大了，然后再来光大我的吧！”吕不韦说：“您有所不知啊，我的门庭需要等您的门庭光大了才能光大。”子楚心里明白吕不韦所说的意思，就请他到屋里

一起坐下，进行深入的交谈。吕不韦说："秦王老了，立安国君为太子。我暗地里听说安国君宠爱华阳夫人，可华阳夫人没有儿子，而能够选立太子的唯有华阳夫人。如今，您兄弟有二十多个，您又处在中间，而且不怎么受秦王宠幸，长期在诸侯国做人质。等到秦王去世，安国君继位为王，您也没有机会能够与长子以及早晚都生活在秦王身边的兄弟们争夺太子之位啊。"子楚说："确实如此。那么，该怎么办呢？"吕不韦说："您现在生活贫困，寄居在这里，没有什么可以献给亲人和结交宾客的。我吕不韦虽然贫穷，但愿意拿出千金替你西去秦国游说，服侍安国君和华阳夫人，谋求立您为太子。"子楚当即叩头谢道："如果实现了您的计谋，我愿意分秦国的土地与您共享。"

吕不韦乃以五百金与子楚，为进用，结宾客；而复以五百金买奇物玩好，自奉而西游秦，求见华阳夫人姊，而皆以其物献华阳夫人。因言子楚贤智，结诸侯宾客遍天下，常曰"楚也以夫人为天[1]，日夜泣思太子及夫人"。夫人大喜。不韦因使其姊说夫人曰："吾闻之，以色事人者，色衰而爱弛。今夫人事太子，甚爱而无子，不以此时蚤自结于诸子中贤孝者，举立以为适而子之[2]，夫在则重尊，夫百岁之后，所子者为王，终不失势，此所谓一言而万世之利也。不以繁华时树本[3]，即色衰爱弛后，虽欲开一语，尚可得乎？今子楚贤，而自知中男也，次不得为适[4]，其母又不得幸，自附夫人[5]，夫人诚以此时拔以为适，夫人则竟世有宠于秦矣。”华阳夫人以为然，承太子闲，从容言子楚质于赵者绝贤，来往者皆称誉之。乃因涕泣曰：“妾幸得充后宫，不幸无子，愿得子楚立以为适嗣，以托妾身。”安国君许之，乃与夫人刻玉符[6]，约以为适嗣。安国君及夫人因厚馈遗子楚[7]，而请吕不韦傅之[8]，子楚以此名誉益盛于诸侯。

注释

[1]天：倚赖，依靠。 [2]子：作为儿子。 [3]繁华：指青春年盛。 [4]次：按照次序。 [5]自：自愿。附：依附。[6]玉符：此处指双方约定的凭证。 [7]馈遗（kuì wèi）：赠送财物等。 [8]傅：辅助。

译文

吕不韦留下五百金给子楚，供他日常生活花费与结交朋友之用；又用五百金购买珍奇玩好，亲自带着这些宝贝去秦国游说。到了都城，吕不韦先是拜访了华阳夫人的姐姐，通过她的安排见到了华阳夫人，并将珍宝献给了华阳夫人。趁着这个机会，吕不韦谈到子楚贤能而富有智慧，结交的诸侯宾客遍布天下，经常念叨“子楚把夫人当做依靠，日夜流泪，思念太子与夫人”。华阳夫人听了非常高兴。吕不韦又趁热打铁，让华阳夫人的姐姐去劝说夫人道："我听说依靠美色侍候别人的，一旦年老色衰，宠爱也就减少了。现在夫人您侍奉太子，甚受宠爱，但没有儿子，何不趁这大好时候，早点在太子的儿子中结交一个贤能孝顺的，把他立为继承人并像亲生儿子一样对待。这样的话，丈夫健在时备受尊重，丈夫去世后，所立的儿子继承王位，您终究不会失去权势。这就是所谓的一句话能获得万世的好处啊。如果您不在年轻貌美时培植根本，等到年老色衰、宠爱不在时，即使想和太子说句话，都不可能啊！如今子楚贤能，而且自知排行居中，按照次序是不可能立为太子的，加上他的生母又不受宠幸，所以他就会自动地依附夫人您。如果您果真能在这个时候提升他为继承人，那么您在秦国就会终生得到尊宠啊。"华阳夫人认为确实如此。就趁太子闲暇的时候，不慌不忙地谈到子楚在赵国做人质的事，说他特别贤能，来往秦赵之间的人都赞誉不止。说着说着就伤心地哭道："我荣幸能够有机会填充后宫，遗憾的是没有儿子，我希望子楚能够做我的儿子，并把他立为继承人，以便我将来有所依靠。"安国君答应了华阳夫人，就同夫人刻下玉符，约定将子楚立为继承人。之后，安国君和华阳夫人送给子楚好多财物，并请吕不韦辅助他。这样，子楚的声誉在诸侯中更加隆盛。

吕不韦取邯郸诸姬绝好善舞者与居[1]，知有身[2]。子楚从不韦饮，见而说之，因起为寿[3]，请之。吕不韦怒，念业已破家为子楚[4]，欲以钓奇[5]，乃遂献其姬。姬自匿有身[6]，至大期时[7]，生子政[8]。子楚遂立姬为夫人。

注释

[1]姬：美女。好：漂亮，美丽。 [2]有身：指怀孕。 [3]寿：敬酒。 [4]念：想到。业已：已经。 [5]钓奇：指获得巨大好处。 [6]匿：隐瞒。 [7]大期：十二个月。 [8]政：指秦始皇嬴政。

译文

吕不韦从邯郸的女子中挑选了一个绝顶美丽而且擅长舞蹈的女子同居，不久，这个女子就怀孕了。有一天，子楚和吕不韦一起喝酒，对此女一见钟情，当即站起身来向吕不韦敬酒，请求把此女送给他。吕不韦非常生气，但一转念，想到自己为了子楚、为了获取暴利，已经耗尽家产，此时万万不可因小失大，于是就献出了此女。此女隐瞒了已怀孕的事，十二个月后，生下一个儿子，起名叫政。子楚于是就把此女立为夫人。

秦昭王五十年，使王龁围邯郸[1]，急，赵欲杀子楚。子楚与吕不韦谋，行金六百斤予守者吏，得脱，亡赴秦军，遂以得归。赵欲杀子楚妻子，子楚夫人赵豪家女也，得匿，以故母子竟得活。秦昭王五十六年，薨，太子安国君立为王，华阳夫人为王后，子楚为太子。赵亦奉子楚夫人及子政归秦。

注释

[1]王龁（yǐ）：秦国将军。

译文

秦昭王五十年（前257），派遣大将王龁率兵包围邯郸，情况十分危急，赵国想要杀死子楚。子楚和吕不韦商量了一下，用六百斤金钱行贿守城的官吏，才得以脱身，逃到秦国军营，然后随军队回国。赵国又想要杀死子楚的妻儿，偏偏子楚夫人又是赵国豪门之女，能够藏匿不出，所以母子二人竟然都活了下来。五十六年（前251），秦昭王去世。太子安国君继位为秦王，华阳夫人为王后，子楚为太子。赵国为了讨好秦国，派人护送子楚夫人和儿子嬴政回到秦国。

秦王立一年，薨，谥为孝文王[1]。太子子楚代立，是为庄襄王。庄襄王所母华阳后为华阳太后[2]，真母夏姬尊以为夏太后[3]。庄襄王元年，以吕不韦为丞相，封为文信侯，食河南洛阳十万户[4]。

庄襄王即位三年，薨，太子政立为王，尊吕不韦为相国，号称“仲父”[5]。秦王年少[6]，太后时时窃私通吕不韦[7]。吕不韦家僮万人。

（选自《史记·吕不韦列传》）

注释

[1]谥（shì）：古代帝王、大臣死后，根据他的生平事迹所给予的称号。　[2]所母：所认的母亲。　[3]真母：生母。　[4]食：食邑。河南：黄河的南面。洛阳：洛水的北面。　[5]仲父：亚父，仅次于父亲。　[6]年少：此时秦始皇才十三岁。　[7]窃：偷偷地，暗地里。

译文

秦王在位一年就去世了，谥号为孝文王。太子子楚继位，这就是庄襄王。庄襄王母亲华阳王后封为华阳太后，生母夏姬尊称为夏太后。庄襄王元年（前 249），任命吕不韦为丞相，并封为文信侯，黄河以南洛水以北的十万户都是他的食邑。

庄襄王在位三年后去世，太子嬴政继位为秦王，尊奉吕不韦为相国，称为“仲父”。秦王年纪幼小，太后时常暗地里与吕不韦私通。吕不韦家的奴仆达万人之多。

文史链接

邯郸古市

邯郸市，位于河北省南部，是国家历史文化名城、中国优秀旅游城市、国家园林城市和中国成语典故之都，河北省三大中心城市之一。“邯郸”一词最早出现在《春秋穀梁传·襄公二十七年》：“故出奔晋，织绚邯郸，终身不言卫。”在《汉书·地理志》中，记载了三国时魏国人张晏的解释，较为翔实，后世一般以此为依据：“邯郸山，在东城下，单，尽也，城郭从邑，故加邑云。”即邯郸城的名称源自邯郸山。在城的东面有一座山，叫邯山；单，是指山的尽头，表示邯山到此而尽。于是，起名邯单。又因为城郭属于邑，所以在单的旁边加了“邑（阝）”，便成为“邯郸”了。“邯郸”作为地名，沿用三千年而不变，成为我国地名文化的一个特例。

邯郸具有悠久的历史文化，是中华文明的发祥地之一。1972年在邯郸的磁山镇发现了新石器早期文化遗址，距今七千至八千年，考古学上称为“磁山文化”。这一重大发现为研究我国新石器

时代早期文化提供了丰富而宝贵的实物资料。著名考古学家夏鼐说："磁山文化遗址的发现是我国新石器时代考古的重大突破。"段宏振也指出：磁山文化的意义，第一是发现了七千年前的文化；第二是首次发现了大量的早期农业实物——粟。战国时期，邯郸是诸侯国赵的都城，长达一百五十八年，成为当时我国北方的政治、经济、文化中心；汉代，邯郸与长安、洛阳、临淄、成都同享"五都盛名"；三国时期，曹操父子建都邺下，即邯郸南面邺城一带；北宋时，邯郸东面的大名成为都城汴梁的"陪都"，称"大名府"。长期的文化积淀孕育了邯郸多维的文化特色，女娲文化、磁山文化、赵文化、鸡泽毛遂文化、建安文化、北齐石窟文化、磁州窑文化、广府太极文化、成语典故文化、梦文化等多种文化交相辉映，多姿多彩，也为后人留下了许多文化遗址。邯郸境内著名的风景点有娲皇宫、磁山文化遗址、赵王城、武灵丛台、古邺城、南北响堂寺、京娘湖等。

邯郸还是有名的"成语典故之都"。2005 年 10 月 26 日，经中国文联批准，中国民间文艺家协会授予邯郸市"中国成语典故之都"荣誉称号。据不完全统计，与邯郸有关的成语约三千条之多，而由邯郸本地产生以及与邯郸密切相关的成语典故约有一千五百条，其中脍炙人口、广为流传的成语有完璧归赵、负荆请罪、刎颈之交、价值连城、将相和、邯郸学步、黄粱美梦、围魏救赵、毛遂自荐、胡服骑射、纸上谈兵、窃符救赵、退避三舍、梅开二度、奇货可居、河伯娶妻、不射之射、三寸之舌、舍本逐末、智者千虑、夏日之日、冬日之日、旷日持久、南辕北辙、不遗余力、惊弓之鸟、步履蹒跚、绝妙好词、路不拾遗、下笔成章、奉公守法、罗敷采桑、挟天子以令诸侯、诗文判状、铜雀春深等。邯郸的成语典故中，故事情节完整的约有五百条。有些成语典故还留下了遗址。邯郸市赵苑景区建有“成语典故苑”，用碑刻、浮雕、绘画等艺术形式，再现邯郸的成语典故，成为我国唯一一座以成语典故为主题的文化园林。

思考讨论

吕不韦是如何发现子楚的价值的？你从中得到了哪些启发？

一字千金

当是时，魏有信陵君，楚有春申君，赵有平原君，齐有孟尝君[1]，皆下士喜宾客以相倾[2]。吕不韦以秦之强，羞不如，亦招致士，厚遇之，至食客三千人。是时诸侯多辩士，如荀卿之徒，著书布天下。吕不韦乃使其客人人著所闻，集论以为八览、六论、十二纪，二十余万言[3]。以为备天地万物古今之事，号曰《吕氏春秋》。布咸阳市门，悬千金其上，延诸侯游士宾客有能增损一字者予千金[4]。

（选自《史记·吕不韦列传》）

注释

[1]“魏有”句：信陵君魏无忌，是魏昭王的小儿子，魏安釐王的异母弟，因安釐王元年（前 276）封于信陵（今河南宁陵）而得名。春申君黄歇，在楚考烈王元年，被任命为相，封号为春申君，赐给淮北十二县。平原君赵胜是赵武灵王之子，赵惠文王之弟，因封于平原（今山东武城）而得名。孟尝君田文，是齐国宗室大臣。田文的父亲名叫田婴，是齐威王的小儿子、齐宣王异母弟。他们礼贤下士，广招宾客，人称“战国四公子”。　[2]下士：对待士人谦恭有礼。倾：超越，胜过。　[3]言：字。　[4]延：邀请。

译文

在这个时期，魏国有信陵君，楚国有春申君，赵国有平原君，齐国有孟尝君，个个都礼贤下士，广纳宾客，互相以宾客多少论高下。吕不韦觉得秦国如此强大，而纳士方面却不如他们，内心感到羞愧，于是他也广招天下士人，给予他们优厚的待遇，使得门下宾客达到三千人。当时，诸侯国有很多雄辩之士，比如荀卿等人，他们著书立说，传播天下。吕不韦就让他的宾客写下各自的见闻杂感，然后集中起来，分为八览、六论、十二纪，总计有二十多万字。吕不韦认为，此书囊括了天地万物及古今大事，相当完备，便命名为《吕氏春秋》。吕不韦将书稿公布在咸阳的城门外，上面悬挂一千赏金，并邀请各诸侯国的士人，声称如果有人能对书稿增删一字，就给他一千赏金。

文史链接

吕氏春秋

《吕氏春秋》，又名《吕览》，是战国末期秦国丞相吕不韦组织门下食客集体编撰的一部杂家著作，内容包括十二纪、八览、六论，共一百六十篇，计二十多万字，完成于秦统一六国前夕。

"十二纪"象征"大圜"的天，按春夏秋冬四季十二个月排列，如春分为孟春、仲春、季春三纪，是全书的主旨所在，每纪五篇，共六十篇。"春纪"讨论养生之道，"夏纪"论述教学规律及音乐理论，"秋纪"讨论军事问题，"冬纪"讨论人的品质问题。"八览"，每览八篇，现有六十三篇（应该为六十四篇，由于第一览"有始览"缺失一篇），内容涉及开天辟地、做人之道、治国之道、辨识事物及君民之道等。"六论"，每论六篇，计三十六篇，议论诸子百家的学说。还有《序意》一篇（有残缺），在十二纪后边，为全书的序言。篇中有言："凡十二纪者，所以纪治乱存亡也，所以知寿夭吉凶也，上揆之天、下验之地、中审之人，若此，则是非可不可无所遁矣。"这里，作者夸口说，世上的是和非、可与不可都无所遁形。的确，《吕氏春秋》全书以易学、干支、阴阳、五行思想为总纲，融合众家之长，内容涵盖哲学、道德、政治、经济、军事、农业等各个方面，肯定了顺天应人的思想，主张利用天时、地利、人和等因素改造社会，形成了完整的理论体系。有学者概括得更为简洁，认为"十二纪"主要论述天时，"八览"主要讨论人事，"六论"主要阐释地理。

《吕氏春秋》写成后深受学者好评。《史记》说它"备天地万物古今之事"；同时，司马迁在《报任安书》中，将《吕览》与《周易》、《离骚》、《春秋》、《国语》等并列。东汉高诱曾为《吕氏春秋》作注，

评价其“大出诸子之右”，就是说超出了其他诸子各家的成就。自班固《汉书·艺文志》将它列入“杂家”后，儒家学者对《吕氏春秋》的重视程度逐渐减弱。《吕氏春秋》之所以被称为杂家著作，与全书的思想内容驳杂直接相关。《吕氏春秋》“兼儒墨，合名法”，汇集了先秦各家学说，儒家、道家、墨家、法家、兵家、农家、纵横家、阴阳家等各家思想都兼而有之。道家是《吕氏春秋》尊崇的思想。

《吕氏春秋》虽为“杂家”，但在编著上有着明确的指导思想，即博采各家精华，融合于一书，有利于指导秦国一统天下，实现长治久安。根据这一指导思想，《吕氏春秋》自然能够集腋成裘，无论哪家哪派，只要是优秀的思想都要综合进来，所谓“私视使目盲，私听使耳聋，私虑使心狂。三者皆私设精，则智无由公。智不公，则福日衰，灾日隆”（《序意》）。由于着重于汲取精粹，超出了门户之见，因此，他能够对各家给予中肯的评价，认为“老聃贵柔，孔子贵仁，墨翟贵廉，关尹贵清，子列子贵虚，陈骈贵齐，阳生贵已，孙膑贵势，王廖贵先，儿良贵后，此十人者，皆天下之豪士也”（《不二》）。正是因为有了这种兼容并包的胸怀，才使得《吕氏春秋》虽采各家之说，而毫无抵牾，自成体系，宗旨明确，“杂而不杂”，从而达到了融会百家的创作目的。

今天看来，《吕氏春秋》不仅具有融会百家的思想价值，而且具有相当大的史料价值。首先，《吕氏春秋》保存了先秦各家的思想资料，其中很多是古代的遗文佚事。春秋战国时期杨朱、宋钘、尹文、惠施、公孙龙等人的著作早已散失，但在《吕氏春秋》中却可以见到他们的资料，而且由于相距的时间较近，史料价值更真实可靠。其次，《吕氏春秋》记载了不少古代科学知识，特别值得一提的是《上农》、《任地》、《辨土》、《审时》等篇，保存了大量珍贵的古代农业科技资料。再次，《吕氏春秋》保存了一些古代的旧说传闻和寓言故事。许多寓言故事富含哲理和教育意义，至今仍脍炙人口，如《刻舟求剑》、《郑人买履》、《引婴投江》、《循表夜涉》等。

思考讨论

古代关于“一字千金”的典故，还有王羲之与一字千金、王勃与一字千金等，请查找阅读并写出故事梗概。

布衣黔首

斯长男由为三川守[1]，诸男皆尚秦公主[2]，女悉嫁秦诸公子。三川守李由告归咸阳[3]，李斯置酒于家，百官长皆前为寿，门廷车骑以千数。李斯喟然而叹曰：“嗟乎！吾闻之荀卿曰‘物禁大盛’。夫斯乃上蔡布衣，闾巷之黔首，上不知其驽下[4]，遂擢至此[5]。当今人臣之位无居臣上者，可谓富贵极矣。物极则衰，吾未知所税驾也[6]！”

（选自《史记·李斯列传》）

注释

[1]三川：指三川郡，治所在洛阳（今洛阳东北），一说治所在荥阳（今荥阳东北），因境内有黄河、洛河、伊河三条河流而得名，

管辖范围相当于今河南黄河以南，灵宝以东的伊、洛河及北汝河上游一带。守：郡守，是一郡的行政长官。　[2] 尚：匹配。后专指娶帝王之女。　[3] 告：告假，请假。　[4] 下：地位低下。　[5] 擢（zhuó）：提拔。　[6] 税驾：即解驾，指停车休息，引申为归宿。

译文

李斯的大儿子李由是三川郡的郡守，他的儿子都娶了秦王的公主，女儿也都嫁给了秦王的公子。有一次，三川郡守李由告假回到咸阳家中，李斯就在家里摆设酒席，众官员纷纷前来向李斯敬酒祝贺，门前的车马达到上千。面对此景，李斯喟然长叹道："不得了啊！我听老师荀卿说过'万物发展严禁过头'。想我李斯不过是上蔡街头的普通老百姓，皇上不知道我的愚钝、低下，一路提拔、重用我到今天这样的地位。现如今我成了群臣之首，一人之下万人之上，可以说荣华富贵已到了极点。俗话说，事物发展到极点就会衰落，我不知道我的归宿在哪里啊！"

文史链接

布衣、黔首为什么指平民百姓

布　衣

"布衣"意思是布做的衣服。这里的"布"，不是我们通常说的"棉布"，而是一种粗糙的麻、葛一类的织物，是古代平民百姓穿的廉价布料，所以用"布衣"代指老百姓。历史资料显示，南北朝时，棉布仍然是从南洋进口的贵重物品，价格昂贵；宋元时期，棉花的种植才从海外传入中国。今天，我们仍然用"布衣百姓"指平民百姓，用“布衣蔬食”形容生活俭朴。

《荀子》中说：“古之贤人，贱为布衣，贫为匹夫。”这里的“布衣”指地位低下的贤人。汉代桓宽《盐铁论·散不足》说：“古者庶人耋老而后衣丝，其余则麻枲而已，故命曰布衣。”这句是说古代老百姓到八九十岁后才可以穿丝绸衣服，其余的只能穿麻衣，所以被称作布衣。这里的“布衣”与选文中的“上蔡布衣”意思相同。后来的古代文献中，“布衣”有的指麻布衣，有的指平民百姓，有的指没有做官的读书人，有的表示生活俭朴。如诸葛亮《出师表》：“臣本布衣，躬耕于南阳，苟全性命于乱世，不求闻达于诸侯。”宋代沈括《梦溪笔谈》：“庆历中，有布衣毕升，又为活板。”

布衣将相：西汉开国大臣中授官为将相的，绝大多数是平民百姓，所以称为“布衣将相”。布衣将相的出身和经历，使汉初君臣保持了节俭朴素的作风，对西汉初期的政治产生了巨大影响。随着地位的变化，经济的繁荣，布衣将相逐渐变成新的贵族，日渐腐朽。武帝时统治政策的变化，就是布衣将相贵族化的产物，也是汉初布衣政治终结的标志。

布衣精神是古代平民知识分子坚守的一种信念。布衣精神体现为布衣之道、布衣之操、布衣之礼。这些人不畏于势，不惑于神，不弃尊严，自由而旷达，胸怀济世理想，敢于担当，富有责任感，解危济困，贫贱不移，舍生取义，“退则独善其身，进则兼济天下”。李白在《与韩荆州书》中说“白，陇西布衣，流落楚汉”，言语间潇洒豁达，不亢不卑，傲骨天成。中国知识分子普遍怀有布衣情结。李白夜宿安徽铜陵五松山下的一户农家，“我宿五松下，寂寥无所欢，田家秋作苦，邻女夜舂寒。跪进雕胡饭，月光明素盘，令人惭漂母，三谢不能餐”（《宿五松山下荀媪家》）。清冷的月光照在盛饭的盘中，照在老妈妈举盘的手上，让诗人感慨万端。

杜甫自家“床头屋漏无干处”，“布衾多年冷似铁”，却念念不忘天下布衣，“安得广厦千万间，大庇天下寒士俱欢颜！”（《茅屋为秋风所破歌》）

黔　首

“黔（qián）首”是战国时期和秦代对百姓的称谓，与民、庶民同义。《吕氏春秋·慎人》：“事利黔首，水潦川泽之湛滞壅塞可通者，禹尽为之。”秦得水德，水德尚黑，所以秦国衣服、旄旌、节旗都是黑色。而平民以黑巾裹头，因此称为黔首。《说文解字·黑部》：“黔，黎也。从黑今声。秦谓民为黔首，谓黑色也。”汉代贾谊《新书·过秦论》曰：“焚百家之言，以愚黔首。”《史记·秦始皇本纪》记载，秦始皇二十六年（前221）下令“更名曰黔首”。

由于黔与黎意思相同，所以秦始皇二十八年的泰山刻石为“黎民”、三十二年的碣石石刻为“黎庶”，三十一年向全国颁布“使黔首自实田”律令：拥有土地的地主与自耕农，根据自有的实际田亩数上报，就可以得到政府的承认。后代的文献中也有用“黔首”指平民百姓的，如《资治通鉴》曰：“若景命已移，讴歌所系，即当长驱岐、雍，饮马渭河，黔首归命，孰有出钺下之右者！”

思考讨论

李斯从布衣到丞相的故事和他“物极则衰”的忧虑，给人怎样的启发？

左提右挈

韩广至燕，燕人因立广为燕王。赵王乃与张耳、陈馀北略地燕界[1]。赵王间出[2]，为燕军所得。燕将囚之，欲与分赵地半，乃归王。使者往，燕辄杀之以求地。张耳、陈馀患之。有厮养卒谢其舍中曰[3]："吾为公说燕，与赵王载归[4]"。舍中皆笑曰："使者往十余辈，辄死，若何以能得王？"乃走燕壁。燕将见之，问燕将曰："知臣何欲？"燕将曰："若欲得赵王耳。"曰："君知张耳、陈馀何如人也？"燕将曰："贤人也。"曰："知其志何欲？"曰："欲得其王耳。"赵养卒乃笑曰："君未知此两人所欲也。夫武臣、张耳、陈馀杖马箠下赵数十城[5]，此亦各欲南面而王，岂欲为卿相终已邪？夫臣与主岂可同日而道哉，顾其势初定[6]，未敢参分而王，且以少长先立武臣为王，以持赵心。今赵地已服，此两人亦欲分赵而王，时未可耳。今君乃囚赵王。此两人名为求赵王，实欲燕杀之，此两人分赵自立。夫以一赵尚易燕，况以两贤王左提右挈[7]，而责杀王之罪，灭燕易矣。"燕将以为然，乃归赵王，养卒为御而归。

（选自《史记·张耳陈馀列传》）

注释

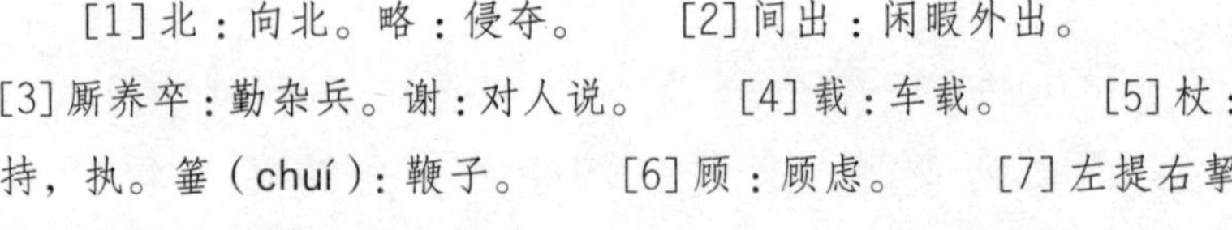

[1]北：向北。略：侵夺。　[2]间出：闲暇外出。　[3]厮养卒：勤杂兵。谢：对人说。　[4]载：车载。　[5]杖：持，执。箠（chuí）：鞭子。　[6]顾：顾虑。　[7]左提右挈（qiè）：相互扶持，相互帮助。

译文

韩广率领军队到达燕地，燕地的人趁机拥立韩广做了燕王。赵王就与张耳、陈馀北上侵夺燕国的边界土地。某天，赵王闲暇外出，遭遇燕军，被抓获。燕国的将领把他囚禁起来，要求赵国分出一半土地给燕国，然后才会放还赵王。赵国派使者去谈判，燕军就杀死他们，只要求割让土地。张耳、陈馀对此忧心忡忡。这时候，有一个勤杂兵对宿舍的伙伴说："我要为张耳、陈馀去游说燕军，与赵王共同乘车归来。"伙伴们都讥笑他说："派去的使臣有十几位了，都马上被杀死，你又能有什么办法救出赵王呢？"于是，勤杂兵就跑去燕军大营。燕军的将领接受了他的拜见，他问燕将道："您知道我来的目的吗？"燕将回答道："你想要救回赵王。"他接着问："您知道张耳、陈馀是怎样的人吗？"燕将回答道："是贤能的人。"他继续追问："您知道他们内心想要什么吗？""不过是要救回他们的赵王罢了。"勤杂兵马上笑着说："您还是不了解这两个人的目的啊。想当初，武臣、张耳、陈馀挥鞭拿下赵国几十座城池，各自都想南面称王，岂是心甘情愿终身做卿相的吗？您觉得做大臣和做国君可以相提并论吗？只是顾虑到局势刚刚稳定，不敢三分国土，各立为王，就暂且按年龄大小先立武臣为王，主要是为了稳定赵国的民心。现在，赵国已被收服，这两个人就想瓜分赵国自立为王，只是时机还不成熟罢了。如今，您囚禁了赵王。这两个人名义上是为了救赵王，实际上是想借燕军杀死他，以便两个人可以瓜分赵国自立为王。凭着一个赵国的力量就可以轻而易举地攻下燕国，况且两位贤能之王相互支持，再加上杀害赵王的罪名，灭掉燕国就更容易了。”燕国将领觉得他分析得正确，就放回了赵王。这样，勤杂兵就驾车与赵王一起回到赵国军营。

文史链接

古代帝王为什么南面而王

我国古代帝王无论登基还是临朝，往往采取坐北朝南的方位。这是为什么呢？究其原因，与古人的生活经验和五行八卦的文化传统有关。

在我国，房屋的朝向大都背北朝南。正门向南的称为正房，而房门向东或西的称为厢房。家里的长辈住正房，这体现出传统文化的“孝”。我国房屋的朝向反映了古人对自然规律的认识。我国位于北半球，所以朝南的房子总要比其他面向的房子日照充足，也比较有利于房主人的健康。同时，坐北朝南，还可以避北风。概括而言，坐北朝南是古人对自然环境的经验总结，体现了祖先顺应天道、颐养身体的人文精神。

我们的祖先并不知道地球是圆的，也不了解地球的自转与公转，自然无法用现代的地理知识解释面南房子的科学性，但他们总结了一套“五行八卦”的理论，并用它来解释面南的问题。五行认为，东方为木，西方为金，南方属火，北方属水，中间属土。皇帝是真龙天子，自然要坐在水上才能镇火，因此必须住在面南房里，坐在面南的座位上，只有这样才算吉利。《周易·说卦》中

说："离也者，明也，万物皆相见，南方之卦也。圣人南面而听天下，向明而治，盖取诸此也。"就是说，在八卦之中，离卦代表光明。当太阳居中照耀南方，万物就显明可见，这是代表南方的卦。因此，帝王取法离卦，坐在北方，面朝南方接见群臣，听取政事，这象征面对光明，治理天下。于是，历代君王登基都坐北朝南，叫做"南面称王"或"南面称帝"。

与"南面称王"相反，大臣拜见帝王就叫做"北面称臣"。在古代，君见臣或尊长见卑幼，都是面南而坐，臣子或卑幼站在南面，即面北而立。《史记·项羽本纪》记载，项羽用烹刘邦父亲来要挟刘邦退兵，刘邦说："吾与项羽俱北面受命怀王，曰'约为兄弟'，吾翁即若翁，必欲烹而翁，则幸分我一杯羹。"因为卑幼面向北方拜见尊长，所以拜人为师也称"北面"。《汉书·于定国传》记载："定国乃迎师学《春秋》，身执经，北面备弟子礼。"

古代以坐北朝南作为顺应天道的象征，视"坐北朝南为尊"。帝王作为九五之尊，君临天下，自然要坐北朝南，即所谓"南面而王"。

思考讨论

这个故事是采用什么描写方法刻画养卒形象的？请用简短的语言概况养卒的形象。

安枕而卧

上召诸将问曰："布反，为之奈何？"皆曰："发兵击之，坑竖子耳[1]，何能为乎！"汝阴侯滕公召故楚令尹问之[2]。令尹曰："是故当反。"滕公曰："上裂地而王之，疏爵而贵之[3]，南面而立万乘之主[4]，其反何也？"令尹曰："往年杀彭越，前年杀韩信[5]，此三人者，同功一体之人也。自疑祸及身，故反耳。"滕公言之上曰："臣客故楚令尹薛公者，其人有筹筴之计[6]，可问。"上乃召见问薛公。薛公对曰："布反不足怪也。使布出于上计，山东非汉之有也；出于中计，胜败之数未可知也；出于下计，陛下安枕而卧矣。"上曰："何谓上计？"令尹对曰："东取吴，西取楚，并齐取鲁，传檄燕、赵[7]，固守其所，山东非汉之有也。""何谓中计？""东取吴，西取楚，并韩取魏，据敖庾之粟[8]，塞成皋之口，胜败之数未可知也。""何谓下计？""东取吴，西取下蔡，归重于越[9]，身归长沙，陛下安枕而卧，汉无事矣。"上曰："是计将安出[10]？"令尹对曰："出下计。"上曰："何谓废上中计而出下计？"令尹曰："布故丽山之徒也，自致万乘之主，此皆为身，不顾后为百姓万世虑者也，故曰出下计。"上曰："善。"封薛公千户。乃立皇子长为淮南王。上遂发兵自将东击布。

（选自《史记·黥布列传》）

注释

[1] 竖子：小子，表示鄙视。 [2] 令尹：楚国最高行政长官。 [3] 疏：分。爵：爵位。 [4] 万乘之主：本指天子，这里指诸侯王的势力如天子一般。 [5] “往年”句：韩信、彭越都是在汉十一年春被杀，黥布同年七月叛乱，不应该说“往年”，又说“前年”。《史记集解》注张晏曰：“往年、前年同耳，使文相避也。” [6] 筹筴：谋划策略。筴，同“策”。 [7] 传：传递。檄（xí）：征召、布告、声讨等文书。 [8] 敖庾（áo yǔ）：粮仓。庾，露天的谷仓。 [9] 重：辎重，此指贵重物资。 [10] 是：这，指黥布。

译文

皇上（汉高祖刘邦）召集将领们问道：“英布造反，此事怎么办？”将领们齐声说：“出兵攻打他，活埋了这小子，看他还能干什么！”汝阴侯滕公召见原楚国令尹咨询这件事。令尹说：“他原本就应当叛乱的。”滕公不解地问道：“皇上分割土地立他为王，分赐爵位使他显贵，就如同面南听政的天子一般，他为什么还要造反呢？”令尹答道：“先是死了一个韩信，后又死了一个彭越，而他们三个人功劳相当，是同一类人啊，自然怀疑灾难会很快降到自身，所以就造反了。”滕公把情况汇报给皇上，说：“我的门客原楚国令尹薛公，这个人很有韬略，可以咨询一下他。”于是，皇上召见了薛公，询问对策。薛公回答说：“英布叛乱不值得大惊小怪。如果英布按上策出兵，山东之地就要不归汉王所有了；按中策出兵，谁胜谁败就难以预料了；按下策出兵，陛下您就可以安枕无忧了。”皇上问道：“上策是什么呢？”令尹回答道：“向东攻取吴国，向西攻取楚国，吞并齐鲁两国，然后向燕国、赵国发一份檄文，让他们固守领土，山东地区就不再属于汉王了。”皇上追问道：“中策是什么呢？”“向东攻取吴国，向西攻取楚国，吞并韩、魏两国，抢占敖庾的粮食，占据成皋的要道，谁胜谁败就难以预料了。”“下策是什么呢？”“向东攻取吴国，向西攻取下蔡，将辎重财物搬到越国，自己回到长沙，陛下您就可以安枕无忧，汉朝没有事了。”皇上又问：“英布会选取哪个策略呢？”令尹回答道：“选用下策。”皇上问：“凭什么说他放弃上、中策而用下策呢？”令尹答道：“英布原本是骊山劳役的囚犯，依靠自身努力做到了万乘之主，这些都是为了自身的富贵，从来不顾及老百姓，也不会为子孙后代考虑，所以认为他用下策。”皇上说：“分析得好。”然后，封薛公为千户侯，并册封皇子刘长为淮南王。之后，皇上就下令出兵，御驾亲征，向东攻打英布。

文史链接

你了解这些敬称吗

中国是礼仪之邦。自古以来，我们就有重礼、尊礼的传统，在儒家思想中一直以“礼、义、仁、智、信”并称，“礼”作为中国传统文化的精髓之一，早已渗透到民族文化的各个部分。人们之间互相交往的称谓，如敬称与谦称，就从一个角度体现着“礼”的精神。今天，我们学习古代文化，阅读古文，了解一些古代的敬称是很有必要的，特别是有些敬称，现代仍然在使用。

“敬称”，也叫尊称，表示尊敬和客气的态度。为了便于大家理解，下面进行具体的分类介绍：

1. 对于帝王将相等的敬称。(1)帝王的敬称：天子、万岁、圣上、陛下、圣驾等。驾，本指皇帝乘坐的车马，古人认为皇帝当乘车

行天下，于是用“圣驾”代指皇帝；帝王宣扬他们的政权是受天命而建，所以又称为天子；陛是指宫殿的台阶，古代臣子不能直达皇帝，需要通过在陛下的人转达他们的意思，所以也用陛下代指皇帝。（2）皇太子、亲王的敬称：殿下。（3）将军的敬称：麾下。使节的敬称：节下。三公、郡守等称阁下，现在多用于外交场合，如大使阁下。（4）君对臣的敬称：卿或爱卿。

2. 对于对方或对方亲属的敬称有令、尊、贤、仁等。令，美好的意思，一般用来称呼对方的亲属，如令尊（对方父亲）、令堂（对方母亲）、令兄（对方哥哥）、令阃（kǔn, 对方妻子）、令郎（对方儿子）、令爱（对方女儿）。尊，一般用于称呼对方的相关人和物，如尊上（对方父母）、尊公（尊君、尊府）（对方父亲）、尊堂（对方母亲）、尊亲（对方亲戚）、尊驾（对方）、尊命（对方的嘱咐）、尊意（对方的意思）。贤，一般用于称呼平辈及晚辈，如贤家（对方）、贤弟（对方或对方弟弟）、贤郎（对方儿子）。仁，表示敬爱，使用范围较广，如仁兄（同辈友人中年长于己的人）、仁公（地位高的人）等。

3. 对尊长及朋辈之间的敬称有公、大人、先生、夫子、君、子、足下等。对年老的人尊称为丈、丈人，如“子路从而后，遇丈人”（《论语》）。唐代以后，丈、丈人特指妻子的父亲，也称泰山，而用丈母或泰水尊称妻子的母亲。

4. 对于品格高尚、智慧超群的人敬称“圣”，如孔子尊为圣人，孟子称为亚圣。后代的“圣”多与帝王有关，如圣上、圣驾等。

5. 对于已死的长辈或地位高的人敬称一般是在称谓前加“先”、“太”等。对已死的皇帝敬称先帝，已死的父亲敬称先考或先父，已死的母亲敬称先妣或先慈，已死的贤者敬称先贤。称谓前加“太”或“大”表示更长一辈，如祖父敬称大（太）父，祖母敬称大（太）

母。唐代以后，对已死的皇帝多用他的庙号表示敬称，如唐太宗、唐玄宗、宋太祖、宋仁宗、元世祖、明太祖等；明清两代，也有用年号敬称皇帝的，如朱元璋敬称洪武皇帝，朱由检敬称崇祯皇帝，玄烨敬称康熙皇帝，弘历敬称乾隆皇帝。

思考讨论

这个故事描写刘邦的语言不多，但刘邦的形象却跃然纸上。请细细品读，赏析选文中刘邦的性格特征。（至少概括两个方面）

萧何月下追韩信

信数与萧何语，何奇之。至南郑，诸将行道亡者数十人[1]，信度何等已数言上[2]，上不我用，即亡。何闻信亡，不及以闻，自追之。人有言上曰：“丞相何亡。”上大怒，如失左右手。居一二日，何来谒上[3]，上且怒且喜，骂何曰：“若亡，何也？”何曰：“臣不敢亡也，臣追亡者。”上曰：“若所追者谁何？”曰：“韩信也。”上复骂曰：“诸将亡者以十数，公无所追；追信，诈也。”何曰：“诸将易得耳。至如信者，国士无双[4]。王必欲长王汉中，无所事信；必欲争天下，非信无所与计事者[5]。顾王策安所决耳[6]。”王曰：“吾亦欲东耳，安能郁郁久居此乎？”何曰：“王计必欲东，能用信，信即留；不能用，信终亡耳。”王曰：“吾为公以为将。”何曰：“虽为将，信必不留。”王曰：“以为大将。”何曰：“幸甚。”于是王欲召信拜之。何曰：“王素慢无礼[7]，今拜大将如呼小儿耳，此乃信所以去也。王必欲拜之，择良日，斋戒[8]，设坛场[9]，具礼，乃可耳。”王许之。诸将皆喜，人人各自以为得大将。至拜大将，乃韩信也，一军皆惊。

（选自《史记·淮阴侯列传》）

萧何月下追韩信

注释

[1]亡：逃跑。 [2]度：思虑，估计。 [3]谒：拜见。 [4]国士：国家杰出的人士。 [5]事：前一个“事”是关系到的意思；后一个“事”指大业，即统一天下。计：谋划。 [6]顾：只是。策：策略，决策，指“长王汉中”和“争天下”两种。 [7]素：向来，平时。慢：傲慢。 [8]斋戒：古人在重大典礼之前，先行沐浴、更衣、素餐、独宿以清心洁身，表示敬重。 [9]坛场：指拜将场所。坛，土台。

译文

韩信多次和萧何交谈，萧何把他看作奇才。到了南郑，将领们在路上逃跑的多达几十个。韩信估摸着萧何等人已多次在汉王面前推荐自己，只是汉王不肯重用，也逃跑了。萧何得知韩信逃走了，来不及听完报告，就独自去追赶他。有不了解情况的人向汉王报告说：“萧何丞相逃走了。”汉王听到后非常生气，如同失去了左膀右臂。过了一两天，萧何回来求见汉王，汉王感到又生气又高兴，骂着萧何问道：“你逃跑了，是为什么呢？”萧何说：“我哪敢逃走，我是去追赶逃跑的人啊。”汉王追问道：“你追赶的人是谁啊？”萧何答道：“是韩信。”汉王马上又骂着说：“将领们逃走了几十个，你没去追一个；而去追韩信，真是骗人。”萧何说：“将领们容易得到。但像韩信这样的国家栋梁，世间无双啊。大王您真要一直在汉中称王，就无关韩信什么事；如果一定要争夺天下，那么除了韩信，就没有可以和您谋划大业的人了。只是看大王如何决策了。”汉王说：“我也是想向东发展啊，怎么能长期待在这里郁郁寡欢呢？”萧何说：“大王决意向东发展，如果能够重用韩信，他就会留下来；如果不能重用，他终究会逃跑的。”汉王说：

“为了您，我任命他做将军。”萧何说：“只是做将军，他是不会留下的。”“那就任命他做大将军。”萧何说：“国家万幸啊。”于是汉王就要把韩信召来拜官。萧何说：“大王一向对人傲慢，没有礼节，现在任命大将军就像呼唤小孩子似的。这就是韩信要离开的原因啊。大王决定要任命、重用他，就要择定吉日，做好斋戒，建设高坛，布置广场，礼仪完备，才算可以啊。”汉王同意了萧何的建议。将领们得知消息后很高兴，人人都认为自己将被任命为大将军。等到登坛拜将时，看到居然是韩信，全军吃惊。

文史链接

败也萧何

陈豨担任巨鹿郡守，来向淮阴侯韩信辞行。淮阴侯拉着他的手，避开左右侍从到庭院里散步，忽然仰天长叹道：“您可以与我商量事吗？我想和您说说知心话。”陈豨说：“但凭将军吩咐！”淮阴侯说：“您的辖区，是国家精兵聚集的地方；而您，又是陛下宠幸的忠臣。如果有人报告您造反，皇上绝对不会相信；第二次告发，皇上才会有怀疑；第三次告发，皇上必然非常生气，而且必定亲自率兵攻打你。我为您在京城做内应，我们就可以取得天下了。”陈豨向来就了解韩信的才略，自然相信他，说：“我一定按您的指教办事！”汉高祖十年，陈豨果然叛乱。皇上御驾亲征，韩信假装生病不能随从。暗地里却派人到陈豨那里送信，相约说：“只管发兵前来，我从这里起兵做您的内应。”韩信就与家臣商量，计划夜间假传诏书，赦免各大官府的服役罪犯及奴隶，然后鼓动他们夜袭吕后与太子。一切准备就绪，只待陈豨报信。这时，韩信的一个家臣因冒犯了他，被囚禁起来准备杀掉。这个家臣的弟弟趁机向上传递消息，向吕后告发了韩信准备造反的事情。吕后想要直接召见韩信，担心他结党不来，就与相国萧何密谋，派人诈称从皇上那里回来，谎言陈豨已被抓获杀死，文武百官已纷纷赶来祝贺。萧何骗韩信说："你即使有病，这个时候也应该强撑着进宫祝贺。"韩信一入宫，吕后马上命令武士绑住他，带到长乐宫的钟室中杀死。韩信被杀时说："我真后悔没有采用蒯通的计策，才至于遭妇人与小子欺诈，难道这不是天意吗？"

韩信真是成也萧何，败也萧何啊。

思考讨论

你知道"伯乐相马"的故事吗？请搜集相关材料。

多多益善

信知汉王畏恶其能，常称病不朝从[1]。信由此日夜怨望，居常鞅鞅[2]，羞与绛、灌等列。信尝过樊将军哙[3]，哙跪拜送迎，言称臣，曰："大王乃肯临臣！"信出门，笑曰："生乃与哙等为伍！"上常从容与信言诸将能不[4]，各有差。上问曰："如我能将几何？"信曰："陛下不过能将十万。"上曰："于君何如？"曰："臣多多而益善耳。"上笑曰："多多益善，何为为我禽[5]？"信曰："陛下不能将兵，

而善将将，此乃信之所以为陛下禽也。且陛下所谓天授，非人力也。”（选自《史记·淮阴侯列传》）

注释

[1]不朝从:不朝见,不随行。 [2]鞅鞅:同“怏怏”,有怨气,失意的样子。 [3]过:拜访。 [4]不:同“否”。 [5]禽:通“擒”，抓获。

译文

韩信心中明白，汉王忌惮他的才能，便经常称病不上朝、不随行。时间一长，韩信内心便滋生了怨恨之情，待在家中，终日郁郁寡欢，一想到与绛侯、灌婴爵位等同就感到羞耻。韩信曾去看望樊哙将军，樊哙对他毕恭毕敬，跪拜接送，交谈称臣，激动地说:“大王竟然愿意屈驾臣家！”韩信走出樊哙家大门后，笑道:“我此生竟然与樊哙这类人为伍！”皇上经常随和地与韩信讨论将领们能力高低，认为互有长短。皇上问韩信：“像我这样的才能可以带领多少兵马？”韩信说:“陛下只能率领十万之众。”皇上问道:“对于你又能怎样呢？”“我带兵是越多越好。”皇上笑道：“既然你是越多越好，那为什么还被我擒获呢？”韩信答道：“陛下不能统帅兵马，但善于统帅将领，这就是我为什么被您擒获啊。况且陛下您所谈的属于天意，不是人力所能达到的。”

文史链接

朋友知多少

孔子说：“有朋自远方来，不亦乐乎？”显然，朋友可以给人带来快乐。朋友的内涵相当丰富，或指同学，或指恋人，或指志同道合的人，或泛指交谊深厚的人，如此等等。刘宏毅《千字文讲记》中有一段有趣的记述：在上古，人类主要活动于黄河流域，见不到大海，贝壳很稀有，故此以贝壳作为流通的货币。贝壳上打洞，用绳子穿起来，五个叫一系，二系叫一朋。老友来了，在脖子上挂两串贝壳去喝酒，就叫朋友。朋友的称谓有很多，现举几例稍加说明。

贫贱而地位低下时结交的朋友叫“贫贱之交”。《后汉书·宋弘传》记载：东汉初年，刘秀提拔宋弘为“太中大夫”。刘秀的姐姐守寡并看中了宋弘，刘秀想把姐姐嫁给宋弘，问宋弘对“贵易交，富易妻”的看法，宋弘回答道：“贫贱之交不可忘，糟糠之妻不下堂。”刘秀只好放弃。

以平民身份相交往的朋友叫“布衣之交”，与“贫贱之交”意思相近。《战国策·齐策》记载：“卫君与文布衣交，请具车马皮币，愿君以此从卫君游。”《史记·廉颇蔺相如列传》曰：“臣以为布衣之交尚不相欺，况大国乎！”

情谊契合、亲如兄弟的朋友叫“金兰之交”；在遇到磨难时结成的朋友叫“患难之交”；情投意合、友谊深厚的朋友叫“莫逆之交”。“金兰之交”出自《周易·系辞》：“二人同心，其利断金；同心之言，其嗅如兰。”《汉书·韩信传》有言：“足下虽自以为与汉王为金石交，然终为汉王所擒矣。”近义词如金兰契、金兰之友、患难之交、生死之交。“莫逆之交”出自《庄子·大宗师》：“三人相视而笑，莫逆于心，遂相与友。”《北史·司马膺之传》有言：“所与游集，尽一时名流。与邢子才、王元景等并为莫逆之交”。

同生死、共患难的朋友叫“刎颈之交”。《史记·廉颇蔺相如列传》记载：“廉颇闻之，肉袒负荆，因宾客至蔺相如门谢罪。曰：

‘鄙贱之人，不知将军宽之至此也。’卒相与欢，为刎颈之交。”

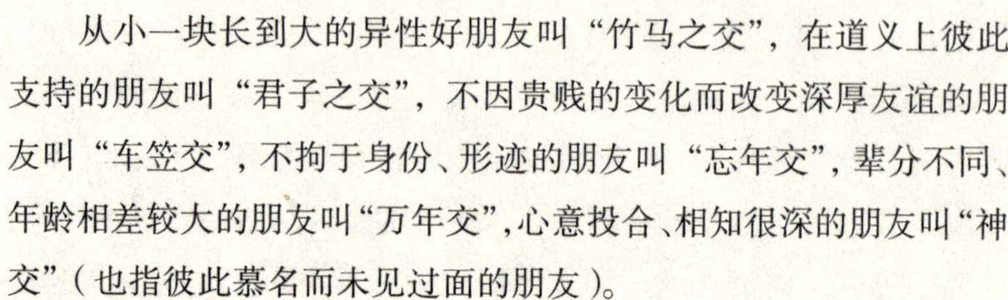

从小一块长到大的异性好朋友叫“竹马之交”，在道义上彼此支持的朋友叫“君子之交”，不因贵贱的变化而改变深厚友谊的朋友叫“车笠交”，不拘于身份、形迹的朋友叫“忘年交”，辈分不同、年龄相差较大的朋友叫“万年交”，心意投合、相知很深的朋友叫“神交”（也指彼此慕名而未见过面的朋友）。

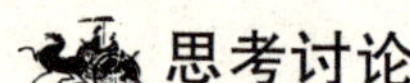

思考讨论

韩信的一生，典故非常多，除了“成也萧何，败也萧何”、“多多益善”外，你还知道哪些？

勇士樊哙

项羽在戏下，欲攻沛公[1]。沛公从百余骑因项伯面见项羽[2]，谢无有闭关事[3]。项羽既飨军士[4]，中酒[5]，亚父谋欲杀沛公[6]，令项庄拔剑舞坐中[7]，欲击沛公，项伯常（肩）〔屏〕蔽之。时独沛公与张良得入坐，樊哙在营外[8]，闻事急，乃持铁盾入到营。营卫止哙，哙直撞入，立帐下。项羽目之，问为谁。张良曰：“沛公参乘樊哙[9]。”项羽曰：“壮士。”赐之卮酒彘肩[10]。哙既饮酒，拔剑切肉食，尽之。项羽曰：“能复饮乎？”哙曰：“臣

樊哙

死且不辞，岂特卮酒乎！且沛公先入定咸阳，暴师霸上[11]，以待大王。大王今日至，听小人之言，与沛公有隙[12]，臣恐天下解[13]，心疑大王也。”项羽默然。沛公如厕[14]，麾樊哙去[15]。既出，沛公留车骑，独骑一马，与樊哙等四人步从，从间道山下归走霸上军，而使张良谢项羽。项羽亦因遂已，无诛沛公之心矣。是日微樊哙奔入营谯让项羽[16]，沛公事几殆[17]。（选自《史记·樊郦滕灌列传》）

注释

[1] 沛公：刘邦。 [2] 因：通过。 [3] 闭：封锁。关：函谷关。 [4] 飨：用酒肉款待。 [5] 中酒：饮酒正浓。 [6] 亚父：项羽对范增的尊称。 [7] 坐：同“座”。 [8] 哙：音 kuài。 [9] 参乘：即“骖乘”，座位在车的右面，负责护卫等，也叫陪乘。 [10] 卮（zhī）：盛酒的器皿。彘（zhì）肩：猪前腿。彘，猪。 [11] 暴（pù）师：指军队露宿。暴，同“曝”。 [12] 有隙：感情不和，有矛盾。 [13] 解：解体，分裂。 [14] 如：往，到。 [15] 麾：通“挥”，挥手，招呼。 [16] 微：没有。谯（qiào）让：谴责，责备。谯，同“诮”。 [17] 殆：危险。

译文

项羽的军队驻扎在戏下，想要攻打沛公。沛公通过项伯的引见，带着一百多名骑兵来到项羽军营，当面向项羽赔罪，解释自己并没有封锁函谷关、拒绝诸侯军入关的事。项羽在军中设宴犒赏将士，正当大家酒酣耳热之时，亚父范增却策划着想要刺杀沛公，下令项庄在席前舞剑助兴，以便乘机刺杀沛公，而项伯常常有意挡在沛公的前面保护。此时，只有沛公与张良坐在宴席上。樊哙在大营外面听说情势危急，就手执铁盾牌往大营里进。守营卫士拦住不让进，樊哙用盾牌直接撞了进去，立在帐中。项羽看着他，问他是谁。张良回答说：“此人是沛公的骖乘樊哙。”项羽赞道：“真是壮士！”当场就赏赐给他一大杯酒和一条猪前腿。樊哙一饮而尽，拔出剑切开猪腿便吃，一会儿就吃光了。项羽问道：“还能再喝吗？”樊哙答道：“我死都不怕，难道还怕一杯酒吗！当时，沛公先行入关，平定咸阳，露宿霸上，等待大王您。如今大王一到，就听信小人的谗言，和沛公产生隔阂，我害怕天下又要四分五裂，内心怀疑大王的能力啊！”项羽坐在那里，一句话也不说。沛公趁机借口上厕所，招呼樊哙一起离开。出了大营，沛公留下马车与骑兵，只骑了一匹马，叫樊哙等四个人跑步跟随，从一条山间小道跑回霸上的军营，而让张良辞谢项羽。项羽也就此了事，不再有杀死沛公的想法了。这天如果不是樊哙撞进大营指责项羽的话，沛公的大业几乎就完了。

文史链接

年龄的另一种表达

古人表达年龄的时候，常常不直接用数字表示，而是用一种特殊的称谓来替代。

三四岁至八九岁的儿童称“垂髫”（髫 tiáo，指儿童头上下垂的短发）；八九岁至十三四岁的少年称“总角”（古代少年往往留发，然后将头发分成左右两半，在头顶各扎成一个结，好像两个羊角，所以称“总角”）；十三四岁至十五六岁称“豆蔻”（豆蔻是在初夏开花的一种植物，初夏比喻人还未成年，所以称未成年的青少年时代为“豆蔻年华”）；男子十五岁称“束发”（古代男子到了十五岁，要解散原来的总角，合到一起扎为一束）；女子十五岁称“及笄”（笄，束发用的簪子。古代女子满十五岁结发，用笄贯之，表示到了结婚的年龄，所以称“及笄”，又称“既笄”、“笄年”）；男子二十岁称“弱冠”（古代男子二十岁行冠礼，表示已经成人，因为还没到壮年，所以称“弱冠”）；男子三十岁称“而立”（立，取意“立身，立志”）；男子四十岁称“不惑”（不惑，取意“不糊涂，不迷惑”）；五十岁称“知天命”；六十岁称“花甲”；七十岁称“古稀”；八九十岁称“耄耋（mào dié）”；一百岁称“期颐”。

这些称谓在古文中俯拾皆是。如《论语·为政》：“吾十有五而志于学，三十而立，四十而不惑，五十而知天命，六十而耳顺，七十而从心所欲，不逾矩。”《大戴礼记·保傅》：“束发而就太学，学大艺焉，履大节焉。”《礼记·内则》：“十有五年而笄。”曹操《对酒歌》曰：“人耄耋，皆得以寿终，恩泽广及草木昆虫。”左思《咏史》曰：“弱冠弄柔翰，卓荦观群书。”杜甫《曲江二首》曰：“人生七十古来稀。”陆游《初夏幽居》曰：“余生已过足，不必到期颐。”

思考讨论

这个故事中哪些词语体现了樊哙的“勇”？哪些词语体现了樊哙的“智”？

期期艾艾

昌为人强力[1]，敢直言，自萧、曹等皆卑下之。昌尝燕时入奏事[2]，高帝方拥戚姬，昌还走[3]，高帝逐得，骑周昌项[4]，问曰：“我何如主也？”昌仰曰：“陛下即桀纣之主也。”于是上笑之，然尤惮周昌[5]。及帝欲废太子，而立戚姬子如意为太子，大臣固争之，莫能得；上以留侯策即止[6]。而周昌廷争之强，上问其说，昌为人吃，又盛怒，曰：“臣口不能言，然臣期期知其不可[7]。陛下虽欲废太子，臣期期不奉诏。”上欣然而笑。既罢，吕后侧耳于东箱听，见周昌，为跪谢曰：“微君[8]，太子几废[9]。”

（选自《史记·张丞相列传》）

注释

[1]强力：倔强不屈。 [2]燕时：休息的时候。 [3]还走：转身就跑。 [4]项：脖子。 [5]惮：敬畏，忌惮。 [6]留侯策：张良的计策，指请“商山四皓”出山辅佐太子，以此来巩固太子的地位。可参看《史记·留侯世家》。 [7]期期：拟声词，拟口吃声，无义。 [8]微：不是，若非。 [9]几：几乎，差不多。

译文

周昌为人倔强刚直，敢于直言，满朝上下从萧何、曹参等都对周昌很尊敬。曾有一次，周昌在皇上休息时间入宫汇报事情，当时高帝正拥抱着戚姬，周昌一见，转身就跑。高帝起身就追，把周昌摁倒在地，骑上他的脖子上问道：“我像什么样的主公？”周昌仰着头说：“陛下就像夏桀、商纣一样的暴君。”皇上听后哈哈大笑，然而内心却特别忌惮周昌。等到皇帝想要废掉太子，改立戚姬的儿子如意为太子时，大臣们坚决表示反对，可是没有人说动皇上。后来，皇上因为留侯张良的谋划，才不提此事。而周昌在朝堂上与皇帝竭力抗争，高帝询问他的理由。周昌本来就口吃，加上盛怒之下，口吃自然更厉害了。他说：“我虽然不擅长辩论，然而，我期……期……知道不可以这么做。陛下即使想要废立太子，而我期……期……坚决不接受诏书。”皇上高兴地笑了。由于吕后在东厢房侧耳听到了周昌的对话，事情过后，她召见周昌，跪谢道："如果不是您据理力争，太子差一点就被废掉了。"

文史链接

古代官员任免升降的常用语

古代官员的任免升降有特殊的表达用语，含义各不相同。这种情况在阅读古文时经常碰到，下面举一些常用的词语加以说明：

1. 拜，指用一定的礼仪授予某种官职或名位。如《史记·淮阴侯列传》记韩信拜将一事："王必欲拜之，择良日，斋戒，设坛场，具礼，乃可耳。"《〈指南录〉后序》："于是辞相印不拜。"就是说不接受丞相大印，不就职。

2. 除，指拜官授职。如《〈指南录〉后序》："予除右丞相兼枢密使。"

3. 擢，指提升官职。如《战国策·燕策》："先王过举，擢之乎宾客之中，而立之乎群臣之上。"

4. 迁，指调动官职，包括升级、降级、平级转调三种情况。为了区别三种情况，常在"迁"字的后面或前面加一个字，升级称迁升、迁叙、迁授，降级称迁谪、左迁、迁削，平级转调称迁调、转迁、迁官，离职后官复原职称迁复。如《后汉书·张衡传》"再迁（晋升）为太史令"；《明史》"迁（调动）淳安知县"；《二刻拍案惊奇》卷十九"上皇登极，恩典下颁，致仕官皆得迁授一级，宣议郎加迁宣德郎"；韩愈《左迁至蓝关示侄孙湘》"一封朝奏九重天，夕贬潮阳路八千"。

5. 谪，降职贬官或调往边远地区。如《岳阳楼记》："滕子京谪守巴陵郡。"

6. 黜、罢、夺、免，都是指免去官职。如《国语》:“公将黜太子申生而立奚齐。”

7. 去，指解除职务，有三种情况：辞职、调离和免职。辞职与调离属于一般情况和调整官职，而免职则是削职为民。如“去官归故里”，即辞官回到家乡；去任、去位，指因故离开官位。

8. 乞骸骨，指年老请求辞职退休，如《后汉书·张衡传》:“视事三年，上书乞骸骨，征拜尚书。”

思考讨论

成语“期期艾艾”包含两个典故，此处介绍了“期期”的出处，请你写出“艾艾”的典故。

陆贾诗书定天下

陆生时时前说称《诗》、《书》[1]。高帝骂之曰：“乃公居马上而得之，安事《诗》、《书》！”陆生曰：“居马上得之，宁可以马上治之乎？且汤、武逆取而以顺守之[2]，文武并用，长久之术也。昔者吴王夫差、智伯极武而亡；秦任刑法不变，卒灭赵氏[3]。乡使秦已并天下，行仁义，法先圣，陛下安得而有之？”高帝不怿而有惭色[4]，乃谓陆生曰：“试为我著秦所以失天下，吾所以得之者何，及古成败之

国。"陆生乃粗述存亡之征，凡著十二篇。每奏一篇，高帝未尝不称善，左右呼万岁，号其书曰"新语"[5]。

（选自《史记·郦生陆贾列传》）

注释

[1]《诗》、《书》：即《诗经》、《尚书》。《诗经》是我国第一部诗歌总集。《尚书》是现存最早的上古时期典章文献汇编。
[2]逆取：依靠武力夺取。顺守：依靠仁义治理国家。
[3]赵氏：代指秦王朝。秦朝祖先造父一支曾被封在赵城，所以用"赵氏"代指。
[4]怿（yì）：高兴，欢喜。
[5]新语：书名，陆贾撰，共十二篇，大多是阐述《春秋》、《论语》大义，为汉初统治者建言献策的文章。

译文

陆贾在皇帝面前说话，时不时地引用《诗经》、《尚书》中的语句。高祖就责骂他："你老子我是靠骑在马上打来天下的，哪里用得着《诗》、《书》！"陆贾答道："骑在马上可以攻取天下，难道骑在马上就可以治理天下吗？商汤、周武依靠武力获得天下，而依靠仁义、顺应形势治理天下，文武兼用，才是国家长治久安的法宝啊。过去，吴王夫差、智伯都是因极度用武而亡国；秦朝使用酷刑苛法而不知变通，最终使自己灭亡。假使秦朝统一天下后，推行仁政，效法圣王，那么，陛下您还能夺得天下吗？"高祖听了这番分析，心里感到不痛快，露出了惭愧的脸色，就对陆贾说："你试着为我写一下秦朝为什么失去天下，我又为什么得到天下，以及古代那些国家成功和败亡的原因。"于是，陆贾便粗略地论述了国家兴亡的特征，总共写了十二篇。每上奏一篇，皇帝就赞不绝口，左右侍臣也一齐高呼万岁，称赞他的这部书为"新语"。

文史链接

《新语》简介

《新语》，又称《陆子》，是西汉陆贾所著的一部论述前代政治成败的政论著作，主张儒学、黄老之学并重，对汉初政治有重要影响。关于该书，《史记》、《汉书》、《隋书》都有记载。陆贾是楚地人，秦汉之际著名的舌辩之士，以客从刘邦定天下，两次出使南越，成功地说服了南越王尉佗臣服朝廷，维护了国家的统一，授太中大夫。西汉初定，陆贾多次建议刘邦要文治，说文武并用才能长治久安。吕后掌权期间，他闲居家中，曾力劝丞相陈平亲近太尉周勃，加强将相之间的团结，以免分裂；同时在公卿大臣间游说，为平定诸吕作乱发挥了积极作用。孝文帝刘恒当权，陆贾重任太中大夫。

据《史记》记载，《新语》是陆贾受高祖刘邦之命总结秦汉得失的经验教训的奏章。全书十二篇，篇目为《道基》、《术事》、《辅政》、《无为》、《辨惑》、《慎微》、《资质》、《至德》、《怀虑》、《本行》、《明诫》、《思务》。后世流传过程中，出现亡佚与补缺，这是古代文献传世过程中存在的客观问题。《玉海》称陆贾《新语》今存于世者，《道基》、《术事》、《辅政》、《无为》、《资质》、《至德》、《怀虑》七篇。

《新语》中多阐述《春秋》、《论语》之文，主张治国以儒家为宗，而辅以黄老无为之治，倡导崇王道，黜霸术，识贤任贤，以德教化，休养生息。《四库全书总目》称其“大旨皆崇王道，黜霸术，归本于修身用人。其称引《老子》者，惟《思务》篇引上德不德一语，余皆以圣贤为宗。所援据多《春秋》、《论语》之文。汉儒自董仲舒外，未有如是之醇正者”。在《新语》中，陆贾多次论及秦失天下的原因，如《道基》曰：“桓公尚德以霸，秦二世尚刑而亡，故虐行则怨积，德布则功兴。”《辅政》曰：“尧以仁义为巢，舜以禹、稷、契为杖，故高而益安，动而益固……秦以刑罚为巢，故有覆巢破卵之患；以赵高、李斯为杖，故有倾仆跌伤之祸。”由此可见，关注秦亡天下，从中吸取经验教训是《新语》的重要内容。陆贾还认为，世之盛衰与天无关，朝代更替“非天之所为也，乃国君者有所取之也”（《明诫》）。

思考讨论

简述“四书五经”的含义。

季布能屈能伸

季布者，楚人也。为气任侠[1]，有名于楚。项籍使将兵[2]，数窘汉王[3]。及项羽灭，高祖购求布千金[4]，敢有舍匿[5]，罪及三族[6]。季布匿濮阳周氏。周氏曰：“汉购将军急，迹且至臣家[7]，将军能听臣，臣敢献计；即不能，愿先自刭[8]。”季布许之。乃髡钳季布[9]，衣褐衣[10]，置广柳车中[11]，并与其家僮数十人[12]，之鲁朱家所卖之[13]。朱家心知是季布，乃买而置之田。诫其子曰：“田事听此奴，必与同食。”朱家乃乘轺车之洛阳[14]，见汝阴侯滕公[15]。滕公留朱家饮数日。因谓滕公曰：“季布何大罪，而上求之急也？”滕公曰：“布数为项羽窘上，上怨之，故必欲得之。”朱家曰：“君视季布何如人也？”曰：“贤者也。”朱家曰：“臣各为其主用，季布为项籍用，职耳[16]。项氏臣可尽诛邪？今上始得天下，独以己之私怨求一人，何示天下之不广也！且以季布之贤而汉求之急如此，此不北走胡即南走越耳。夫忌壮士以资敌国，此伍子胥所以鞭荆平王之墓也[17]。君何不从容为上言邪？”汝阴侯滕公心知朱家大侠，意季布匿其所，乃许曰：“诺。”待间[18]，果言如朱家指[19]。上乃赦季布。当是时，诸公皆多季布能摧刚为柔[20]，朱家亦以此闻名当世。季布召见，谢，上拜为郎中。

（选自《史记·季布栾布列传》）

注释

[1]气：意气。任：以信交友。侠：打抱不平。 [2]将：率领。[3]数：屡次。窘：困迫。汉王：刘邦。 [4]购：悬赏。求：捉拿。[5]匿（nì）：藏匿。 [6]三族：指父族、母族、妻族。一说指父母、兄弟、妻子。 [7]迹：行踪。且：将要。 [8]自刭：自杀。[9]髡（kūn）钳：一种刑罚，剃掉头发，脖子上套铁箍。文中指周氏将季布扮作一个犯罪囚徒。 [10]褐衣：麻布衣服。[11]广柳车：运货用的大车。一说是运棺材的丧车。 [12]僮：

杂役，奴仆。[13]之鲁：到鲁国。朱家：汉初著名游侠。[14]轺（yáo）车：古代一种轻便的马车。[15]汝阴侯滕公：指夏侯婴，因为曾担任滕县令，所以称滕公。公，楚人称县令为公。[16]职：职责所在。[17]伍子胥所以鞭荆平王之墓：伍子胥为报杀父兄之仇，掘墓鞭打楚平王（即荆平王）的尸体。可参看《史记·楚世家》和《史记·伍子胥列传》。[18]间：空闲，机会。[19]指：同“旨”，旨意。[20]摧刚为柔：改变刚强个性，转为柔顺。

译文

季布是楚地人，为人刚直意气，好打抱不平，在楚地大名鼎鼎。项羽派他统率军队，多次逼得汉王刘邦走投无路。等到项羽被消灭后，汉高祖悬赏千金捉拿季布，谁敢窝藏季布，诛灭三族。季布躲藏在濮阳周家。周家说：“朝廷悬赏捉拿你万分紧急，很快就会跟踪搜查到我家，如果将军您能够听我的话，我才敢说出对策；如果不能，我情愿先自杀。”季布同意了。于是，周家便剃掉季布的头发，在他的脖子上戴上铁箍，让他穿上麻布衣服，与家里的几十个奴仆一起装到运货的大车里，运到鲁地，一同卖给朱家。朱家知道是季布，就买了下来，安置到田舍里，同时，告诫他的儿子说：“田地里的事，一定要按照这个奴仆的安排做，而且必须与他吃相同的饭。”一切安排妥当之后，朱家便乘着轻便马车去洛阳，拜见了汝阴侯滕公。滕公留朱家喝了几天酒。朱家趁机问滕公：“季布犯了怎样的大罪，皇上捉拿他如此之急？”滕公说：“季布多次为项羽逼迫皇上，皇上自然怨恨他，所以一定要捉到他。”朱家问道：“您认为季布是什么样的人呢？”“他是一个贤能的人。”朱家说：“做臣子的各为其主服务，季布为项羽服务，是职责之内的事。项羽的臣下难道可以全部杀光吗？如今，皇上刚刚得到天下，就因个人的私怨去捉拿一个人，为何向天下人显示自己胸怀狭小呢！再说，凭着季布的才能，汉王如此着急地追捕，这样的话，他不是向北投奔匈奴，就是向南投奔南越。这种忌恨壮士而赶出去帮助敌国的行为，就是伍子胥鞭打楚平王尸体的原因啊。您为什么不寻找机会开导皇上呢？”汝阴侯滕公知道朱家是大游侠，揣测季布肯定藏在他家，便答应说：“一定。”滕公等到高祖闲暇时，果真就依照朱家的意思劝谏皇上。于是，皇上赦免了季布。这个时候，许多名士都称颂季布能屈能伸，朱家也因此闻名全国。后来皇上召见了季布，季布向皇上赔罪，皇上任命他为郎中。

文史链接

“二十八宿”简介

古代把星座叫做星宿（xiù），认为世间有功名的人是天上的星宿转世，如《范进中举》中写道：“如今却做了老爷，就是天上的星宿。”“天上的星宿是打不得的。”当然，这些在今天看来属于迷信的说法，在古代却是很重要的文化现象。

二十八宿，也叫二十八舍或二十八星，是古人为观测日、月、五星运行而划分的二十八个星区，用来说明日、月、五星运行所到的位置。每宿包含若干个恒星。二十八宿的名称，自西向东排列为：东方苍龙七宿（角、亢 kàng、氐 dī、房、心、尾、箕）；北方玄武七宿（斗、牛、女、虚、危、室、壁）；西方白虎七宿（奎、娄、胃、昴 mǎo、毕、觜 zī、参 shēn）；南方朱雀七宿（井、鬼、柳、星、张、翼、轸 zhěn）。温庭筠的《太液池歌》：“夜深银汉通柏梁，二十八宿朝玉堂。”运用夸张的手法，描写了星光灿烂、照耀宫阙殿堂的景象。王勃《滕王阁序》:“物华天宝，龙光射斗牛之墟。”是说物产华美，有天然的珍宝，龙泉剑光直射斗宿、牛宿的星区。刘禹锡诗：“鼙鼓夜闻惊朔雁，旌旗晓动拂参星。”形容雄兵出师惊天动地的场面。参星即参宿。

思考讨论

请你指出下列成语的出处：舍生取义、白虹贯日、作奸犯科、负荆请罪、青出于蓝、厉兵秣马、劳苦功高、图穷匕见、诲人不倦、完璧归赵。

栾布视死如归

（栾布）使于齐，未还，汉召彭越，责以谋反[1]，夷三族[2]。已而枭彭越头于洛阳下[3]，诏曰：“有敢收视者[4]，辄捕之。”布从齐还，奏事彭越头下，祠而哭之[5]。吏捕布以闻[6]。上召布，骂曰：“若与彭越反邪？吾禁人勿收，若独祠而哭之，与越反明矣。趣亨之[7]。”方提趣汤[8]，布顾曰[9]：“愿一言而死。”上曰：“何言？”布曰：“方上之困于彭城，败荥阳、成皋间，项王所以（遂）不能〔遂〕西[10]，徒以彭王居梁地[11]，与汉合从苦楚也。当是之时，彭王一顾[12]，与楚则汉破[13]，与汉而楚破。且垓下之会，微彭王，项氏不亡。天下已定，彭王剖符受封[14]，亦欲传之万世。今陛下一征兵于梁[15]，彭王病不行，而陛下疑以为反，反形未见，以苛小案诛灭之[16]，臣恐功臣人人自危也。今彭王已死，臣生不如死，请就亨。”于是上乃释布罪，拜为都尉。

（选自《史记·季布栾布列传》）

注释

[1]责：责罚，处罚。　[2]夷：灭。　[3]枭：悬首示众。[4]收：收殓。　[5]祠：祭祀，拜祭。　[6]闻：报告皇上。[7]亨(pēng)：同“烹”，古代的一种酷刑，将人放进鼎镬里烧煮杀死。[8]提：架起，拉起。趣：奔赴，靠近。汤：汤镬，沸水。[9]顾：回头看。　[10]西：向西进军。汉王刘邦困彭城、败荥阳等事参见《史记·高祖本纪》。彭越在楚汉战争中的作用参见《史记·魏豹彭越列传》。　[11]徒：只。　[12]一顾：一回头。指与楚或汉一方分裂。　[13]与：结盟，联合。　[14]剖符：古代帝王分封诸侯或功臣时，把写好约定的符节分割为二，双方各执一半，作为信物。　[15]征兵：指汉高祖十年（前197），陈豨（xī）谋反，刘邦亲征，至邯郸向彭越征兵，彭越托病不行，刘邦怀疑他要谋反。可参见《史记·魏豹彭越列传》。　[16]苛小：刻薄小事。案：通“按”，定刑，判罪。

译文

栾布被派到齐国办事，没有回来。这时，汉皇召见彭越，给他定下谋反的罪名，处以极刑，诛灭三族。之后，将彭越的头悬挂在洛阳城门示众，并贴出布告说：“有人敢来收殓或探视，就马上逮捕。”栾布从齐国回来，就到彭越的头下面汇报出使的情况，然后一边哭泣，一边祭祀。官吏抓住他，并将事情报告给皇上。皇上马上下令把栾布带来，当场骂道：“你要和彭越一道反叛吗？我禁令任何人不能收葬，只有你祭他、哭他，那么你和彭越一同造反已经很明显了。马上烹杀！”正要抬起栾布靠近汤镬时，栾布回头说：“希望能让我说句话再死。”皇上说：“说什么？”栾布说：“当初，皇上您被围困在彭城，又在荥阳、成皋一带打了败仗，而项王却不能顺利西进，只因为彭王占据着梁地，和汉王联合对抗楚国啊。那个时候，彭王只要一回头，和楚王联合，汉王就破灭；和汉王联合，楚王就破灭。况且，在垓下之战中，如果没有彭王，项羽就不会灭亡。天下安定统一了，彭王接符受封，也打算把封爵世代相传下去。如今，陛下仅仅为了在梁国征兵，彭王有病不能前来，就怀疑他要反叛，而谋反的迹象并没有出现，只因苛求小节而定罪诛灭了他的家族，我害怕功臣们人人都会感到自危啊。如今彭王已经死了，我也生不如死，请您烹了我吧。”听了这些，皇上赦免了栾布的罪责，并任命他担任都尉。

文史链接

古代酷刑例释

凌迟，堪称最惨无人道的酷刑，原写作“陵迟”。陵迟原指山丘延缓的斜坡。《荀子》曰：“三尺之岸，而虚车不能登也。百仞之山，任负车登焉。何则？陵迟故也。”就是说，三尺高的陡坡，空车也拉不上去，而百仞高的大山，载满货的车子可以一直拉到山顶。为什么呢？因为有平缓的斜坡。陵迟作为刑罚名，是取它的缓慢之意，即是说慢慢地将人处死。行刑时，一刀一刀地割下身上的肉，直到差不多把肉割尽,才剖腹断首使犯人毙命。“千刀万剐”就出自凌迟。凌迟又叫剐、脔割、寸磔等。清光绪三十一年（1905），修订法律的大臣沈家本奏请废除凌迟等重刑，得到朝廷批准，诏令将凌迟和枭首、戮尸等刑“永远删除,俱改斩决”。自此,凌迟酷刑从法典中消失。

车裂，古代一种极其残酷的刑罚，就是把人的头和四肢分别绑在五辆马车上，向不同的方向拉，从而将身体撕裂为五块。有的行刑时直接用五头牛或马来拉，称为五牛分尸或五马分尸。明清小说描述某人惨死："管教他死得不如李存孝"。李存孝是唐末晋王李克用的义子，因反叛被擒到太原，“车裂于市”。

斩首，是古代执行死刑的刑罚之一。先秦时期的死刑有车裂、斩、杀等,但那时不是斩首,而是斩腰。行刑时,囚犯伏在“椹质”上，刽子手用巨斧砍断其腰。秦以前割头处死的做法称“杀”。秦以后，“斩”的意义逐渐扩大，杀头的刑罚便称作斩首。

炮烙。纣王无意间看到一只蚂蚁在烧热的铜斗上翻滚、挣扎，就想到人被烙的方法。他让人用铜棒制成方格，下面用炭火把铜棒烧红，让罪犯赤脚在上面行走，犯人痛得惨叫不已，有的掉入火中烧死。

宫刑，指阉割男性生殖器。有材料证明，中国最迟在商代就有了阉割的意识与行为。秦汉时期，阉割技术已较为完备，并且注意到手术后的防风、保暖、静养等护理措施。

剖腹，是商纣王首创的刑罚。王子比干见纣王无道，就直言进谏，从而触怒了纣王。于是，纣王命令武士剖开比干胸腹，取出心脏察看。纣王还活剖孕妇的肚子，查看胎儿是男是女。

虿（chài）盆，指把人放进满是蝎子与毒蛇的坑里。这个酷刑在《封神演义》中有描写。

沉河。战国时期，魏国邺地（今河北临漳一带）的三老、廷掾勾结女巫，妖言惑众，假说河伯娶亲，每年挑选民家女沉入漳河。西门豹任邺令后，识破此阴谋，将三老和女巫投入河中。

活埋，是战争中常用的手段。战争时的活埋，都是战俘自己挖坑，有时是先杀死俘虏再推下活埋，但时间紧张时就直接推下去盖土。在刑罚中，活埋也是早已有之。

绞缢，即绞刑。《左传·哀公二年》载："若其有罪，绞缢以戮。"杜预注解曰："绞，所以缢人物。"就是说，绞是缢人的一件东西，如绳或带之类。现在学者一般认为，这条记载是绞缢作为刑罚的开始。后世被施绞刑的很多，尤其是近代西方国家，很多革命者被推上了绞刑架，英勇就义，如伏契克等。

黥面，也叫墨刑，是周代五刑的第一种，就是在人脸上或其他部位刺字，涂上墨或别的颜料，使之成为永久性的印记。与杀、宫、劓、刖相比，黥面相对轻微些。但这种刑罚施行在身体的明显部位，无法掩饰，给人的精神痛苦相当大。

其他刑罚，如刖刑，又叫剕刑，指砍掉罪犯左脚、右脚或双脚，通常做法是割掉人的膝盖骨，如孙膑就是被庞涓割去膝盖骨；插针，指用针插进指甲缝，常用于女囚；鸩毒，常用于赐死，鸩有剧毒，饮后七窍流血而死，有成语"饮鸩止渴"；射杀，指用箭射死犯人；烹煮，指把罪犯投入盛有沸水、热油的大镬、鼎中煮死，商纣王首创，也称烹刑、镬烹、鼎烹；红绣鞋，指拿烧红的铁烙脚。

思考讨论

请你写出下列对联所写的人物：

（1）村舍俨然，笑渔人迷不得路；水源宛在，偕太守常来问津。

（2）志洁行廉，爱国忠君真气节；辞微旨远，经天纬地大师篇。

（3）千古诗才，蓬莱文章建安骨；一身傲骨，青莲居士谪仙人。

（4）刚直不阿，留得正气冲霄汉；幽愁发愤，著成信史照尘寰。

（5）铜板铁琶，继东坡高唱大江东去；采芹悲黍，冀南宋莫随鸿雁南飞。

（6）翁去八百载，醉乡犹在；山行六七里，亭影不孤。

（7）两表酬三顾，一对足千秋。

（8）写鬼写妖高人一等，刺贪刺虐入骨三分。

巧诊难症

其后扁鹊过虢。虢太子死，扁鹊至虢宫门下，问中庶子喜方者曰[1]：“太子何病，国中治穰过于众事[2]？”中庶子曰：“太子病血气不时[3]，交错而不得泄[4]，暴发于外，则为中害[5]。精神不能止邪气[6]，邪气畜积而不得泄[7]，是以阳缓而阴急，故暴蹶而死[8]。”扁鹊曰：“其死何如时？”曰：“鸡鸣至今[9]。”曰：“收乎？”曰：“未也，其死未能半日也。”“言臣齐渤海秦越人也，家在于郑，未尝得望精光侍谒于前也[10]。闻太子不幸而死，臣能生之。”

注释

[1]喜：爱好。方：医方、医术。　[2]治：举行。禳：通“禳”，袪除邪恶的祭祀。　[3]不时：不按时，没规律。　[4]泄：疏通泄导。　[5]中害：指内脏受伤害。　[6]精神：指人体的正气。　[7]畜：通“蓄”，积聚，储藏。　[8]蹶：泛指突然昏倒、不省人事的病症。　[9]鸡鸣：鸡鸣之时，约在五更时分，相当于现在凌晨的三点到五点。　[10]精光：神采光泽，引申为尊容。

译文

后来扁鹊路经虢国。正碰上虢太子死去，扁鹊来到虢国王宫门前，问一位喜好医术的中庶子说：“太子有什么病，为什么全国举行除邪袪病的祭祀,其重视程度超过了其他许多事？”中庶子说：“太子的病是血气运行没有规律，阴阳交错而不能疏泄，猛烈地暴发于体表，就造成内脏受伤害。人体的正气不能制止邪气，邪气蓄积而不能疏泄，因此阳脉弛缓阴脉急迫，所以突然昏倒而死。”扁鹊问：“他什么时候死的？”中庶子回答：“从鸡鸣到现在。”又问：“收殓了吗？”回答说：“还没有，他从去世到现在还不到半天呢。”“请禀告虢君说，我是渤海郡的秦越人，家在郑地，未能仰望君王的神采而拜见侍奉在他的面前。听说太子死了，我能使他复活。”

中庶子曰："先生得无诞之乎[1]？何以言太子可生也！臣闻上古之时，医有俞跗，治病不以汤液醴洒[2]，镵石挢引[3]，案扤毒熨[4]，一拨见病之应[5]，因五脏之输[6]，乃割皮解肌[7]，诀脉结筋[8]，搦髓脑[9]，揲荒爪幕[10]，湔浣肠胃[11]，漱涤五脏，练精易形[12]。先生之方能若是，则太子可生也；不能若是而欲生之，曾不可以告咳婴之儿[13]。"终日[14]，扁鹊仰天叹曰："夫子之为方也，若以管窥天，以郄视文[15]。越人之为方也，不待切脉望色听声写形[16]，言病之所在。闻病之阳[17]，论得其阴[18]；闻病之阴，论得其阳。病应见于大表[19]，不出千里，决者至众，不可曲止也[20]。子以吾言为不诚，试入诊太子，当闻其耳鸣而鼻张[21]，循其两股以至于阴[22]，当尚温也。"

注释

[1] 得无：该不是。诞：放诞虚妄。　[2] 汤液：汤剂。醴洒：酒剂。　[3] 镵石：古时治病用的石针。挢引：即导引，古代的一种体育疗法。挢，举起，翘起。引，伸展。　[4] 案扤：按摩。案，通"按"。扤，动。毒熨：用药物敷在患处后加热使药力透入体内的热敷疗法。　[5] 拨：拨开衣服，指对病人进行诊视检查。应：反应，指疾病所在。　[6] 因：顺着。输：通"腧"，穴位。　[7] 解：剖开。　[8] 诀脉：疏导经脉。诀，通"决"。结筋：结

扎筋腱。　[9] 搦(nuò)髓脑：按治髓脑。搦，按。　[10] 揲荒：触动膏肓。揲，触动。荒，通“肓”，即膏肓。爪幕：用手疏理横隔膜。爪，通“抓”，用手指疏理。幕，通“膜”，指横隔膜。[11] 湔浣：洗涤。　[12] 练精易形：修炼精气，改变容色。[13] 曾：简直。咳婴之儿：刚会笑的婴儿。咳，本意指婴儿的笑声。[14] 终日：整日，此处作好久、良久解。　[15] 郄：通“隙”，缝隙。文：通“纹”，花纹、斑纹。　[16] 写形：审察病人体态神情外部症状。写，摹写，这里指审察。　[17] 闻：闻知，诊视到。阳：指外表症状。　[18] 论：推论，推知。阴：指内在的病因。[19] 大表：身体的外表。　[20] 不可曲止：不能局限在一个角度看问题。曲，弯曲，此指一隅之见。　[21] 鼻张：鼻翼扇动。[22] 阴：指阴部，外生殖器。

译文

中庶子说：“先生该不是胡说吧？怎么说太子可以复活呢！我听说上古的时候，有个叫俞跗的医生，治病不用汤剂、药酒、镵针、砭石、导引、按摩、药熨等办法，一解开衣服诊视就知道疾病的所在，顺着五脏的腧穴，然后割开皮肤剖开肌肉，疏通经脉，结扎筋腱，按治脑髓，触动膏肓，疏理横隔膜，清洗肠胃，洗涤五脏，修炼精气，改变神情气色，先生的医术能如此，那么太子就能再生了；不能做到这些，却想要使太子再生，这样的话连刚会笑的孩子都欺骗不了。”过了好久，扁鹊才仰天而叹说：“您说的那些治疗方法，就像从竹管中看天，从缝隙中看花纹一样。我用的治疗方法，不需给病人切脉、察看脸色、听声音、观察病人的体态神情，就能说出病因在什么地方。知道疾病外在的表现就能推知内有的原因；知道疾病内在的原因就能推知外在的表现。人体内有病会从体表反映出来，据此就可诊断千里之外的病人，我决断的方法很多，不能只停留在一个角度看问题。您如果认为我说的不真实可靠，可以试着进去诊视太子，应会听到他耳有鸣响，看到鼻翼扇动，顺着两腿摸到阴部，那里应该还是温热的。”

中庶子闻扁鹊言，目眩然而不瞚[1]，舌挢然而不下[2]，乃以扁鹊言入报虢君。虢君闻之大惊，出见扁鹊于中阙[3]，曰："窃闻高义之日久矣，然未尝得拜谒于前也。先生过小国，幸而举之[4]，偏国寡臣幸甚[5]。有先生则活，无先生则弃捐填沟壑[6]，长终而不得反[7]。”言未卒，因嘘唏服臆[8]，魂精泄横[9]，流涕长潸[10]，忽忽承肤[11]，悲不能自止，容貌变更。扁鹊曰："若太子病[12]，所谓'尸蹶'者也[13]。夫以阳入阴中，动胃缠缘[14]，中经维络[15]，别下于三焦、膀胱[16]，是以阳脉下遂[17]，阴脉上争，会气闭而不通[18]，阴上而阳内行，下内鼓而不起[19]，上外绝而不为使[20]，上有绝阳之络，下有破阴之纽[21]，破阴绝阳，（之）色（已）废脉乱[22]，故形静如死状。太子未死也。夫以阳入阴支兰藏者生[23]，以阴入阳支兰藏者死。凡此数事，皆五脏蹶中之时暴作也。良工取之[24]，拙者疑殆[25]。”

注释

[1] 眩然：眼睛昏花的样子。瞚（shùn）：同“瞬”，眨眼。 [2] 舌挢然而不下：舌头翘起不能放下。形容说不出话的样子。此句与上句皆是形容惊讶的神情。 [3] 中阙：皇宫的中门。阙，皇宫中对称的门楼，中间有路可通行。 [4] 举：救助。 [5] 寡臣：寡德之臣，是虢君的自谦之词。 [6] 弃捐填沟壑：死的委婉说法。弃捐，抛弃。填，填埋。 [7] 长终：永远死去。反：同“返”，指复生。 [8] 嘘唏：哭泣时的抽咽、哽咽之声。服（bì）臆：因悲伤而气满郁结。服，通“愊”，满。 [9] 魂精泄横：精神散乱恍惚。魂精，精神。泄，散。横，纵横杂乱。 [10] 长潸（shān）：长时间地流泪。 [11] 忽忽：泪珠滴得很快的样子。承映（jié）：（泪珠）挂在睫毛上。映，同“睫”。 [12] 若：你，你的。 [13] 尸蹶：古代病名，突然昏迷摔倒，其状如尸的病症。 [14] 缠缘：缠绕。缠，同“缠”。缘，绕。 [15] 中经维络：经脉受损伤，络脉被阻塞。中，伤害。维，阻塞。 [16] 三焦：包括上焦、中焦、下焦。横膈以上为上焦，脘腹部为中焦，肚脐以下为下焦。此处所指是第三焦，即下焦。 [17] 遂：通“坠”。 [18] 会：恰好，正好。 [19] 鼓：鼓动。 [20] 绝：隔绝。 [21] 纽：筋纽。 [22] 色废：容颜变色、失常。 [23] 支兰：遮拦、阻隔的意思。支，支柱。兰，通“栏”，栏杆。 [24] 良工：医术高明的医生。取：攻取，指治愈病患。 [25] 拙者：医术拙劣的医生。疑：疑惑，困惑。殆：危险。

译文

中庶子听完扁鹊的话，目瞪口呆，说不出话来，后来才进去把扁鹊的话告诉了虢君。虢君听后十分惊讶，走出内廷在宫廷的中门接见了扁鹊，说：“我听到您有高尚的品德已经很长时间了，然而不能够亲自前去拜见您。这次先生途经我们这个小国，希望您能够救助我们，我这个偏远国家的君王真是太幸运了。有先生在就能救活我的儿子，没有先生在他就会抛尸野外而填塞沟壑，永远死去而不能复活。”话没说完，他就悲伤抽噎气郁胸中，精神散乱恍惚，流泪不止，泪珠滚落沾在睫毛上，悲痛之情难以克制，容貌神情也发生了变化。扁鹊说：“您的太子得的病，就是人们所说的‘尸蹶’。那是因为阳气陷入阴脉，脉气缠绕冲动了胃，经脉受损伤脉络被阻塞，分别下注入下焦、膀胱，因此阳脉下坠，阴气上升，阴阳两气会聚，互相团塞，不能通畅。阴气又逆而上行，阳气只好向内运行，阳气徒然在下在内鼓动却不能上升，在上在外被阻绝而不能被阴气遣使，在上有隔绝了阳气的脉络，在下有破坏了阴气的筋纽，这样阴气破坏、阳气隔绝，从而使人的面色衰败血脉混乱，所以人才会身体安静得像死去的样子。太子实际没有死。因为阳入袭阴而阻绝脏气的能治愈，阴入袭阳而阻绝脏气的必死。这些情况，都会在五脏厥逆时突然发作。精良的医生能治愈这种病，拙劣的医生会因困惑使病人危险。”

扁鹊乃使弟子子阳厉针砥石[1]，以取外三阳五会[2]。有闲[3]，太子苏。乃使子豹为五分之熨[4]，以八减之齐和煮之[5]，以更熨两胁下[6]。太子起坐。更适阴阳[7]，但服汤二旬而复故[8]。故天下尽以扁鹊为能生死人[9]。扁鹊曰：“越人非能生死人也，此自当生者，越人能使之起耳[10]。”

（选自《史记·扁鹊仓公列传》）

注释

[1] 厉针砥石：磨砺针石。厉，通“砺”，磨砺。砥，砥砺。[2] 三阳五会：百会穴的别名。 [3] 闲：通“间”，一会儿，顷刻。[4] 五分之熨：用药热敷患处，使温热药气深入体内五分的疗法。[5] 八减之齐：即八减剂，古方名，现已失传。齐，通“剂”。[6] 更：更换、交替。 [7] 更：再。适：调适，调和。 [8] 但：仅仅，只是。复故：恢复原来的状态。 [9] 生死人：使死去了的人再生。 [10] 起：振作，振起，指活过来。

译文

扁鹊就叫他的学生子阳磨砺针石，取穴百会下针。过了一会儿，太子苏醒了。又让学生子豹准备能入体五分的药熨，再加上八减方的药剂混和煎煮，交替在两胁下熨敷。太子能够坐起来了。进一步调和阴阳，仅仅吃了汤剂二十天就身体恢复，和从前一样了。因此天下的人都认为扁鹊能使死人复活。扁鹊却说：“我不是能使死人复活啊，这是他应该活下去，我能做的只是促使他恢复健康罢了。”

文史链接

扁鹊与中国古代的预防医学

扁鹊是我国战国时期的名医，他不仅善于综合运用望、闻、问、切的诊断方法，而且能使用汤剂、针灸、药酒、药熨、按摩甚至食疗等各种治疗手段。他医治的疾病范围也十分广泛，诸如现代医学中的内、外、妇、儿、五官等科均有涉及。主张治疗要从实际病情出发，要精心慎重和及时总结经验教训，反对以偏概全、浅尝辄止、墨守成规的错误态度，更为重要的是他还特别重视治疗未病之病，是我国古代预防医学的重要奠基人。这在当时是十分难能可贵的。

《鹖冠子·世贤》记载了一则关于扁鹊论医术的故事：煖曰："王独不闻魏文侯之问扁鹊耶？曰：'子昆弟三人，其孰最善为医？'扁鹊曰：'长兄最善，中兄次之，扁鹊最为下。'魏文侯曰：'可得闻邪？'扁鹊曰：'长兄于病视神，未有形而除之。故名不出于家。中兄治病，其在毫毛。故名不出于闾。若扁鹊者，镵血脉，投毒药，副肌肤间。而名出闻于诸侯。'"魏文侯曰："善！使管子行医术以扁鹊之道，桓公几能成其霸乎？凡此者，不病病。治之无名，使之无形。至功之成其下，谓之自然。故良医化之，拙医败之。虽幸不死，创深股维。"这则故事很好地阐明了预防医学的重要性。

《黄帝内经·上古天真论》云："上古之人，其知道者，法于阴阳，和于术数，食饮有节，起居有常，不妄作劳，故能形与神俱，而尽终其天年，度百岁乃去。今时之人不然也，以酒为浆，以妄为常，醉以入房，以欲竭其精，以耗散其真，不知持满，不时御神，务快其心，逆于生乐，起居无节，故半百而衰也。"这段话也是对我国古代预防医学的经典阐释。

司马迁的"六不治"

通过记载扁鹊、淳于意等名医事迹，司马迁感慨地说："人们担忧的是疾病太多，医生忧虑的是治病的方法太少。所以有六种患病的情形不能医治：为人傲慢放纵不讲道理，是一不治；轻视身体看重钱财，是二不治；衣着饮食不能调节适当，是三不治；阴阳错乱，五脏功能不正常，是四不治；形体羸弱，不能服药的，是五不治；迷信巫术不相信医术的，是六不治。有这样一种情形，那就很难医治了。"这种说法是有道理的。只有重视科学、配合治疗、注意饮食起居，才能更好地达到治疗的效果。反之，迷信巫术、讳疾忌医、生活没规律则会使治疗效果大打折扣。

思考讨论

扁鹊巧诊难症的故事蕴含了什么哲理？

计退匈奴

匈奴大入上郡，天子使中贵人从广勒习兵击匈奴[1]。中贵人将骑数十纵[2]，见匈奴三人，与战。三人还射，伤中贵人，杀其骑且尽。中贵人走广。广曰："是必射雕者也[3]。"广乃遂从百骑往驰三人。三人亡马步行[4]，行数十里。广令其骑张左右翼，而广身自射彼三人者，杀其二人，生得一人，果匈奴射雕者也。已缚之上马，望匈奴有数千骑，见广，以为诱骑[5]，皆惊，上山陈[6]。广之百骑皆大恐，欲驰还走。广曰："吾去大军数十里，今如此以百骑走，匈奴追射我立尽。今我留，匈奴必以我为大军〔之〕诱（之），必不敢击我。"广令诸骑曰："前！"前未到匈奴陈二里所[7]，止，令曰："皆下马解鞍！"

其骑曰："虏多且近，即有急，奈何？"广曰："彼虏以我为走，今皆解鞍以示不走，用坚其意。"于是胡骑遂不敢击。有白马将出护其兵[8]，李广上马与十余骑奔射杀胡白马将，而复还至其骑中，解鞍，令士皆纵马卧[9]。是时会暮，胡兵终怪之，不敢击。夜半时，胡兵亦以为汉有伏军于旁欲夜取之，胡皆引兵而去。平旦[10]，李广乃归其大军。大军不知广所之，故弗从。

（选自《史记·李将军列传》）

西汉时期匈奴人牧羊图

注释

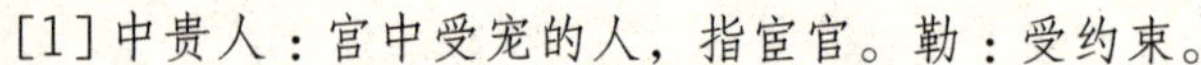

[1] 中贵人：宫中受宠的人，指宦官。勒：受约束。

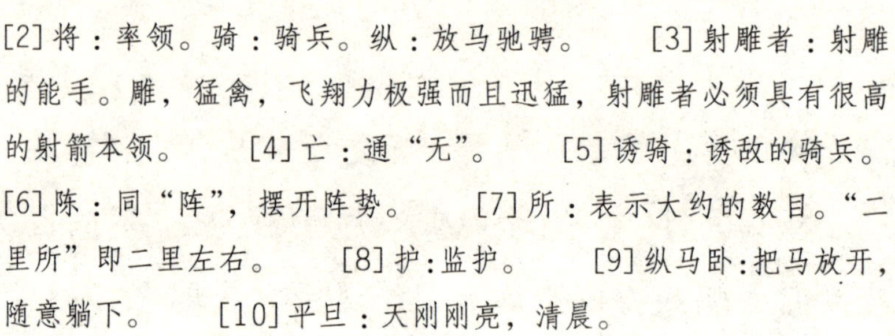

[2] 将：率领。骑：骑兵。纵：放马驰骋。　[3] 射雕者：射雕的能手。雕，猛禽，飞翔力极强而且迅猛，射雕者必须具有很高的射箭本领。　[4] 亡：通"无"。　[5] 诱骑：诱敌的骑兵。[6] 陈：同"阵"，摆开阵势。　[7] 所：表示大约的数目。"二里所"即二里左右。　[8] 护:监护。　[9] 纵马卧:把马放开，随意躺下。　[10] 平旦：天刚刚亮，清晨。

译文

匈奴大举入侵上郡，天子派来一名宦官跟随李广学习军事，抗击匈奴。这位宦官带领几十名骑兵，纵马驰骋，遇到三个匈奴人，就与他们交战，三个匈奴人回身放箭，射伤了宦官，几乎杀光了他的那些骑兵。宦官逃回到李广那里，李广说："这一定是匈奴的射雕能手。"李广于是就带上一百名骑兵前去追赶那三个匈奴人。那三个人没有马，徒步前行。走了几十里，李广命令他的骑兵左右散开，两路包抄。他亲自去射杀那三个人，射死了两个，活捉了一个，果然是匈奴的射雕手。把他捆绑好上马之后，远远望见几千名匈奴骑兵。他们看到李广，以为是诱敌之骑兵，都很吃惊，跑上山去摆好了阵势。李广的百名骑兵也都大为惊恐，想回马飞奔逃跑。李广说："我们离开大军几十里，照现在这样的情况，我们这一百名骑兵只要一跑，匈奴就要来追击射杀，我们会立刻被杀光的。现在我们停留不走，匈奴一定以为我们是大军来诱敌的，必定不敢攻击我们。"李广向骑兵下令："前进！"骑兵向前进发，到了离匈奴阵地还有大约二里的地方，停了下来。李广又下令说："全体下马解下马鞍！"骑兵们说："敌人那么多，并且又离得近，如果有了紧急情况，怎

么办？”李广说：“那些敌人原以为我们会逃跑，现在我们都解下马鞍表示不逃，这样就能使他们更坚信我们是诱敌之兵了。”匈奴骑兵终于不敢来攻击。有一名骑白马的匈奴将领出阵来监护他的士兵，李广立即上马和十几名骑兵一起奔驰，射死了那位骑白马的匈奴将领，之后又回到自己的骑兵队里，解下马鞍，让士兵们都放开马，随便躺卧。这时正值日暮黄昏，匈奴军队始终觉得奇怪，不敢进攻。到了半夜，匈奴兵又以为汉朝有伏兵在附近，想趁夜偷袭他们，因而就撤离了。第二天早晨，李广才回到他的大军营中，大军不知道李广的去向，所以无法随后接应。

文史链接

计退匈奴与不战而屈人之兵

《孙子兵法·计篇》云：“兵者，诡道也。故能而示之不能，用而示之不用，近而示之远，远而示之近。利而诱之，乱而取之，实而备之，强而避之，怒而挠之，卑而骄之，佚而劳之，亲而离之。攻其无备，出其不意。此兵家之胜，不可先传也。”兵乃诡道的性质，决定了战争之中难免采取各种计谋去赢得最终的胜利。

在战争之中，虽然同样取得了最终的胜利，但其层次也有高下之别。《孙子兵法·谋攻篇》云：“孙子曰：‘凡用兵之法，全国为上，破国次之；全军为上，破军次之；全旅为上，破旅次之；全卒为上，破卒次之；全伍为上，破伍次之。是故百战百胜，非善之善者也；不战而屈人之兵，善之善者也。故上兵伐谋，其次伐交，其次伐兵，其下攻城。攻城之法为不得已。’”这段话对以谋略取胜、不战而屈人之兵的战争方式给予了高度的评价，认为攻城野战、杀人如麻的战争方式是不得已而为之的下下策。《形篇》

亦云："故善战者，能为不可胜，不能使敌之可胜。"指出善于用兵打仗的人，能够将不能打胜的战争打胜。李广用百骑机智地吓退匈奴数千骑，可谓"不战而屈人之兵"，"能为不可胜"，充分体现了他的胆识和谋略。其中射杀匈奴射雕手，射杀敌军白马将的细节描写，又充分体现了李广善射的才能。

计退匈奴这则历史故事生动刻画了李广英勇善战、智勇双全的英雄形象。他一生与匈奴战斗七十余次，常常以少胜多，险中取胜，以致匈奴人闻名丧胆，称之为"飞将军"。李广为安定汉朝的北部边疆立下了汗马功劳。

思考讨论

李广计退敌兵抓住了匈奴士兵什么样的心理特征？

李广难封

初，广之从弟李蔡与广俱事孝文帝。景帝时，蔡积功劳至二千石。孝武帝时，至代相。以元朔五年为轻车将军[1]，从大将军击右贤王[2]，有功中率[3]，封为乐安侯。元狩二年中[4]，代公孙弘为丞相。蔡为人在下中，名声出广下甚远，然广不得爵邑，官不过九卿，而蔡为列侯，位至三公。诸广之军吏及士卒或取封侯。广尝与望气王朔燕语[5]，曰："自

李广

汉击匈奴而广未尝不在其中，而诸部校尉以下，才能不及中人，然以击胡军功取侯者数十人，而广不为后人，然无尺寸之功以得封邑者，何也？岂吾相不当侯邪？且固命也？”朔曰：“将军自念，岂尝有所恨乎[6]？”广曰：“吾尝为陇西守，羌尝反[7]，吾诱而降，降者八百余人，吾诈而同日杀之。至今大恨独此耳。”朔曰：“祸莫大于杀已降，此乃将军所以不得侯者也。”（选自《史记·李将军列传》）

注释

[1]元朔五年：公元前124年。 [2]大将军：指卫青。[3]率：即“首虏率”，指斩杀敌人首级和俘获敌人的数量规定。汉朝制度，凡达到规定数量的即可封侯。 [4]元狩：汉武帝的第四个年号，即公元前122年到公元前117年这段时间。[5]望气：古代通过观察星象或气象来占卜吉凶的迷信活动。[6]恨：悔恨。 [7]羌：我国古代西部的少数民族之一。

译文

当初，李广的堂弟李蔡和李广一起侍奉汉文帝。到汉景帝时，李蔡累积功劳已得到年俸二千石的官位。汉武帝时，做到代国的国相。武帝元朔五年（前124）被任命为轻车将军，由于跟随大将军卫青攻打匈奴右贤王有功，达到斩杀敌人首级的规定，被封为乐安侯。元狩二年（前121）间，代公孙弘任丞相。李蔡的才干在下等之中，声名比李广差得很远，然而李广得不到封爵和封地，官位没超过九卿，可是李蔡却被封为列侯，官位达至三公。李广属下的军官和士兵们，也有人得到了侯爵之封。李广曾和星象家王朔私下闲谈说："自从汉朝攻打匈奴以来，我没有一次不参加。可是各部队校尉以下的军官，才能还不如中等人，然而由于攻打匈奴有功被封侯的有几十人。我李广不算比别人差，但是没有一点功劳用来得到封地，这是什么原因呢？难道是我的骨相就不该封侯吗？还是本来就命该如此呢？"王朔说："将军自己回想一下，难道曾经有过值得悔恨的事吗？"李广说："我曾当过陇西太守，羌人有一次反叛，我诱骗他们投降，投降的有八百多人，我用欺诈手段在同一天把他们都杀了。直到今天我最大的悔恨只有这件事。"王朔说："能使人受祸的事，没有比杀死已投降的人更大的了，这也就是将军不能封侯的原因。"

文史链接

悲剧英雄李广

李广一生郁郁不得志，他先任中郎，后迁武骑常侍，景帝即位后，任陇西都尉，又改任骑郎将。吴、楚七国叛乱时，李广任骁骑都尉，随从太尉周亚夫反击吴、楚叛军，在昌邑城下夺取了敌人的军旗，立功扬名。可是由于梁孝王私自把将军印授给李广，回朝后，朝廷没有对他进行封赏。后与博望侯共同击退匈奴一战，因功过相抵也没有得到封赏。在封建社会，许多德才兼具之人得不到重用和升迁，成为一大遗憾。“冯唐易老，李广难封”也成为功高不爵、命运乖舛的代名词。

李广神射超群，有勇有谋，同时又是一位最能体恤士卒的将领。他治军简易，廉洁奉公，对士兵从不苛刻，且“得赏赐辄分其麾下，饮食与士共之”，深受将士们爱戴。正是由于李广这种身先士卒、先人后己的优秀品格，使得将士都甘愿在他麾下效力，“咸乐为之死”。然而，正是这样一位战功卓著、备受将士爱戴的名将，却一生坎坷，受到贵戚的排挤，终身未得封爵。与之相反，他的堂弟李蔡“为人在下中，名声出广下甚远”，却能封侯拜相。李广终而含愤自杀，以自杀的方式抗议朝廷对他的不公，控诉贵戚对他的排挤。李广愤而自杀的消息一经传出，“广军士大夫一军皆哭。百姓闻之，知与不知，无老壮皆为垂涕”。

李广除了英雄的一面外，他同常人一样，也有性格上的缺陷。他有时心胸狭小、有怨必报，曾因霸陵尉不让通行一事将其杀害；他也曾残暴无比，在陇西太守任上，骗杀投降的羌人八百人。然而，这些都不是最为重要的原因。李广难封及其悲剧结局，更重要的是时代造成的。

司马迁通过对李广悲剧结局的渲染，揭露并谴责了统治者的任人唯亲、刻薄寡恩以及对贤能之士的压抑与扼杀。他还用“桃李不言，下自成蹊”来形容李广的德行。李广死后，全军与百姓的悲哭之中，也包含了司马迁个人对李广这一类悲剧英雄的悲惋之情。他通过栩栩如生的历史事件以及饱含深情的语言，对李广的悲剧表示了极大的同情。

悲剧英雄及其事迹往往具有强烈的震撼人心的力量，并不因为其悲剧结局而稍有逊色。李广和乌江自刎的西楚霸王项羽一样也成为后人歌咏的对象。唐代诗人卢纶《塞下曲》：“林暗草惊风，将军夜引弓。平明寻白羽，没在石棱中。”王昌龄《出塞》：“但使龙城飞将在，不教胡马度阴山。”高适《燕歌行》：“君不见，沙场征战苦，至今犹忆李将军。”这些脍炙人口的诗句都生动地再现了李广的英雄形象，表达了后人对悲剧英雄、一代名将李广的敬仰与思念之情。

思考讨论

结合史实，谈谈你对李广这一悲剧英雄形象的看法。

匈奴未灭　无以家为

骠骑将军为人少言不泄[1]，有气敢任[2]。天子尝欲教之孙、吴兵法[3]，对曰：“顾方略何如耳[4]，不至学古兵法[5]。”天子为治第[6]，令骠骑视之，对曰：“匈奴未灭，无以家为也[7]。”由此上益重爱之。然少而侍中，贵，不省士[8]。其从军，天子为遣太官赍数十乘[9]，既还，重车余弃粱肉[10]，而士有饥者。其在塞外，卒乏粮，或不能自振[11]，而骠骑尚穿域蹋鞠[12]。事多此类。大将军为人仁善退让，以和柔自媚于上，然天下未有称也。

（选自《史记·卫将军骠骑列传》）

注释

[1]少言不泄:寡言少语,不泄露别人的话。 [2]有气敢任:有气魄敢作敢为。 [3]孙、吴兵法：指孙武、孙膑和吴起的军事著作。孙武是春秋时期著名的将军与军事理论家,著《孙子兵法》一书。孙膑是战国时期著名军事家，著《孙膑兵法》一书。吴起为战国时期著名政治家与军事家,著《吴起》一书。 [4]顾:看。方略:战略、谋略。 [5]不至:不必。 [6]治第:建造府第。[7]无以：不用。家为：为家，经营自家之事。 [8]不省士：不关心士卒。 [9]遣：派。赍（jī）:赠送。数十乘：几十辆车。此指几十车的食物。按古代四匹马拉一辆车称一乘。 [10]重车:装载军需品的车辆。粱:泛指粮食。 [11]或:有的人。振:站立。 [12]穿域：画定地段为球场。塌鞠：踢球。

译文

骠骑将军为人寡言少语，不泄露别人说的话，有气魄，敢作敢为。武帝曾想教他孙子和吴起的兵法，他回答说：“战争只看方针策略如何就够了，不必学习古代兵法。”武帝为他修建府第，让骠骑将军去看看，他回答说：“匈奴还没有消灭，无心考虑私家的事情。”从此以后，武帝更加重用和喜爱骠骑将军霍去病。但是，霍去病从少年时代起，就在宫中侍候皇帝，得到显贵，却不知体恤士卒。他出兵打仗时，天子派遣太官赠送他几十车食物，待他回来时，辎重车上丢弃了许多剩余的米和肉，而他的士卒还有忍饥挨饿的。他在塞外打仗时，士卒缺粮，有的人饿得站不起来，而骠骑将军还在画定球场，踢球游戏。他做的事多半如此。大将军卫青的为人却是仁爱善良，有退让的精神，以宽和柔顺取悦皇上，但是天下之人没有称赞他的。

文史链接

名将风度

卫青、霍去病作为汉武帝时代战功赫赫的大将军，他们的事迹充分展现了一代名将的风度与神采。如元朔五年（前124），卫青在同匈奴右贤王的战役中，大获全胜，凯旋后，武帝对其大加封赏，说："大将军卫青亲自率领战士攻杀，军队获得大捷，俘虏匈奴之王十多人，加封卫青六千户。"又封卫青的儿子卫伉为宜春侯，卫不疑为阴安侯，卫登为发干侯。卫青坚决推辞说："我侥幸地能在军队中当官，依赖陛下的神圣威灵，才使军队获得大捷，同时这也是各位校尉拼力奋战的功劳。陛下已经降恩加封了我的食邑。臣子卫青的儿子们年龄还小，没有征战的劳苦和功绩，皇上降恩，割地封他们三人为侯，这不是我在军队中当官、用来鼓励战士奋力打仗的本意啊！卫伉等三人怎敢接受封赏。"卫青推功让爵、仁爱退让的做法显示了一代名将风范，成为后世榜样。

霍去病"匈奴未灭，无以家为"的豪情壮语同样也是名将风度的体现。少年将军霍去病驰骋漠北疆场，立下赫赫战功，千载之下尤虎虎生风，然而他的生活却一直被战争所覆盖，武帝为嘉奖他，特为其营造豪华府第，他却断然拒绝，"匈奴未灭，无以家为"八个字展现了一代名将以国为重、精忠报国的赤胆忠心，其境界凌驾于天地之上，千载之间鼓舞了无数戍边将士。

然而，在写卫青、霍去病等名将风度的同时，司马迁也批评了他们不修名节、不进贤士、不体恤下属以及和柔事主等性格缺陷，显示了司马迁修史时的“不虚美，不隐恶”的实录精神。对此，我们要客观全面地看待。

思考讨论

结合汉代历史背景，谈谈你对霍去病“匈奴未灭，无以家为”的看法。

文君当垆

会梁孝王卒，相如归，而家贫，无以自业[1]。素与临邛令王吉相善[2]，吉曰：“长卿久宦游不遂[3]，而来过我[4]。”于是相如往，舍都亭[5]。临邛令缪为恭敬[6]，日往朝相如[7]。相如初尚见之，后称病，使从者谢吉[8]，吉愈益谨肃。临邛中多富人，而卓王孙家僮八百人，程郑亦数百人，二人乃相谓曰：“令有贵客，为具召之[9]。”并召令。令既至，卓氏客以百数。至日中，谒司马长卿[10]，长卿谢病不能往[11]，临邛令不敢尝食，自往迎相如。相如不得已，强往[12]，一坐尽倾[13]。酒酣，临邛令前奏琴曰[14]：“窃闻长卿好之，愿以自娱。”相如辞谢，为鼓一再

行[15]。是时卓王孙有女文君新寡，好音，故相如缪与令相重[16]，而以琴心挑之[17]。相如之临邛，从车骑[18]，雍容闲雅甚都[19]；及饮卓氏，弄琴，文君窃从户窥之[20]，心悦而好之，恐不得当也[21]。既罢，相如乃使人重赐文君侍者通殷勤[22]。文君夜亡奔相如[23]，相如乃与驰归成都。家居徒四壁立[24]。卓王孙大怒曰："女至不材[25]，我不忍杀，不分一钱也。"人或谓王孙，王孙终不听。文君久之不乐，曰："长卿第俱如临邛[26]，从昆弟假贷犹足为生[27]，何至自苦如此！"相如与俱之临邛，尽卖其车骑，买一酒

文君当垆

舍酤酒[28]，而令文君当炉[29]。相如身自著犊鼻裈[30]，与保庸杂作[31]，涤器于市中。卓王孙闻而耻之，为杜门不出[32]。昆弟诸公更谓王孙曰[33]："有一男两女，所不足者非财也。今文君已失身于司马长卿，长卿故倦游[34]，虽贫，其人材足依也，且又令客[35]，独柰何相辱如此[36]！"卓王孙不得已，分予文君僮百人，钱百万，及其嫁时衣被财物。文君乃与相如归成都，买田宅，为富人。（选自《史记·司马相如列传》）

注释

[1]自业：自为生计。 [2]令：县令。相善：互相友好。[3]宦游：离乡在外，求官任职。遂：官运通达。 [4]过：拜访。[5]都亭：指临邛城内之亭。都，城。亭，人停集之处。 [6]缪：通"谬"，诈，佯装之意。 [7]朝：拜访。 [8]谢：拒绝。"谢吉"就是拒绝王吉的拜访，以提高自己的身份。 [9]为具：备办酒席。具，馔也，指饭菜。 [10]谒：请。 [11]谢病：以病推辞。[12]强往：勉强前去。 [13]一坐尽倾：在座的客人都惊羡司马相如的风采。 [14]奏：进献。 [15]鼓：弹奏。一再行：一两支曲子。再，第二。行，指乐曲。 [16]相重：相互敬重。[17]琴心：指琴声中蕴含的感情。挑：通"诛（tiǎo）"。《说文解字》："诛，相呼诱也。"此指司马相如用琴声诱发卓文君的爱慕之情。[18]从车骑：车马跟随在后边。从，随。 [19]雍容闲雅：仪表堂堂，文静典雅。甚都：很大方。《史记集解》引郭璞曰："都

犹姣也。”亦通。 [20]窥：从缝隙中偷看。 [21]当：通“党”。《方言》：“党，知也。”不得当犹言不了解我。 [22]通：传达。殷勤：殷切诚恳之情。 [23]亡奔：逃出卓家私奔相如。亡，逃跑。奔，男女不经所谓合法手续而私自结合。 [24]家居：家中存放之物。居，放置。徒四壁立：只有空空的四面墙壁竖立在那里，极言家中穷乏无物。徒，空。 [25]至：极。不材：不成材。 [26]第：但、只。俱如：一同前往。如，往。 [27]从：向。昆弟：兄弟。假贷：借贷。为生：维持生活。 [28]酒舍：酒店。酤（gū）酒：卖酒。 [29]当炉：主持卖酒之事。炉，通“垆”，堆土成台，四面隆起，中置酒瓮以热酒。 [30]著：穿。犊鼻裈（kūn）：形似牛犊之鼻的围裙。或说是形如牛犊之鼻的短裤。 [31]保庸：雇工。杂作：共同操作。 [32]杜门：闭门。 [33]诸公：父辈们。此指临邛的年长者。更：交相。 [34]故：本来。倦游：对宦游已厌倦。 [35]令客：县令的客人。 [36]柰何：通“奈何”。

译文

正赶上梁孝王去世，相如只好返回成都。然而家境贫寒，又没有可以维持自己生活的职业。相如一向同临邛县令王吉相处得很好，王吉说：“长卿，你长期离乡在外，求官任职，不太顺心，可以来我这里看看。”于是，相如前往临邛，暂住在城内的一座小亭中。临邛县令很恭敬，天天都来拜访相如。最初，相如还是以礼相见。后来，他就谎称有病，让随从去拒绝王吉的拜访。然而，王吉却更加谨慎恭敬。临邛县里富人多，卓王孙家就有家奴八百人，程郑家也有数百人。二人相互商量说：“县令有贵客，我们备办酒席，请请他。”一并把县令也请来。当县令到了卓家后，卓家的客人已经上百了。到了中午，去请司马长卿，长卿却推托有病，不肯前来。临邛令见相如没来，不敢进食，还亲自前去迎接相如。相如不得已，勉强来到卓家，满座的客人无不惊羡他的风采。酒兴正浓时，临邛县令走上前去，把琴放到相如面前，说："我听说长卿特别喜欢弹琴，希望聆听一曲，以助欢乐。"相如辞谢一番，便弹奏了一两支曲子。这时，卓王孙有个女儿叫文君，守寡不久，很喜欢音乐，所以相如佯装与县令相互敬重，而用琴声暗自诱发她的爱慕之情。相如来临邛时，车马跟随其后，仪表堂堂，文静典雅，甚为大方。待到卓王孙家喝酒、弹奏琴曲时，卓文君从门缝里偷偷看他，心中高兴，特别喜欢他，又怕他不了解自己的心思。宴会完毕，相如托人以重金赏赐文君的侍者，以此向她转达倾慕之情。于是，卓文君乘夜逃出家门，私奔相如，相如便同文君急忙赶回成都。进家所见，空无一物，只有四面墙壁立在那里。卓王孙得知女儿私奔之事，大怒道："女儿极不成材，我不忍心伤害她，但也不分给她一个钱。"有的人劝说卓王孙，但他始终不肯听。过了好长一段时间，文君感到不快乐，说："长卿，只要你同我一起去临邛，向兄弟们借贷也完全可以维持生活，何至于让自己困苦成这个样子！"相如就同文君来到临邛，把自己的车马全部卖掉，买下一家酒店，做卖酒生意，并且让文君亲自主持垆前的酌酒应对顾客之事，而自己穿起犊鼻裈，与雇工们一起操作忙活，在闹市中洗涤酒器。卓王孙听到这件事后，感到很耻辱，因此闭门不出。有些兄弟和长辈交相劝说卓王孙，说："你有一个儿子两个女儿，家中所缺少的不是钱财。如今文君已经成了司马长卿的妻子，长卿本来也已厌倦了离家奔波的生涯，虽然贫穷，但他确实是个人才，完全可以依靠。况且他又是县令的贵客，为什么偏偏这样轻视他呢！"卓王孙不得已，只好分给文君家奴一百人，钱一百万以及她出嫁时的衣服被褥及各种财物。文君就同相如回到成都，买了田地房屋，成为富有的人家。

文史链接

“文君当垆”故事的影响

“文君当垆”记述的是司马相如与卓文君婚恋的故事，故事宛转浓丽，情趣新奇，颇似一篇生动的爱情小说，清人吴见思在《史记论文》里称其为“唐人传奇小说之祖”。它给后世文学艺术作品的创作，提供了极好的范例和原始的素材。

“文君当垆”的故事在后世广为流传，是一个使用频率非常高的典故。或用以比喻美女卖酒，如当垆文君、当垆卓女、文君送酒、文君沽酒、文君酒、临邛酒、临邛杯、临邛卮、卓氏垆、卓家垆、文君垆等。或表现饮酒与爱情，描写蜀地风土人情，如李商隐《杜工部蜀中离席》云:“美酒成都堪送老,当垆仍是卓文君。”陆游《寺楼月夜醉中戏作》云 :“此酒定从何处得，判知不是文君垆。”或用来比喻文人落拓不遇，从事有失身份的低贱行业，如当垆涤器、涤器当垆、涤器相如、相如涤器、相如涤卮等。

思考讨论

以司马相如与卓文君婚恋故事为例，谈谈你对爱情婚姻的看法。

儒生源流

太史公曰：余读功令[1]，至于广厉学官之路[2]，未尝不废书而叹也。曰：嗟乎！夫周室衰而《关雎》作[3]，幽、厉微而礼乐坏[4]，诸侯恣行，政由强国。故孔子闵王路废而邪道兴[5]，于是论次《诗》、《书》[6]，修起礼乐。适齐闻《韶》[7]，三月不知肉味。自卫返鲁，然后乐正，《雅》、《颂》各得其所[8]。世以混浊莫能用，是以仲尼干七十余君无所遇[9]，曰“苟有用我者，期月而已矣[10]”。西狩获麟[11]，曰“吾道穷矣”。故因史记作《春秋》[12]，以当王法[13]，其辞微而指博[14]，后世学者多录焉。

注释

[1]功令：朝廷考核选用学官的法规。　[2]厉：同“励”，勉励。学官：掌管教育的朝官，此偏重指经学博士官。汉武帝崇尚儒学，建元五年（前136）始置五经博士，元朔五年（前124）又批准丞相公孙弘的奏请，让他们招收弟子生员，传授儒家经典。于是五经博士成为官学教师。　[3]《关雎（jū）》：《诗经·周南》首篇，本为民间情歌，但汉初鲁地传授《诗经》的学者认为这是周大臣讽刺康王淫逸好色、晏起误朝的作品。司马迁亦持此说，认为它是反映时政衰颓的讽喻诗。　[4]幽、厉：即周幽王和周厉王，都是西周末期的昏君。礼乐坏：指反映并维护周贵族等级秩序和

道德规范的礼乐制度崩坏了，这表明周天子的统治大权已经丧失。 [5]闵：忧虑。 [6]论次：整理编定。 [7]《韶》：相传为舜时的古乐曲名，又名《九韶》。乐曲旨在赞颂舜的美德，孔子认为它已经达到了尽善尽美的境界。 [8]《雅》、《颂》：即《诗经》中的雅诗和颂诗。前者是王朝京畿（jī）地区的乐歌，后者是朝廷祭祀鬼神、颂扬祖先功德的乐歌。 [9]干：求取。这句是说孔子周游列国，处处碰壁，没有找到一个诸侯国君能听取他的主张而重用他。 [10]期月：一年。 [11]西狩获麟：指的是鲁哀公十四年（前481），正当东周乱世，麒麟却在鲁国西郊出现被人猎获，孔子闻知此事大为震惊，认为这一现象的发生乃天意所为，预示着他救治乱世的政治理想不能实现，因而叹息"吾道穷矣"。麟，麒麟，传说中表祥瑞的一种神兽。 [12]《春秋》：指由孔子修订的鲁国编年史，儒家经典"五经"之一。 [13]以当王法：是说孔子著的《春秋》，有着鲜明的政治倾向和是非评判，在叙事中暗寓褒贬，被称为"春秋笔法"。孟子称《春秋》是一部令"乱臣贼子惧"的书。比如书中以"弑"记臣子反叛并杀害君主之事，以标明其不义和罪恶，点明作者的立场。 [14]辞微而指博：即人们常说的"微言大义"。辞微，语义隐蔽。指，主旨，意图。博，宏大。

译文

太史公说：我阅读朝廷考选学官的法规，读到勉励学官兴办教育之路时，总是禁不住放下书本而慨叹，说道：唉，周王室衰微了，讽刺时政的《关雎》诗就出现了；周厉王、周幽王的统治衰败了，礼乐随之崩坏，诸侯便恣意横行，政令全由势力强大的国家发布。所以孔子担忧王道废弛邪道兴起，于是编定《诗》、《书》，整理礼仪音乐。他到齐国听到了美妙的《韶》乐，便沉迷不已，很长时间品尝不出肉的美味。他从卫国返回鲁国之后，开始校正音乐，使《雅》、《颂》乐歌有条不紊，各归其位。由于世道混乱污浊，无人起用他，因此孔子周游列国拜见七十几位国君都得不到重用。他感慨地说："要是有人肯用我，只需一年就可以治理好国政了。"鲁国西郊有人猎获了麒麟，孔子闻知后哀叹道"我的理想不能实现了"，于是他借助鲁国已有的历史记录撰写了《春秋》，用它来表现天子的王法，其文辞精约深隐而寓意丰富博大，后世学者很多人都学习和传录它。

自孔子卒后，七十子之徒散游诸侯[1]，大者为师傅卿相[2]，小者友教士大夫，或隐而不见。故子路居卫，子张居陈，澹台子羽居楚，子夏居西河，子贡终于齐。如田子方、段干木、吴起、禽滑釐之属，皆受业于子夏之伦[3]，为王者师。是时独魏文侯好学[4]。后陵迟以至于始皇[5]，天下并争于战国，儒术既绌焉[6]，然齐、鲁之间，学者独不废也。于威、宣之际[7]，孟子、荀卿之列，咸遵夫子之业而润色之[8]，以学显于当世。

注释

[1]七十子：据《史记·仲尼弟子列传》载，孔子有高徒七十七人，这里只是举其成数。　[2]师傅：教导、辅佐君王及王子的人。[3]伦：类。　[4]好学：指学好儒学。《史记·魏世家》魏文侯

向子夏习儒学，并访求儒生段干木事。　[5]陵迟：衰颓。[6]绌：通“黜”，贬斥，废弃。　[7]威、宣之际：齐威王和齐宣王当政的时期。《史记·田敬仲完世家》载，齐威王和齐宣王都继承齐桓公的业绩，在国都设立稷下学官，广泛延揽各家学者议论、讲学。　[8]夫子：对孔子的尊称。润色：修饰、增色，此指思想上的创新。

译文

自孔子逝世后，他的七十多名好学生四处交游诸侯，成就大的当了诸侯国君的老师和卿相，成就小的结交、教导士大夫，有的则隐居不仕。所以子路在卫国做官，子张在陈国做官，澹台子羽住在楚国，子夏在西河教授，子贡终老于齐。像田子方、段干木、吴起、禽滑釐这些人，都曾受业于子夏之辈，然后当了诸侯国君的老师。那时只有魏文侯最虚心求教于儒学，后来儒学渐趋衰颓直到在秦始皇手中遭受灭顶之灾。战国时期天下群雄并争，儒学已经受到排斥，但是在齐国和鲁国一带，学习研究它的人却始终不曾废弃。在齐威王、齐宣王当政时期，孟子、荀子等人，都继承了孔子的事业而将其发扬光大，凭自己的学说显名于当世。

及至秦之季世，焚《诗》、《书》，坑术士[1]，六艺从此缺焉[2]。陈涉之王也，而鲁诸儒持孔氏之礼器往归陈王[3]。于是孔甲为陈涉博士，卒与涉俱死。陈涉起匹夫，驱瓦合适戍[4]，旬月以王楚，不满半岁竟灭亡，其事至微浅，然而缙绅先生之徒负孔子礼器往委质为臣者[5]，何也？以秦焚其业，积怨而发愤于陈王也。

及高皇帝诛项籍，举兵围鲁，鲁中诸儒尚讲诵习礼乐，弦歌之音不绝[6]，岂非圣人之遗化，好礼乐之国哉？故孔子在陈，曰："归与归与！吾党之小子狂简[7]，斐然成章[8]，不知所以裁之[9]。"夫齐鲁之间于文学[10]，自古以来，其天性也。故汉兴，然后诸儒始得修其经艺[11]，讲习大射乡饮之礼[12]。叔孙通作汉礼仪，因为太常，诸生弟子共定者，咸为选首[13]，于是喟然叹兴于学。然尚有干戈，平定四海，亦未暇遑庠序之事也[14]。孝惠、吕后时，公卿皆武力有功之臣。孝文时颇征用，然孝文帝本好刑名之言[15]。及至孝景，不任儒者，而窦太后又好黄老之术[16]，故诸博士具官待问[17]，未有进者。

注释

[1] 术士：经术之士，即儒生。秦始皇三十四年（前213），禁私学，焚烧秦记以外各国史籍和儒学《诗》、《书》等；秦始皇三十五年，又坑杀儒学四百六十余人。详见《史记·秦始皇本纪》。[2] 六艺：此指儒家经典《诗》、《书》、《礼》、《乐》、《易》、《春秋》。[3] 礼器：当时用青铜铸造的，在祭祀、丧葬、聘礼等仪式中使用的器具。 [4] 瓦合适戍：临时凑集的被遣发远方戍守的罪人。

瓦合，如破瓦相合，表面聚拢，实际不能整齐一致。适，同“谪”，被流放或贬职。 [5]缙绅：同“搢绅”，官宦的装束。搢，是指把笏（hù）板插在带间。绅，是束于衣外的大带。以官宦的装束代指为当官者。委质：下拜时屈膝而委身于地，以表示恭敬之意。这里指的是向君主臣服归顺。 [6]弦歌：弦而歌之，即以琴瑟伴奏歌唱。 [7]党：乡党。古代的一种居民组织，五百家为一党，这里泛指乡里。小子：长辈称晚辈语。狂简：指志向远大而流于疏阔，行事不切实际。 [8]斐然：有文采的样子。常与“文采”联用。[9]裁：剪裁，这里指的是教导、教育之意。 [10]文学：当时对哲学、历史和文学的统称，与今天的文学概念有所不同。

[11]修：研究学习。经艺：经学，指讲解儒家经籍的学说。

[12]大射：周代为祭祀而举行的射礼。乡饮：即乡饮酒之礼。古代乡学，三年业成，经考核选取品德与才学兼优者举荐于君主，行前由乡大夫主持设宴饯行，此礼仪称“乡饮”。 [13]选首：选用的对象，这里指被选用为朝官。 [14]未暇遑：没有时间顾及。暇遑，空闲。庠序：学校。 [15]刑名之言：先秦法家中刑名学派的言论，代表人物是申不害。“刑名”亦称“形名”，原指形体和名称的关系，先秦名家从哲学上探求名实理论。

[16]黄老之术：道家学说。道家以黄帝、老子为祖，故统称黄老之术。汉初统治者所崇尚的黄老之学，并非纯粹的道家思想，而是以道家思想为主，同时吸取了法家的刑名、法治思想。 [17]具官待问：含有形同虚设的意思。具官，已备官员之职。待问，指得不到信任使用。

译文

到了秦朝末年，秦始皇焚烧《诗》、《书》，坑杀儒生，儒家典籍“六艺”从此残缺。陈涉起事反秦，自立为王，鲁地的儒生们携带孔子家传的礼器去投奔他。于是，孔甲当了陈涉的博士，最终和他同归于尽。陈涉起步于普通百姓，驱使一群戍边的乌合之众，一个月内就在楚地称了王，而不到半年竟又复归灭亡。他的事业十分微小浅薄，体面的士大夫们却背负孔子的礼器去追随归顺向他称臣，为什么呢？因为秦王朝焚毁了他们的书籍学业，积下了仇怨，这迫使他们投奔陈王来发泄满腔的愤懑。

到高祖皇帝杀死项籍，率兵包围了鲁国，其时鲁国中的儒生们仍在讲诵经书演习礼乐，弦歌之声不绝于耳，这难道不是古代圣人遗留的风范，难道不是一个深爱礼乐的国家吗？所以孔子出游到陈国后，说：“回去吧！回去吧，我们乡里的青年人志向高远，文采熠熠如锦绣，我不知怎么教导他们才好。”齐鲁一带重视爱好文化仪典，自古以来就是如此，这已成为风尚。汉朝建立后，儒生们开始获得重新研究经学的机会，又讲授演习起了大射和乡饮的礼仪。叔孙通制定汉廷礼仪后，做了太常官，和他一同制定礼仪的儒生弟子们，也都被选为朝官，于是人们喟然感叹，对儒学产生了兴趣。但是，当时天下战乱尚未止息，皇上忙于平定四海，还无暇顾及兴办学校之事。孝惠帝、吕后当政时，公卿大臣都是武艺高强战功卓著的人。孝文帝时略微起用儒生为官，但是孝文帝原本只爱刑名学说。等到孝景帝当政，不用儒生，而且窦太后又喜好道家思想，因此列位博士官职只是备员待诏，徒有虚名，儒生无人进身受到重用。

及今上即位，赵绾、王臧之属明儒学，而上亦乡之[1]，于是招方正贤良文学之士。自是之后，言

《诗》于鲁则申培公，于齐则辕固生，于燕则韩太傅。言《尚书》自济南伏生。言《礼》自鲁高堂生[2]。言《易》自菑川田生[3]。言《春秋》于齐鲁自胡毋生，于赵自董仲舒。及窦太后崩，武安侯田蚡为丞相，绌黄老、刑名百家之言，延文学儒者数百人，而公孙弘以《春秋》白衣为天子三公[4]，封以平津侯。天下之学士靡然乡风矣[5]。（选自《史记·儒林列传》）

注释

[1]乡：同“向”，倾向，趋向。 [2]《礼》：即《仪礼》，又称《士礼》或《礼经》，是春秋战国时一部分礼制的汇编，儒家经典之一。 [3]《易》：即《周易》，又称《易经》，古代占筮之书，相传为周人所作，儒家经典之一。 [4]白衣：平民素服，这里代指平民。三公：朝中最高的三个官位，汉代指的是丞相、太尉、御史大夫。 [5]靡然乡风：顺风倒下，这里喻指自然而然地向往、追求，成为一种普遍的社会风尚。

译文

直到当今皇上即位，赵绾（wǎn）、王臧（zāng）等人深明儒学，而皇上也心向往之，于是朝廷下令举荐品德贤良方正而且通晓经学的文士学者。从此以后，讲《诗》的在鲁地有申培公，在齐地有辕固生，在燕地则有韩太傅。讲《尚书》的有济南伏生。讲《礼》的有鲁地高堂生。讲《易》的有菑川田生。讲《春秋》的在齐鲁两地有胡毋生，在赵地有董仲舒。到窦太后去世，武安侯田蚡（fén）

做了丞相，他废弃道家、刑名家等百家学说，延请治经学的儒生数百人入朝为官，而公孙弘竟以精通《春秋》步步高升，从一介平民荣居三公的尊位，封为平津侯。从此，天下学子莫不心驰神往，潜心钻研儒学了。

文史链接

君子儒与小人儒

早期的儒，又可以称为术士，指专门为人料理丧葬事务的神职人员，这类人最晚在殷代就已存在。他们精通所在地区多年形成的丧葬礼仪，久之便成为一种相对独立的职业。但是这种职业地位低微，收入微薄，还要看主人眼色行事，因此形成了比较柔弱的性格，这便是儒的本意“柔”。《说文解字》云：“儒，柔也，术士之称。从人，需声。”作为柔弱术士从事低贱职业的儒，就是小人儒。

作为一种相对独立的职业，儒从社会直接劳动者中分化出来，成为一个有闲的阶层，他们利用自己的闲暇，慢慢将原来那些经验的礼仪加以规范和提升，最终成为社会中比较特殊的智者阶层。他们中的一部分人不甘于从事原来的低贱职业，或期望成为政府典礼官，或期望成为辅助国君、顺阴阳、明教化的君子儒。孔子就曾谆谆告诫弟子云：“女为君子儒，无为小人儒！”期望弟子刻苦努力，志存高远，不要沦为只能做民间礼仪活动中低贱之事的人。

汉代独尊儒术，使得儒生有了更为广阔的施展才华的空间，公孙弘白衣卿相的历史事实让广大儒生看到了成为君子儒的希望。于是，天下学子莫不心驰神往，潜心钻研儒学的风气大行于世。

思考讨论

谈谈你对儒家和儒学的理解和认识。

张汤审鼠

张汤者，杜人也。其父为长安丞[1]，出，汤为儿守舍。还而鼠盗肉，其父怒，笞汤[2]。汤掘窟得盗鼠及余肉，劾鼠掠治[3]，传爰书[4]，讯鞫论报[5]，并取鼠与肉，具狱磔堂下[6]。其父见之，视其文辞如老狱吏，大惊，遂使书狱[7]。父死后，汤为长安吏，久之。

（选自《史记·酷吏列传》）

注释

[1]丞：县丞。 [2]笞：鞭打。 [3]劾：审判。掠治：拷打审问。 [4]传：发出。爰书：记录罪犯供词的文书。 [5]讯鞫：反复审问，穷究罪行。论报：把判决的罪罚报告上级。 [6]具狱：把应具备的审讯材料全部备齐，最后定案。磔：古代分尸酷刑。 [7]书狱：学习书写断案的文书。

译文

张汤是杜县人。他的父亲任长安县丞，有一次出门去，张汤当时是小孩，父亲就让他在家看门。父亲回家后，看到老鼠偷了肉，就对张汤发怒，用鞭子打了他。张汤掘开鼠洞，找到偷肉的老鼠和没吃完的肉，就举告老鼠的罪行，加以拷打审问，记录审问过程，反复审问，把判决的罪状报告上级，并且把老鼠和剩肉取来，最后当堂定案，将老鼠分尸处死。他父亲看到这种情景，又看到那判决书就像老练的法官所写，特别惊讶，于是就让他学习断案的文书。父亲死后，张汤就做了长安的一名官吏，并且做了很长一段时间。

文史链接

酷吏统治的功过是非

《史记·酷吏列传》是一篇类传，记述了汉代前期以酷刑峻法为统治工具，以凶狠残暴著称的十几个官吏的史实。特别对汉武帝时代的郅都、宁成、周阳由、赵禹、张汤、义纵、王温舒、尹齐、杨仆、减宣、杜周等酷吏，作了集中概述。

汉武帝喜用酷吏，有其特殊的时代背景。当时豪强势力大增，贵戚奸臣当道，商贾发展迅猛，严重威胁到中央集权和国家财政。同时，连年对外战争需要大量军费开支，这给国家财政带了沉重的负担。因此，为了打击豪强，抑制商贾，惩治贵戚奸吏，以加强中央集权，聚敛财富，应付其挥霍和对外战争的需要，汉武帝任用了大量酷吏。酷吏统治一定程度上强化了皇权，为维护大一统政权的统治发挥了重要作用。

但是，酷吏的严刑峻法和残酷杀戮，使得广大百姓遭受了无比深重的灾难。无辜被杀，冤狱横生，百姓惶恐，社会不宁，出现了“法令滋章，盗贼多有”，“吏民益轻犯法，盗贼滋起”的局面，官逼民反的事件屡见不鲜。

司马迁反对酷吏统治，反对苛政虐民的思想，深寓于《酷吏列传》之中。姚苧田在《史记菁华录》中认为本文“讽谏微情，盎然可掬，此极用意文字也”。司马迁多次说“上以为能，至太中大夫”，“天子以尽力无私，迁为御史大夫”等，甚至说“汤尝病，天子至自视病，其隆贵如此”，这些记载实际上是把酷吏苛政出现的罪责归在了汉武帝身上。司马迁还引用孔子、老子的话语点明自己的立场，孔子曰：“导之以政，齐之以刑，民免而无耻。导之以德，齐之以礼，有耻且格。”老子称：“上德不德，是以有德；下德不失德，是以无德。法令滋章，盗贼多有。”最后得出了“法令者治之具，而非制治清浊之源也”的结论。这些话语可谓一语道破了酷吏统治的弊端，反映了作者先进的政治思想。

当然，司马迁对某些酷吏的好的品行，如对郅都的“伉直”性格，“行法不避贵戚”，“不发私书，问遗无所受，请寄无所听”，“奉职死节官下，终不顾妻子”的廉洁奉公的品德，以及“居岁余，郡中不拾遗”的治绩也都给予了肯定和赞扬，认为“其廉者足以为仪表”，充分体现了司马迁一以贯之的“不虚美，不隐恶”的实录精神和公允、求是的治史态度。

思考讨论

结合历史事实，谈谈你对道德与法制关系的看法。

出使西域

大宛之迹[1]，见自张骞[2]。张骞，汉中人。建元中为郎[3]。是时天子问匈奴降者[4]，皆言匈奴破月氏王，以其头为饮器，月氏遁逃而常怨仇匈奴，无与共击之[5]。汉方欲事灭胡，闻此言，因欲通使。道必更匈奴中[6]，乃募能使者。骞以郎应募，使月氏[7]，与堂邑氏（故）胡奴甘父俱出陇西[8]。经匈奴，匈奴得之，传诣单于[9]。单于留之，曰："月氏在吾北，汉何以得往使？吾欲使越，汉肯听我乎？"留骞十余岁，与妻，有子，然骞持汉节不失[10]。

注释

[1] 迹：形迹。此指大宛国的土地山川。　[2] 见：同"现"，发现。　[3] 建元：汉武帝第一个年号，公元前 140 年至公元前 135 年。　[4] 是时：这时。　[5] 与：结交。　[6] 更：经过。　[7] 使：出使。　[8] 堂邑氏：姓。胡奴：指一个匈奴奴隶。甘父：胡奴的名字。　[9] 传诣：转送到，移送到。诣，到……去。　[10] 节：符节，使者的凭信物。

译文

大宛这个地方是由张骞发现的。张骞是汉中人，汉武帝建元年间当过郎官。这时，天子问投降的匈奴人，他们都说匈奴攻打

并战胜月氏王，用他的头骨当饮酒的器皿。月氏逃跑了，因而常常怨恨匈奴，只是没有朋友和他们一块攻打匈奴。这时汉朝正想攻打匈奴，听到这些说法，便想派使者去与月氏联络。但是去月氏必须经过匈奴，于是就招募能够出使的人。张骞以郎官身份应招，出使月氏，和堂邑氏暨原来匈奴奴隶名叫甘父的人一同从陇西出境。经过匈奴时，被匈奴抓到，又移送给单于。单于留住张骞，说："月氏在我们北边，汉朝怎能派使者前去呢？我们要想派使者去南越，汉朝能允许我们去吗？"扣留张骞十余年，给他娶了妻子，生了孩子，但是张骞一直保存着汉朝使者的符节，没有丢失。

居匈奴中，益宽，骞因与其属亡乡月氏[1]，西走数十日至大宛。大宛闻汉之饶财，欲通不得，见骞，喜，问曰："若欲何之？"骞曰："为汉使月氏，而为匈奴所闭道[2]。今亡，唯王使人导送我。诚得至，反汉，汉之赂遗王财物不可胜言[3]。"大宛以为然，遣骞，为发导绎[4]，抵康居[5]，康居传致大月氏[6]。大月氏王已为胡所杀，立其太子为王。既臣大夏而居[7]，地肥饶，少寇，志安乐，又自以远汉，殊无报胡之心。骞从月氏至大夏，竟不能得月氏要领[8]。

注释

[1]属：随从者。　[2]闭道：阻塞道路。　[3]赂遗：馈赠。[4]发：派遣。导：向导。绎：通"译"，翻译。　[5]抵：到达。

康居：西域国名。　[6] 传致：转送到。　[7] 大夏：西域国名。[8] 要领：比喻人的主旨。要，通“腰”，指衣腰。领，指衣领。“不能得月氏要领”指月氏对与汉共击匈奴之事没有明确态度。

译文

张骞留居匈奴，匈奴对他的看护渐渐宽松，张骞因而得以同他的随从逃向月氏，向西跑了几十天，到达大宛。大宛听说汉朝钱财丰富，本想与汉朝沟通，却未成功。如今见到张骞，非常高兴，便向张骞问道：“你想到哪儿去？”张骞说：“我为汉朝出使月氏，却被匈奴拦住去路。如今逃出匈奴，希望大王派人引导护送我们去月氏。若真能到达月氏，我们返回汉朝，汉朝赠送给大王的财物是用言语说不尽的。”大宛认为张骞的话是真实的，就让张骞出发，并给他派了向导和翻译，到达康居。康居又把他转送到大月氏。这时，大月氏的国王已经被匈奴杀死，又立了他的太子当国王。这位国王已把大夏征服，并在这里居住下来。这地方土地肥美富饶，很少有敌人侵犯，心情安适快乐。自己又认为离汉朝很远，根本没有向匈奴报仇的心意。张骞从月氏到了大夏，终究没有得到月氏对联汉击匈奴的明确态度。

留岁余，还，并南山[1]，欲从羌中归，复为匈奴所得。留岁余，单于死，左谷蠡王攻其太子自立[2]，国内乱，骞与胡妻及堂邑父俱亡归汉[3]。汉拜骞为太中大夫，堂邑父为奉使君。

骞为人强力[4]，宽大信人，蛮夷爱之。堂邑父

故胡人，善射，穷急射禽兽给食。初，骞行时百余人，去十三岁，唯二人得还。（选自《史记·大宛列传》）

注释

[1]并（bàng）：同“旁”，靠近。南山：指昆仑山、阿尔金山、祁连山。　[2]“左谷”句：据《史记·匈奴列传》载，汉武帝元朔三年（前126），匈奴单于死去，其弟左谷蠡（lù lí）王伊稚斜自立为单于，太子於单（dàn）投奔汉朝而降，匈奴国内发生混乱。　[3]胡妻：指张骞的匈奴妻子。堂邑父：即甘父。
[4]强力：坚强而有力量。

译文

张骞在月氏住了一年多，回国而来，他沿着南山行进，想从羌人居住的地方回到长安，又被匈奴捉到。他在匈奴住了一年多，单于死了，匈奴左谷蠡王攻击太子，自立为单于，国内大乱，张骞乘机与胡人妻子和堂邑父一起逃回汉朝。汉朝封张骞为太中大夫，封堂邑父为奉使君。

张骞为人坚强有力量，心胸宽广，诚实可信，蛮夷之人都喜欢他。堂邑父是匈奴人，善于射箭，每当穷困危急之时，就射杀飞禽走兽当饭吃。最初，张骞出使时有一百多随从，离开汉朝十三年，只有他和甘父两个人回到汉朝。

文史链接

大宛列传

《大宛列传》是记述西域诸国史实的传记。其中详记大宛、乌孙、康居、奄蔡、大小月氏、安息、条枝、大夏八国之事，附记扜罙、于寘、楼兰、姑师、黎轩、身毒、驩潜、大益、苏薤九国之事，偶涉西南夷骁、冉、徙、邛、僰氏、筰、嶲、昆明、滇、越十国之事，而以大宛、乌孙事为主，且以大宛事开篇，以大宛事终篇，故名曰《大宛列传》。《大宛列传》展示了汉王朝同西域各国的微妙关系，说明中原与西域有着悠久的经济和文化交流的历史，存在着政治和人员的往来关系。在叙事之中，司马迁含蓄地表达了对汉武帝连年用兵和好大喜功的讥讽与感叹。

《大宛列传》着重写了张骞两次出使西域的经过，汉武帝坚持派张骞打通西域之路，努力控制河西走廊，对于汉朝和西域的经济文化交流，对维护中央集权的统一和强大，都作出了重大贡献，有着积极的历史作用。

思考讨论

张骞不畏艰辛出使西域体现了怎样的精神？

优孟衣冠

楚相孙叔敖知其贤人也，善待之。病且死[1]，属其子曰："我死，汝必贫困。若往见优孟，言我孙叔敖之子也。"居数年[2]，其子穷困负薪[3]，逢优孟，与言曰："我，孙叔敖子也。父且死时，属我贫困往见优孟。"优孟曰："若无远有所之[4]。"即为孙

叔敖衣冠，抵掌谈语[5]。岁余，像孙叔敖，楚王及左右不能别也。庄王置酒，优孟前为寿。庄王大惊，以为孙叔敖复生也，欲以为相。优孟曰："请归与妇计之[6]，三日而为相。"庄王许之。三日后，优孟复来。王曰："妇言谓何？"孟曰："妇言慎无为[7]，楚相不足为也。如孙叔敖之为楚相，尽忠为廉以治楚，楚王得以霸。今死，其子无立锥之地[8]，贫困负薪以自饮食。必如孙叔敖，不如自杀。"因歌曰："山居耕田苦，难以得食。起而为吏，身贪鄙者余财，不顾耻辱。身死家室富，又恐受赇枉法[9]，为奸触大罪，身死而家灭。贪吏安可为也！念为廉吏，奉法守职，竟死不敢为非[10]。廉吏安可为也！楚相孙叔敖持廉至死[11]，方今妻子穷困负薪而食，不足为也[12]！"于是庄王谢优孟[13]，乃召孙叔敖子，封之寝丘四百户，以奉其祀。后十世不绝。此知可以言时矣[14]。

（选自《史记·滑稽列传》）

注释

[1]且死：将死，临终。　[2]居数年：即过了几年。居，常用于"有顷"、"久之"、"顷之"等前面，表示相隔一段时间。[3]负薪：背柴贩卖。　[4]若无远有所之：你不要远往他处。无，

通“毋”，不要。 [5]抵掌:击掌。抵，拍，击。今作“抵掌”。此句是说优孟模仿孙叔敖的言谈举止。 [6]请归与妇计之：请让我回家跟妻子商议这件事。计，盘算，谋划。 [7]慎无为：千万不要干。慎，表示告诫，犹今语“千万”。 [8]无立锥之地：没有可以插一个铁锥尖端那么大的地方，极言赤贫。 [9]赇：贿赂。 [10]竟死：到死。竟，从头至尾。 [11]持廉：坚持廉洁的操守。 [12]不足为：不值得干。足，配，值得。[13]谢:认错。 [14]知可以言时:他的智慧可以说是正合时宜。知，通“智”，智慧。

译文

楚国宰相孙叔敖知道优孟是位贤人，待他很好。孙叔敖患病临终前，叮嘱他的儿子说：“我死后，你一定很贫困。那时，你就去拜见优孟，就说‘我是孙叔敖的儿子’。”过了几年，孙叔敖的儿子果然十分贫困，靠卖柴为生。一次路上遇到优孟，就对优孟说：“我是孙叔敖的儿子。父亲临终前，嘱咐我贫困时就去拜见优孟。”优孟说：“你不要到远处去。”于是，他就立即缝制了孙叔敖的衣服帽子穿戴起来，模仿孙叔敖的言谈举止和音容笑貌。过了一年多，模仿得非常像孙叔敖，连楚庄王左右近臣都分辨不出来。楚庄王设置酒宴，优孟上前为庄王敬酒祝福。庄王大吃一惊，以为孙叔敖又复活了，想要让他做楚相。优孟说：“请允许我回去和妻子商量此事，三日后再来就任楚相。”庄王答应了他。三日后，优孟又来见庄王。庄王问：“你妻子怎么说的？”优孟说：“妻子说千万别做楚相，楚相不值得做。像孙叔敖那样做了楚相，忠正廉洁地治理楚国，楚王才得以称霸。如今死了，他的儿子竟无立锥之地，贫困到每天靠打柴谋生。如果要像孙叔敖那样做楚相，还

不如自杀。”接着唱道：“住在山野耕田辛苦，难以获得食物。出外做官，自身贪赃卑鄙的，积有余财，不顾廉耻。自己死后家室虽然富足，但又恐惧贪赃枉法，干非法之事，犯下大罪，自己被杀，家室也遭诛灭。贪官哪能做呢？想要做个清官，遵纪守法，忠于职守，到死都不敢做非法之事。唉，清官又哪能做呢？像楚相孙叔敖，一生坚持廉洁的操守，现在妻儿老小却贫困到靠打柴为生。清官实在不值得做啊！”于是，庄王向优孟表示了歉意，当即召见孙叔敖的儿子，把寝丘这个四百户之邑封给他，以供祭祀孙叔敖之用。自此之后，十年没有断绝。优孟的这种聪明才智，可以说是正得其宜，抓住了发挥的时机。

文史链接

谈言微中，可以解纷

《史记·滑稽列传》是专记滑稽人物的类传。滑稽本是言辞流利、正言若反、思维敏捷、没有阻难之意，后世用来指称诙谐幽默的做事和言说方式。司马迁充分认识到滑稽人物的可贵精神和重要意义，因此创作了《滑稽列传》。《太史公自序》曰：“不流世俗，不争势利，上下无所凝滞，人莫之害，以道之用。作《滑稽列传》。”《滑稽列传》的主旨也正是颂扬淳于髡、优孟、优旃等这类滑稽人物“不流世俗，不争势利”的可贵精神，及其“谈言微中，亦可以解纷”的非凡讽谏才能。

滑稽人物多出身微贱，却机智聪敏，能言多辩。他们善于运用正反、有无之关系，缘理设喻，于嬉笑怒骂之中，察情取譬、借事托讽、雅俗共赏，顺利达到讽谏的目的。比如淳于髡以一言而罢长夜之饮，优孟以一言而恤故吏之家，优旃以一言而禁暴主之欲。滑稽人物虽然多滑稽之举，然而其言其行却起到了“六艺于治一”的重要作用，且这些事情是通过常规的讽谏方式所难以解决的，的确不失为一种独特的才能。这些滑稽人物在当时起到了别人难以替代的重要作用，太史公对其言行、精神给予了很高的评价，不禁赞叹：“岂不伟哉！”

思考讨论

优孟的讽谏方式具有什么优点？

天下熙熙 皆为利来

故曰：“仓廪实而知礼节[1]，衣食足而知荣辱。”礼生于有而废于无[2]。故君子富[3]，好行其德[4]；小人富[5]，以适其力[6]。渊深而鱼生之[7]，山深而兽往之，人富而仁义附焉[8]。富者得势益彰[9]，失势则客无所之[10]，以而不乐[11]。夷狄益甚[12]。谚曰：“千金之子[13]，不死于市[14]。”此非空言也。故曰：“天下熙熙，皆为利来；天下壤壤[15]，皆为利往。”夫千乘之王[16]，万家之侯[17]，百室之君[18]，尚犹患贫[19]，而况匹夫编户之民乎[20]！（选自《史记·货殖列传》）

注释

[1]实：充实，充足。 [2]有：富有。无：贫穷。[3]君子：西周、春秋时对贵族的通称，此指当时的统治阶级。[4]好行其德：愿意去做仁德的事。 [5]小人：指当时被统治的劳动人民。 [6]以适其力：意谓将其力用在适当之处。[7]渊：深潭。 [8]附：依附，附着。焉：代词，同“之”。[9]势：指权势。彰：明显，显著，此处引申为显赫之意。[10]客无所之：作客都没处可去，意谓无所依附。客，用为动词，旅居他乡作客。 [11]以:介词,因。后省宾语“之”,指代“失势”。 [12]夷狄：古代泛称我国东方各族为“夷”，北方各族为“狄”，因用以泛指异族人。益甚：更加厉害。 [13]千金之子：谓家有千金的人。子，泛指人。 [14]不死于市：意谓他不会犯法受刑，死于街市（古代行刑之所），因为他知道荣辱，耻于犯法。 [15]熙熙、壤壤：都是拥挤、喧闹纷杂的样子。壤，同“攘”。 [16]千乘之王：指天子。千乘，一千辆兵车。古代一车四马为一乘。 [17]万家之侯:指诸侯。万家,指食邑万家。[18]百室之君:指大夫。百室,指食邑百户。 [19]尚犹:尚且，还。两个副词同义复用。患：忧虑。 [20]而况：何况。匹夫：古指平民中的男子,亦泛指寻常的个人,此处只是“平民”的意思。编户之民：编入户口册的老百姓。

译文

所以说：“仓库充实了才懂得礼节，衣食富裕了才知道荣辱。”礼仪产生于富有而废除于贫穷。所以，君子富裕了，喜好施行恩德；小人富足了，会凭以畅快地做他力所能及的事。水潭深了，鱼就会到里面生存；山林深了，野兽就会在那里藏身；人们富裕了，仁义道德就会附着在他们身上。富裕的会乘势更加显赫，如果失势了他原有的宾客就没有可去的容身之所，因而会不愉快。这种情况在夷狄地区更加严重。俗语说："千金人家的儿子，不会被处死在闹市。"这不是空话。所以说："天下之人，熙熙攘攘，都是为利而来，为利而往。"那些拥有千乘财富的帝王，有万家封地的诸侯，有百室食邑的大夫，尚且还怕贫穷，更何况是一个编入户籍的平常人家呢？

文史链接

司马迁先进的经济思想

"天下熙熙，皆为利来"选自《史记·货殖列传》的序文。货殖，即经商，做买卖，靠贸易以生财求利之意。在《货殖列传》里，司马迁详细地介绍了汉代及其以前有关货殖的种种情况，因此《货殖列传》被认为是关于古代社会经济的重要文献。序文则论述了货殖的重要性及其不得不然的道理。

司马迁在《货殖列传》序文中批判了老子"老死不相往来"的"小国寡民"思想，指出其理想行不通，从反面说明了货殖之事的必要性。此外，他还指出社会向前发展，人们的欲望越来越高，应当顺应形势发展，任其自然，对人们的欲望应当予以满足，不应该干预限制人们的要求，并进一步强调货殖之事是自然而然的客观规律。司马迁还指出人之常情是求富患贫，人们富足，礼义方可维持，以货殖谋利无可厚非。上至王侯大夫，下至平民百姓无不患贫，故当以货殖谋利求富的结论不言而自明，从而进一步阐述了货殖之事的重大意义。文中还通过对齐国富国裕民之道的肯定，说明了货殖之事的重大作用。

司马迁生活在政治一统、经济繁荣的汉武帝时代，《货殖列传》体现了他对当时社会经济的思考和认识。正如翦伯赞先生所说，他“以锐利的眼光，注视社会经济方面，写成其有名的《货殖列传》”。在《货殖列传》中，司马迁突破了传统“重农抑商”经济政策的束缚，大胆提出了“欲望论”、“富利论”、“素封论”等进步理论，创造了我国史书中系统记述生产经济的先例，体现了先进的经济思想。

思考讨论

1. 如何评价司马迁的“富利论”？

2. 我们应该树立怎样的财富观？

变名易姓

昔者越王句践困于会稽之上，乃用范蠡、计然。计然曰：“知斗则修备[1]，时用则知物[2]，二者形则万货之情可得而观已[3]。故岁在金，穰[4]；水，毁[5]；木，饥[6]；火，旱[7]。旱则资舟[8]，水则资车，物之理也。六岁穰[9]，六岁旱，十二岁一大饥。夫粜[10]，二十病农[11]，九十病末[12]。末病则财不出[13]，农病则草不辟矣[14]。上不过八十，下不减三十[15]，则农末俱利，平粜齐物[16]，关市不乏[17]，治国之道也。积著之理[18]，务完物[19]，无息币[20]。以物相贸，易腐败而食之货

勿留[21]，无敢居贵[22]。论其有余不足[23]，则知贵贱。贵上极则反贱[24]，贱下极则反贵[25]。贵出如粪土，贱取如珠玉[26]。财币欲其行如流水。”修之十年[27]，国富，厚赂战士[28]，士赴矢石[29]，如渴得饮，遂报强吴[30]，观兵中国[31]，称号“五霸”[32]。

注释

[1]斗：打仗。修备：做好准备。　[2]时用则知物：知道货物何时为人所需求购用。时，时间、季节。用，用途、使用。[3]形：对照。　[4]穰：丰收。　[5]毁：坏，指歉收。[6]饥：饥荒，年成不好。　[7]旱：干旱。这句话是以阴阳五行说来论说年景收成好坏。　[8]资舟：积蓄船只。资，积蓄。舟，船只。　[9]六岁穰：六年丰收。　[10]粜（tiào）：卖粮食。[11]二十病农：每斗价格二十钱，则农人受损害。病，损害。[12]九十病末：每斗价格九十钱，则商人受损害。末，指工商业，与本（农）相对。当时流行“重本抑末”的政策，农业居于重要地位，商业则不受重视。　[13]出：流出，流通。　[14]草不辟：指田地荒芜。辟，开垦，开辟。　[15]减：低于，少于。[16]平粜：平价卖粮。齐物：同等货物。　[17]关市：指关卡税收与市场供应。乏：缺乏。　[18]积著：积贮，指囤积货物。著，同“贮”。　[19]务：务须，务求。完物：完好牢固的货物。[20]无息币：没有滞留的货币资金。息，滞留、停息。[21]腐败而食：腐败而易蚀。食，即蚀。　[22]无敢居贵：不敢积居以求高价。　[23]论：研究、论断。　[24]贵上极：

货物昂贵到极点。　[25]贱下极：货物便宜到极点。　[26]贵出如粪土，贱取如珠玉：当物贵到极点时，要及时卖出，视同粪土；当物贱到极点时，要及时购进，视如珠宝。　[27]修：整治，治理。[28]厚赂：重金收买，重赏。　[29]赴矢石：指赴战场。矢，箭。古代作战时常射箭抛石来打击敌人，故以矢石代指战场。

[30]遂：终于。报：报复，报仇。　[31]观兵：炫耀兵力。观，显示，炫耀。中国：指中原地区。　[32]五霸：春秋时先后称霸的五个诸侯。关于春秋五霸，说法不一。一说指齐桓公、晋文公、楚庄公、吴王阖闾、越王句践；一说指齐桓公、宋襄公、晋文公、秦穆公、楚庄王。

译文

从前，越王句践被围困在会稽山上，于是任用范蠡、计然。计然说："知道要打仗，就要做好战备；了解货物何时为人需求购用，才算懂得商品货物。善于将时与用二者相对照，那么各种货物的供需行情就能看得很清楚。所以，岁在金时，就丰收；岁在水时，就歉收；岁在木时，就饥馑；岁在火时，就干旱。旱时，就要备船以待涝；涝时，就要备车以待旱，这样做符合事物发展的规律。一般说来，六年一丰收，六年一干旱，十二年有一次大饥荒。出售粮食，每斗价格二十钱，农民就会受损害；每斗价格九十钱，商人就要受损失。商人受损失，钱财就不能流通到社会上；农民受损害，田地就要荒芜。粮价每斗价格最高不超过八十钱，最低不少于三十钱，那么农民和商人都能得利。粮食平价出售，并平抑调整其他物价，关卡税收和市场供应都不缺乏，这是治国之道。至于积贮货物，应当务求完好牢靠，没有滞留的货币资金。买卖货物，凡属容易腐败和腐蚀的物品不要久藏，切忌冒险囤居以求高价。研究商品过剩或短缺的情况，就会懂得物价涨跌的道理。物价贵到极点，就会返归于贱;物价贱到极点，就要返归于贵。当货物昂贵到极点时，要及时卖出，视同粪土；当货物便宜到极点时，要及时购进，视同珠宝。货物钱币的流通周转要如同流水那样。”句践照计然策略治国十年，越国富有了，能用重金去收买兵士，使兵士们冲锋陷阵，不顾箭射石击，就像口渴时求得饮水那样。越国终于报仇雪耻，灭掉吴国，继而耀武扬威于中原，号称“五霸”之一。

范蠡既雪会稽之耻，乃喟然而叹曰：“计然之策七，越用其五而得意[1]。既已施于国，吾欲用之家。”乃乘扁舟浮于江湖[2]，变名易姓，适齐为鸱夷子皮[3]，之陶为朱公。朱公以为陶天下之中，诸侯四通，货物所交易也[4]。乃治产积居，与时逐而不责于人[5]。故善治生者[6]，能择人而任时[7]。十九年之中三致千金[8]，再分散与贫交疏昆弟[9]。此所谓富好行其德者也。后年衰老而听子孙[10]，子孙修业而息之[11]，遂至巨万。故言富者皆称陶朱公[12]。

（选自《史记·货殖列传》）

注释

[1]得意：满足意愿，实现愿望。　[2]扁舟：小船。浮：漂泊。　[3]适：到……去。鸱夷：亦作“鸱鹪”，指皮制的口袋，

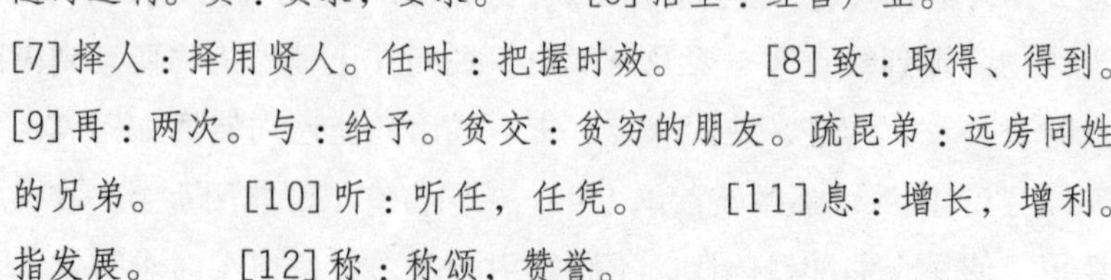
常用来盛酒。　[4]交:交流。易:容易、方便。　[5]与时逐:随时逐利。责:责求,要求。　[6]治生:经营产业。[7]择人:择用贤人。任时:把握时效。　[8]致:取得、得到。[9]再:两次。与:给予。贫交:贫穷的朋友。疏昆弟:远房同姓的兄弟。　[10]听:听任,任凭。　[11]息:增长,增利。指发展。　[12]称:称颂,赞誉。

译文

范蠡既已协助越王洗雪了会稽被困之耻,便长叹道:“计然的策略有七条,越国只用了其中五条,就实现了雪耻的愿望。既然施用于治国很有效,我要把它用于治家。”于是,他便乘坐小船漂泊江湖,改名换姓,到齐国改名叫鸱夷子皮,到了陶邑改名叫朱公。朱公认为陶邑居于天下中心,与各地诸侯国四通八达,交流货物十分便利。于是就治理产业,囤积居奇,随机应变,与时逐利,而不责求他人。所以,善于经营致富的人,要能择用贤人并把握时机。十九年期间,他三次赚得千金之财,两次分散给贫穷的朋友和远房同姓的兄弟。这就是所谓君子富有便喜好去做仁德之事了。范蠡后来年老力衰而将产业托付于子孙经营,子孙继承了他的事业并有所发展,终致巨万家财。所以,后世谈论富翁时,都称颂陶朱公。

文史链接

儒家传统富利观

儒家是肯定财富本身的价值的。孔子曰:“富与贵,是人之所欲也。不以其道得之,不处也。贫与贱,是人之所恶也。不以其

道得之，不去也。”（《论语·里仁》）这段话说明，孔子对正当得来的财富持肯定态度，强调财富获取手段的正当合法性，认为“不义而富且贵，于我如浮云”。

“贫而乐道，富而好礼”是孔子对于贫富的基本观念。子曰：“贫而无怨，难；富而无骄，易。”（《论语·宪问》）但是，仅仅做到贫而无怨、富而无骄是不够的，还要贫而乐道、富而好礼。两相比较而言，身处富贵而不傲慢，比较容易做到，能够身处贫贱而毫无怨恨，甚至自得其乐则比较困难，这才是儒家所标榜的真正的伟大。

虽然如此，儒家并不反对发财，只是强调获取财富手段的正当性。子曰：“富而可求也，虽执鞭之士，吾亦为之。如不可求，从吾所好。”（《论语·述而》）由此可见，儒家认为只要手段正当，可以尽量多的去获取财富，只是富贵之后，要用自己所拥有的财富来多行善事，回馈社会。

思考讨论

结合计然的话语以及陶朱公的故事，谈谈你对治国与治家关系的看法。

发愤著书

于是论次其文[1]。七年而太史公遭李陵之祸[2]，幽于缧绁[3]。乃喟然而叹曰：“是余之罪也夫！是余之罪也夫！身毁不用矣。”退而深惟曰[4]：“夫《诗》、

《书》隐约者，欲遂其志之思也[5]。昔西伯拘羑里[6]，演《周易》；孔子厄陈蔡[7]，作《春秋》；屈原放逐，著《离骚》；左丘失明，厥有《国语》[8]；孙子膑脚[9]，而论兵法；不韦迁蜀，世传《吕览》[10]；韩非囚秦，《说难》、《孤愤》[11]；《诗》三百篇，大抵贤圣发愤之所为作也。此人皆意有所郁结，不得通其道也，故述往事，思来者。”于是卒述陶唐以来，至于麟止[12]，自黄帝始。

（选自《史记·太史公自序》）

注释

[1]论次：按次序论述。　[2]李陵之祸：据司马迁《报任安书》载，李陵之祸发生在汉武帝天汉二年（前99）。是时骑都尉李陵击匈奴，至浚稽山被围，苦战力竭而降，太史令司马迁因言陵事，得罪下狱，受宫刑。　[3]缧绁：系犯人的绳索，这里代指牢狱。　[4]惟：思，考虑。　[5]遂：通，达。

[6]西伯：指周文王。西伯拘羑里之事参见《史记·周本纪》。

[7]厄（è）：穷困，灾难。孔子厄于陈蔡之事参见《史记·孔子世家》。

[8]厥：乃，才。　[9]孙子：指孙膑。膑：膝盖骨，特指古代一种剔除膝盖骨的酷刑。脚：小腿。孙子膑脚之事参见《史记·孙子吴起列传》。　[10]《吕览》：即《吕氏春秋》。吕不韦主持编著此书远在迁蜀以前。　[11]“韩非”句：据《史记·老子韩非列传》载，韩非著《说难》、《孤愤》的时间，应在入秦以前。　[12]至于麟止：谓《史记》叙事止于武帝获麟那一年，即元狩元年（前122）。司马迁仿照《春秋》止于获麟一事，确定了《史记》叙事的下限。

译文

于是开始论述编次所得的文献材料。到了第七年，太史公遭逢李陵之祸，被囚禁狱中。于是喟然而叹说："这是我的罪过啊！这是我的罪过啊！身体残毁没有用了。"退而深思道："《诗》、《书》含义隐微而言辞简约，是作者想要表达他们的心志和情绪。从前周文王被拘禁羑里，推演了《周易》；孔子遭遇陈蔡的困厄，著述有《春秋》；屈原被放逐，写了《离骚》；左丘明双目失明，才编撰了《国语》；孙子受了膑刑，却论述了兵法；吕不韦被贬徙蜀郡，才主编了《吕览》；韩非被囚禁在秦国，才创作了《说难》、《孤愤》；《诗》三百篇，大都是圣人贤士抒发愤懑之情而创作的。这些人都是郁闷忧愁聚集胸中，难以排遣，理想主张难以实现，因而才追述往事，考虑未来。"于是，终于下定决心记述陶唐以来直到武帝获麟那一年的历史，自黄帝开始。

文史链接

司马迁发愤著书与个人价值的实现

追求青史留名一直是中国传统知识分子的人生目标，但并非以名利作为核心。《论语·卫灵公》云："君子疾没世而名不称焉。"钱穆先生在《论语新解》中对此作了深入阐释："君子学以为己，不务人知，然没世而无名可举，则君子疾之。盖名可举实，人之一生，不过百年，死则与草木同腐，淹忽随化，一切不留，惟名可以传世，故君子以荣名为宝。名在而人如在，虽隔千百世，可以风仪如生，居游增人慨慕，謦咳亦成想象。不仅称述尊仰，光荣胜于生时。此亦君子爱人垂教之深情厚谊所寄。故名亦孔子之大教。孔子作《春秋》而乱臣贼子惧，惧此名而已。世不重名，则人尽趋利，更无

顾虑矣。”“疾没世而名不称”反映了君子对自身使命和价值的理解。《左传·襄公二十四年》亦载：“大上有立德，其次有立功，其次有立言。虽久不废，此之谓不朽。”这就是知识分子终身践行的“三不朽”思想。发愤著书就是对立言的实践。

司马迁“发愤著书”说是在其身陷囹圄、惨遭宫刑的情况之下提出的，他在对人生价值的深入思考和进退两难的矛盾纠结之中，从周文王、孔子、屈原、左丘明、孙子、吕不韦、韩非以及《诗》三百篇的作者等圣人贤士身上，汲取了前进的力量，看到了人生的希望和奋斗的目标，矢志不渝地践行撰述《史记》的理想，终于以一部皇皇巨著赢得了千古美誉，实现了人生价值。司马迁的奋斗精神及发愤著书说激励着后人志存高远、克服逆境、勇往直前。

思考讨论

以名利观为中心，谈谈你对人生价值的思考。

后　记

有一次，偶然看到某市小学一年级的语文课本中有贺知章的《回乡偶书》一诗："少小离家老大回，乡音无改鬓毛衰。儿童相见不相识，笑问客从何处来。""衰"字加了注音 shuāi。

衰，在此处应该读 cuī，在古义中有"等级次第的差别或依次递减"的意思，如《左传·桓公二年》："故天子建国，诸侯立家，卿置侧室，大夫有贰宗，士有隶子弟，庶人工商各有分亲，皆有等衰。"引申为减少、稀疏。结合贺知章的《回乡偶书》，这里"衰"的意思当指鬓毛减少、疏落，而不是衰老的意思。再从整首绝句的韵脚来看，"衰"字与首句"少小离家老大回"中的"回"和末句"笑问客从何处来"中的"来"，这三字在"诗韵"即"平水韵"中同属灰韵。

这些属于古代文化常识性的内容，过去龆龀蒙童均能脱口成韵，如今在专业教育出版社的小学语文教材中出现这样的差错，管窥一斑，不由得让人担忧。

读错一个字音尚是小事，倘若几代人不读"四书"、"五经"、唐诗、宋词……那中华民族真的就没有了灵魂。民族没有了精神内核，没有了灵魂，如何奢谈中华民族的伟大复兴？

我们承认现代教育将中国教育的视野引向更为广阔的国际空间，带来了许多新理念，给中国教育带来了活力。但是，如何在引入国际现代教育理念和现代教育方式的同时，坚守中国具有传承价值的优秀传统文化？如何在全面实施素质教育的同时，弘扬

中国文化特色以保持中国文化特有的气质？这是当前中国教育值得深入研究的问题之一。

梁启超先生曾言："吾不患外国学术思想之不输入，吾惟患本国学术之不发明。"然而，本国学术思想之发明非一代人可以成就，须"由其民族自身传递数世、数十世血液浇灌、精肉所培壅，而始得开此民族文化之花，结此民族文化之果"。要国民热爱中国的传统文化，必须本国先民的成就有其可爱之处，而且要发扬国民精神，也当从固有的精神中有所抉发。

秋霞圃书院自2010年开始筹划编撰一套适合大众普及尤其是中小学生使用的"国学基本教材"，自小学至高中每学期能有一册在手，通过以长期渐进、系统地熏陶、滋养，使中小学生在潜移默化中亲近中国的历史与文化，并使中华传统文化在当下的社会生活中"活化"。当然这种"活化"不是简单的复古，而是在当代的语境中重新梳理中华文明的脉络，从中汲取适应时代需要、社会需要，乃至适应工业文明与后工业文明需要的养料，提炼出中华传统文化的核心价值，以此来滋养一代又一代学子，为中华民族的伟大复兴奠定基础。当然，这些愿景断非一己之力能及，而是需要几代人的不懈努力，我们所起的作用仅仅是抛砖而已。国内儒学研究领军学者之一、武汉大学国学院院长郭齐勇教授听闻我们有此愿望后鼎力支持，欣然担任本套教材的总顾问，协调资源，并为之作序；武汉大学国学院院长助理孙劲松先生、向珂博士在筹组编者队伍时提供了真诚无私的帮助。此后又蒙秋霞圃书院院长、历史学家沈渭滨，语言学家李佐丰，古典文献学者骆玉明、汪涌豪、傅杰、徐志啸等教授在谋篇布局上的悉心指点，形成了本套"国学基本教材"的框架。确定框架之后，我们邀请了武汉大学、复旦大学、华东师范大学、南开大学、中国传媒大学、中山大学、内蒙古师范大学、陕西师范大学、南通大学等高校人文学科中青年学人和江浙沪地区几位优秀的中小学语文教师参与编写。

全书成稿后，沈渭滨、王家范、骆玉明、傅杰、汪涌豪、杨国强、张觉、张新科、徐志啸、鲍鹏山等教授审读了书稿，并提出了宝贵的修改意见；86岁高龄的书法名家章汝奭先生为“国学基本教材”题写书名；《儒藏》总编撰、德高望重的北京大学教授汤一介先生为我们赠书“圣贤之道”；丰子恺先生后人为我们提供了精美而颇有意蕴的24幅漫画用作丛书封面；朱青生教授为我们提供了汉画文献用于插图；画家李永源先生逾古稀之年，为这套丛书手绘了上百幅插画；浙江古籍出版社社长杨林海先生是我故交乡党，听闻我有意筹划一套面向中小学生的“国学基本教材”丛书之后，青睐有加，多方努力协调资源，亲自落实该套教材出版的相关事宜……所有殊胜因缘，都在襄助秋霞圃书院矢志传播中华传统文化的大愿，唯有在此深揖致谢。

由于主持者与编者的学识有限，尽管悉心编校，但不足之处难免，敬请方家、读者指正，以便来年修订时，相应校正。

意见和建议可致电：021-66366439，13816808263。通信地址：上海市嘉定区南大街嘉定孔庙秋霞圃书院，邮政编码：201800，电子邮件 :qiuxiapu@163.com。

李耐儒

癸巳春于嘉定孔庙